第六屆國際青年學者漢學會議

民間文學與漢學研究

論文集

主辦單位：臺東大學人文學院
　　　　　美國哈佛大學東亞語言與文明學系

協辦單位：國立臺灣史前文化博物館

《民間文學與漢學研究》序

　　二〇〇七年十一月十四～十六日，第六屆國際青年學者漢學會議在臺灣國立台東大學召開。這項會議是由國立台東大學文學院，美國哈佛大學東亞語言與文明系，美國蔣經國基金會校際漢學中心，以及教育部共同主辦。會議的題目為「**民間文學與漢學研究**」。共有來自臺灣、大陸、香港、日本、越南、美國、法國的青年學者共三十餘人發表論文，臺灣各大學教授、研究生近五十人與會。並由哈佛大學教授、國際知名的漢學家伊維德（Wilt Idema）發表專題演講。

　　漢學為西方學界對中國研究的統稱。以往漢學多半偏重以異己眼光治中國文，難免有東方主義之嫌。但漢學研究的方法、史觀、和成果卻不容一筆抹殺。尤其相對於固步自封的在地學術風格，漢學所標榜的跨學科、跨國界、跨時期的視野，反而為廣義的「中」學研究，提供一項出路。漢學在東西方學界的發展，各有洞見與不見；青年學者理應有機會相互切磋，藉以增益所學。

　　本次會議以「民間文學」主題，探討「民間」作為社會階層，知識場域，文化生產空間，以及想像座標的可能下，如何激發種種文學、文化創作和實踐。論文發表者的理論視角或方法取徑容或不同，但均能聚焦於下列幾個面向：漢學與民間文學的傳統性；漢學與民間文學的現代性；兒童文學、童話；民間故事、傳說、神話；歌謠、寓言。

民間文學與漢學研究

　　這本選集精選了會議論文十四篇，極能代表與會者治學的廣度及深度。從歷史故事在中國通俗說唱文學的演變，到民間道教儀式的傳承與變革；從臺灣、日本民間故事的比較研究，到五四新文學塑造「民間」的考察。都能讓我們回顧「民間」所象徵的豐沛資源，在文學、文化史中所形成豐富的對話脈絡。除此，部分論文觸及宗教儀式，民間風俗等，更使會議討論有了跨越領域的面向。

　　論文的發表者或是在學界嶄露頭角的年輕教授，或是即將完成論文的博士候選人。他們的成績很能代表當代漢學在不同地域的表現，而他們研究方向也說明目前研究的大勢所趨。我們希望漢學能夠藉此機會激盪出更多，更有力的議題，而臺灣也能成為未來漢學研究的重要據點。

　　此次會議的主辦單位台東大學文學院在院長林文寶教授的領導下，師生全力合作，會議議程設計細膩，接待工作無微不至，使得賓主盡歡。國科會人文處處長廖炳惠教授、國立台灣史前文化博物館浦忠成館長大力支持議事籌備，台東大學鄧鴻樹教授綜理聯絡工作，謹此一併敬致謝意。當然，參與會議的青年學者是會議成功的關鍵。他們的精彩論文，讓我們寄予深深期許，也期望在不久將來，他們成為推動國際漢學研究的主力。

王德威

美國哈佛大學東亞語言與文明學系講座教授

序

　　第六屆國際青年學者漢學會議由台東大學人文學院與美國哈佛大學東亞語言與文明系共同承辦，以「民間文學與漢學研究」為主題，邀請各界漢學領域之年輕學者（博士候選人或三年內甫獲博士學位者）共襄盛舉。我們希望秉持過去幾屆的精神繼續拓展漢學研究的新興領域。民間文學不僅是當前漢學研究中的重要議題，更面臨傳統、現代、以及全球化的急劇衝擊。這些衝擊將是漢學家持續關注的焦點。因此，第六屆國際青年學者漢學會議冀望聚焦這些議題，引領全球青年學者為漢學研究注入更多的動力與關懷。

　　本屆會議邀請世界級重要傑出漢學家參與，將漢學精髓融入民間文學與兒童文學的領域，綻放了內涵豐富的美麗花朵。美國哈佛大學伊維德教授，已有所成，為世人矚目；台東大學人文學院向來以兒童文學與民間文學為發展重點，結合區域文化特色，強化跨學科的研究與教學，為漢學研究注入一股新的研究風氣。

　　本次會議能順利舉辦，首先要感謝王德威教授的鼎力支持。國科會人文處廖炳惠處長的大力協助，在此致上最深的謝意。感謝蔣經國國際學術交流基金會、教育部、國科會等單位之支持與補助，在此特表達我們最誠摯的感激。會議期間，台灣史前博物館浦忠成館長的熱情支持，在此也一併致謝。最後

要感謝台東大學人文學院全體同仁的鼎力配合與付出，讓大會能順利舉行，激發了智慧的火花。

林文寶

台東大學人文學院院長

目　錄

民間文學與漢學研究

Revisiting Meng Jiangnü

Wilt L. Idema

EALC, Harvard University

Once upon a time, in the early years of folklore studies, folklore was the lore of the folk, an elusive entity that was just about to disappear, and whose stories and songs, customs and beliefs had to be rescued by upper-class (or at least bourgeois) scholars, who by the magical skills of science would be able, after careful selection and intensive rewriting, to distill a pure, national essence from these materials. As more and more scholars took part in actual field research, the identity of the folk became less and less clear, because it turned out that every social group had its own, often unwritten lore. Viewed from this angle, the keynote speech is very much a genre of academic folklore: on the occasion of the gatherings of the tribe of professors and students, where everyone else will only have ten or twenty minutes to present his or her paper, we invite one of the elders of the tribe to give one long speech at the very beginning. The origins of this custom are of course shrouded in mystery and subject of intensive speculation: perhaps earlier generations honestly believed that in the humanities and social sciences scholars become more erudite with years; perhaps they realized only too well that elderly scholars frequently become more long-winded with the advance of age; perhaps they even thought it would provide a good opportunity for everyone else in the early morning to doze off and go back to sleep as one of the luminaries in the field surveyed the field—more often than not looking more backward than forward, and once again fighting the scholarly battles of yesteryear. At the same time of course, the elderly scholar chosen for this function would usually feel honored because his leading role was still recognized, and be very happy that his duties would be done very early on in the conference, so he in his turn could go and doze off, sleeping through the rest of the conference, in blissful ignorance of the new developments in the field, so hotly debated by younger scholars in their panels.

But as all students of folklore know, folklore only survives as long as it has a function: it is not only an honor to be invited to give a keynote speech, but also a challenge, and the challenge is even greater when the person who is invited to give the keynote speech can hardly claim to be a specialist in the field. To be a lover of fairy tales and folksongs does not necessarily make one an expert scholar in the field. Like many western scholars of Chinese literature, my teaching duties hardly allow for any high degree of specialization, and to the extent that I can claim to have a specialization, I have strayed into many other fields, including, I confess, folk literature. For example, a few years ago, for another conference here in Taiwan, I even drew a parallel between the plot of Tang Xianzu's 湯顯祖 *Mudanting* 牡丹亭 (Peony Pavilion) and the plot of the fairy tale of Sleeping Beauty. If I dare claim some modest expertise in one small subfield of folk literature, it is because I have had, from the beginning of my career, an interest in the Chinese tradition of verse narrative and prosimetric literature, or what in Chinese is called *shuochang wenxue* 說唱文學 (literature for telling and singing). In most general introductions to Chinese folk literature of the last few decades, the many performative genres and the rich body of texts that make up *shuochang wenxue*, are treated as part of folk literature, but especially the treatment of texts tends to be brief and perfunctory, as if verse narrative and prosimetric literature are the Cinderellas of folk literature—as if it not really belonged to folk literature, but had to be treated under that heading because it was not treated as a part of "Chinese literature" either.[1] I will return to this topic at the very end of my talk, when I will argue—and of course I am not the first to do so—that it makes sense to make a distinction between "folk literature" or *minjian wenxue* 民間文學 and popular literature or *su wenxue* 俗文學. In the meantime, I can only repeat that I feel honored to be here, but that I also feel somewhat out of place.

Revisiting Meng Jiangnü

No topic lends itself better for a keynote speech at a conference on Chinese folk literature than the legend of Meng Jiangnü 孟姜女. No Chinese folktale can be traced so far back in time, and no Chinese folktale enjoyed such a wide-spread popularity

---

[1] While folklore scholars of the twenty-twenties and 'thirties focused very much on the collection of texts, scholars in the PRC quickly turned their attention to either oral traditions or the performative aspects of *shuochang wenxue*.

throughout the empire and in all layers of society as this tale of a teenage widow, who has barely known her husband, but travels to the construction site of the Great Wall when her husband has been drafted for corvée labor to bring him his winter clothes, only to discover that her husband has died from exertion and has been buried inside the body of the Wall, whereupon she brings down the Great Wall by her weeping and wailing. The study of the legend of Meng Jiangnü has been central to the development of the modern discipline of folklore studies ever since Gu Jiegang 顧頡剛 in the twenties of the preceding century published his learned articles on this folktale, tracing its ultimate origin back to the ancient *Zuozhuan* 左傳 (Tradition of Zuo), and documenting it remarkable proliferation. Gu Jiegang's seminal studies have been reprinted in the early nineteen eighties,[2] and have been followed by even more detailed studies by eminent scholars such as Boris Riftin (Li Fuqing 李福清), Wang Qiugui 王秋桂, Yang Zhenliang 楊振良, Wu Ruishu 巫瑞書, and Huang Ruiqi 黃瑞旗. Scholars from Taiwan have made significant contributions in this respect, partly because they had access to the rich holdings of *shuochang wenxue*

---

[2] Gu Jiegang, *Meng Jiangnü gushi yanjiu ji* 孟姜女故事延救集 (Shanghai: Shanghai guji chubanshe, 1984). For a survey of the study of the legend of Meng Jiangnü in the twenties and thirties, see Chang-tai Hung, *Going to the People: Chinese Intellectuals and Folk Literature, 1918-1937* (Cambridge MA: Harvard University Press, 1985); for a more critical analysis of the categories used by Gu and his contemporaries and analyzing their materials, see Haiyan Lee, "Tears that Crumbled the Great Wall: The Archaeology of Feeling in the May Fourth Folklore Movement," *Journal of Asian Studies* 64 no. 1 (2005): 35-65.

materials in the Fu Ssu-nien Library at the Academia Sinica. In view of the pre-eminent position of the legend of Meng Jiangnü in Chinese folk literature and its study, it comes as no surprise that this tale was selected as the first Chinese myth for a modern rewriting in the international project on "The Myth", initiated by the Scottish publisher Cannongate. The Nanjing-based writer Su Tong 蘇童 was selected for this rewriting, and his novel *Binu* 碧奴 appeared in its Chinese version in 2006—an English translation by the veteran translator Howard Goldblatt appeared this year as *Binu and the Great Wall*.[3]

As anyone knows who ever has read anything by this writer, Su Tong has a very rich imagination, and his Binu, who weeps through every opening in her body, has very little to do with the traditional Meng Jiangnü in any of her many guises. Su Tong may not have wanted to adhere too strictly to any traditional version of Meng Jiangnü, but it also would not have been easy for him to find a version of the tale by simply going to a bookshop. During a recent visit to Shanghai bookshops I could find books like *Mingjia tan Meng Jiangnü* 名家談孟姜女 (Famous personalities discuss Meng Jiangnü),[4] but not a single version of the story itself seemed to be in print, not even a *lianhuanhua* 連環畫 (comic book) version. Lu Gong's 路工 compilation of a number of traditional ver-

---

[3] Su Tong, *Binu* (Chongqing: Chongqing chubanshe, 2006); Su Tong, *Binu and the Great Wall* (Edinburgh: Cannongate, 2007).

[4] Tao Wei 陶瑋, Ed., *Mingjia tan Meng Jiangnü* (Beijing: Wenhua yishu chubanshe, 2006).

sions of the legend, entitled *Meng Jiangnü wanli xunfu ji* 孟姜女萬里尋夫集 (Meng Jiangnü travels for a myriad of miles to find her husband), first published in the fifties,[5] was reissued in the early eighties in the PRC, but not since then to the best of my knowledge. A collection of materials on the legend of Meng Jiangnü, including many recently collected and previously unpublished versions of the tale, was prepared for a Shanghai conference on Meng Jiangnü in 1985, but only published as an internal publication as *Meng Jiangnü ziliao xuanji* 孟姜女資料選集 (An anthology of materials on Meng Jiangnü).[6] One may find numerous other versions of the legend in many more general publications on folksong, but a revised and expanded edition of Lu Gong's compilation is long overdue. One wonders to what extent the absence of such a collection simply reflects a lack of demand for such materials on the part of the reading public. In the case of the story of Liang Shanbo 梁山伯 and Zhu Yingtai 祝英台, where we have seen the publication of large compilations of materials, the projects seems to have had close ties to the theme park industry, where different localities try to prove their exclusive link to a legend, so perhaps all that is needed is a "Meng Jiangnü theme park." But one wonders to what degree this absence of Meng Jiangnü in bookstores may also be linked to the drastic change in symbolic value of

---

5 Lu Gong, Comp. , *Meng Jiangnü wanli xunfu ji* (Beijing: Zhonghua shuju, 1958).

6 *Meng Jiangnü ziliao xuanji*, Vol. 1, *Geyao* 歌謠, Compiled by the Shanghai Branch of the Chinese Society for the Study of Folk Literature, internal publication, 1985.

the Great Wall and the First Emperor of the Qin in the course of the twentieth century. At the beginning of the twentieth century the Great Wall was a ruin, and if it was a tourist attraction, it was so only for foreigners, and the First Emperor of the Qin enjoyed a solid reputation as a tyrant, so nobody took offense if all versions of the legend of Meng Jiangnü agreed in viewing his building of the Wall as an act of delusion, stupidity, or depravity. By the middle of the twentieth century both the Great Wall and the First Emperor had become symbols of Chinese nationalism, and in the later years of the Cultural Revolution the story of Meng Jiangnü was condemned as "a poisonous weed" precisely for attacking these two modern icons.[7] The recent rise of nationalism in the PRC, and the explosive growth of internal and foreign tourism to the Great Wall and the Terracotta Army of the First Emperor have only enhanced the status of these two icons. The Cultural Revolution judgment on Meng Jiangnü has of course been reversed, but a Great Wall built out of the bones of its builders may not be the most suitable symbol of a proud nation.

Old and New Translations

I personally became more interested in the story of Meng Jiangnü when I wanted to teach an undergraduate class on Chinese verse narrative and prosimetric literature at Harvard. Undergraduate classes have to be based on English-language materials, and I

---

7 *"Meng Jiangnü" shi yizhu zunru fanfa did a ducao* 孟姜女是一株尊儒反法的大毒草 (Nanning: Guangxi renmin chubanshe, 1975).

soon discovered that while translations of early prosimetric genres such as *bianwen* 變文 (transformation texts) of the Tang and *zhugongdiao* 諸宮調 ("all keys and modes") are relative plentiful, translations from the rich materials preserved from the Qing and later are very rare indeed. In the case of *bianwen* ("transformation texts") from Dunhuang, we have both Arthur Waley's pioneering selection of translations, and Victor Mair's later, amply annotated selection of texts, which has been reissued in paperback this year, so is readily available once again. Both the *Liu Zhiyuan zhugongdiao* 劉智遠諸宮調 (The all keys and modes on Liu Zhiyuan) and the *Xixiangji zhugongdiao* 西廂記諸宮調 (The all keys and modes on the story of the western wing) have been available in English translation since the nineteen seventies. At least one of the early Ming *cihua* 詞話 ("ballad story") texts discovered in 1967 has been rendered into English. But so far hardly anything is available of the many genres of verse narrative and prosimetric narrative of a later date, and the little that is available tends to be old and hard to find. Mark Bender of Ohio State University is currently editing a large modern selection of folksong, which will include examples of verse narrative and prosimetric narrative, but so far this collection has not yet seen the light of day.

For the tale of Meng Jiangnü I am aware of three early translations, each relatively difficult to come by, and, perhaps even more importantly for teaching purposes, difficult to read for the current generation of American students. The earliest translation of the tale of Meng Jiangnü was done by George Carter Stent. George

Carter Stent was a Briton who spent most of his adult life in China, in the second half of the nineteenth century, as an employee of the Customs Service. He developed a particular liking for Chinese folksong, which he would render, like a good Victorian, into rhyming verse. His versification is not just competent, but often quite smart and witty. All together he published two collections of renditions. None of these volumes is easily located nowadays. His version of the legend of Meng Jiangnü is probably based on a text very much like the *nanci* 南詞 ("southern ballad") version included by Lu Gong in his compilation, and may be found in his *Entombed Alive, and other songs, ballads, etc. (from the Chinese)* of 1878, as "Mêng Chêng's Journey to the Great Wall." Almost fifty years later, in 1934, Genevieve Wimsatt and Geoffrey Chen (Chen Sunhan) published their *The Lady of the Long Wall, A Ku Shih or Drum Song, translated from the Chinese*. This translation is based on a late edition of the tale as a "youth book" or *zidishu* 子弟書, simply entitled *Ku cheng* 哭城 (Weeping at the Wall), which was already printed in the eighteenth century. This is again a rhymed translation. Both these versions of the legend are examples of verse narrative. The earliest example of a prosimetric version among our translations is "The Ballad of Meng Jiang nu Weeping at the Great Wall (A Broadsheet from the City God's Temple at Lanchow, Gansu)," published in 1948 in *Sinologica*. This is a relatively short version, which was turned into English by Joseph Needham and Liao Hongying, who employed "William Langland's metre" for the translation of the verse sections. Joseph Needham would of course quickly abandon the field of popular literature, and go on to write and edit his *Science and Civilization in China* (1954-).

In order to present contemporary foreign students with readable translations of different versions of the legend of Meng Jiangnü, I therefore concluded I would have to do these translations myself. I ended up with a collection of ten different texts, representing different genres of *shuochang wenxue* and offering widely divergent versions of the legend. This collection will be published early next year (2008) by Washington University Press, under the title *Meng Jiangnü Brings Down the Great Wall, Ten Versions of a Chinese Legend*. The translations proper are preceded by a shortened version of the essay on the May Fourth interpretation of the legend by Haiyan Lee, which she published in early 2005 in the *Journal of Asian Studies*, and a historical survey on the development of the legend written by myself. My selection of ten versions is dictated both by practical concerns and by personal predilection. Because these ten translations all had to fit within one book, certain versions had to be excluded because they were too bulky. For instance, the earliest completely preserved prosimetrical version of the legend is a late-Ming *baojuan* 寶卷 (precious scroll) which probably would run to hundreds of pages in an English version. The same applies to a prosimetrical version in prose interspersed with sections of ten-syllable verse, which was composed in the early years of the twentieth century and widely reprinted through-

out the first five or six decades of that century,[8] exerting a consi-
derable influence on many "oral" versions collected in recent dec-
ades. Among the versions of manageable size I chose those texts
which I found a joy to translate. The texts I translated turned out to
fall into two equal groups. The first part of the book consists of five
texts which were printed in the Qing dynasty or the early-
Republican period, while the second part consists of five texts
which have been collected in the field by scholars of folk literature
in the second part of the twentieth century.

The texts collected in Part I represent five different genres,
which I have arranged roughly in the order of date of first know
printing. In this order, the first text is a new translation of *Kucheng*,
the *zidishu* text from Beijing which was earlier translated by
Wimmsatt and Chen, but this time around I make no attempt at
rhyming my rendition. Rather, I try to reflect in my translation one
of the formal characteristics of the genre, that is, the wide variation
in line length. Like all other genres of traditional Chinese verse
narrative, *zidishu* uses the seven-syllable line as the basic line for
its verse, but perhaps because the music of *zidishu* was very slow,
many additional syllables could be inserted. This version of the le-
gend very much focuses on the sufferings of Meng Jiangnü while
traveling to the border in order to find her husband. My second text
is a version of the legend that is classified by Taiwanese scholars as
one of the earliest preserved examples of *gezai ce* 歌仔冊 (song

---

[8] My personal copy of this anonymous *Meng Jiangnü wanli xunfu* was printed in
Hong Kong by the Kwong Chi Company, ca. 1960.

booklets), and which is available on Wang Shunlong's 王順隆 website for this type of materials maintained at the Academia Sinica. This text was printed at Quanzhou, and its version starts at the very beginning, with Meng Jiangnü pronouncing a vow that she will marry the first man who sees her naked body, irrespective of his status, whereupon she proceeds to take a bath in a pond. Despite its classification as a *gezai ce*, this version still shows little or no influence of Minnanese, in contrast to later rewritings of this legend as *gezaice*, which became increasingly Minnanese in their language.[9]

My third version is a rendition of a *nanci* text, originating from the Jiangnan area. For my selection I chose the *Chongbian Meng Jiangnü xunfu kudao wanli Changcheng zhenjie chuanzhuan* 重編孟姜女尋夫哭倒萬里長城貞節全傳 (The revised version of the complete story of the steadfast chastity of the Maiden Meng Jiang, who, searching for her husband, brought down the Long Wall by her weeping). This is a revision of an earlier *nanci*, which can easily be located in late-Qing and early-Republican printings. I preferred the later revision, however, because of its superior literary qualities. I have so far failed to locate a late-Qing or early-Republican edition for this text, so I had to rely on the edition provided by Lu Gong in his compilation, even though that edition omits a significant number of lines, as was pointed out almost

---

[9] Wang Shunlong, "Cong qi zhong quanben *Meng Jiang nü ge* di ciyu wenti kan gezaice di jinhua guocheng" 從七種全本孟姜女割的詞語問題看歌仔冊的進化過程, *Taiwan wenxian* 48 no. 2 (1997): 165-177.

thirty years ago by Wang Qiugui. The author of this version apparently thought it unthinkable that a proper young lady would go skinny-dipping in a garden pond, so he has her blown into the pond as she bends over to retrieve a fan she had inadvertently dropped into the water. The journey of Meng Jiangnü to the Great Wall in this version very much becomes a local trek along the Grand Canal from Suzhou to Zhenjiang. My fourth selection also originates from the Jiangnan area. This is the *Meng Jiang xiannü baojuan* 孟姜仙女寶卷 (Precious scroll of the Immortal Maiden Meng Jiang). This is the version that has our heroine been born from a gourd. This is also the version that greatly develops the theme that her husband Wan Xiliang all by himself can replace the ten thousand men that will have to be buried at the base of the wall, one for every mile, because he is surnamed "Ten thousand" (Wan 萬). This text is included in Lu Gong's compilation, but there has suffered many cuts. For my translation I could rely on an early-Republican lithographic printing bought by Professor Patrick Hanan in the nineteen-fifties and donated by him to the Harvard Yenching Library. My final translation in Part I is a *xuanjiang* 宣講 (Exposition) text from Wuchang. *Xuanjiang* is a form of storytelling which evolved from the biweekly expositions of the Sacred Edict, and it is therefore fitting that in this version of the legend Meng Jiangnü is turned into a virtuous widow, who will only set out for the Wall once her mother-in-law has obligingly passed away.

It is difficult to arrange texts collected in the field by date of origin, so I have arranged the texts brought together in Part II by place of origin, roughly proceeding from North-West to South-East. My only prosimetric text in this section is a precious scroll on Meng Jiangnü from westernmost Gansu, which in many aspects of its plot harkens back to the long late-Ming *baojuan* which I failed to include because of its length. This is one of the versions of the legend which feature the Qin-dynasty general Meng Tian 蒙恬 as a major character and include the plot-element of the switched dragon robes. In this retelling, Meng Tian, who is in charge of building the Wall, first promotes Meng Jiangnü's husband, but soon grows jealous of him and has him done in. When Meng Jiangnü arrives at the Wall, she takes revenge by promising Meng Tian a fine dragon robe to present to the First Emperor, but the robe turns out to be a mourning garment and the emperor has his general killed. This version also presents us with the most elaborate account of the confrontation between the virtuous widow and the lustful tyrant following the collapse of the Great Wall. This texts is one of the many *baojuan* which have been collected in Western Gansu by scholars such as Duan Ping 段平, who in this case provides a detailed account of the discovery and reconstruction of the text.

For some other versions of the legend of Meng Jiangnü I relied on the volumes in the series *Zhongguo geyao jicheng* 中國歌謠集成 (China's songs and ballads).[10] While the volumes in this

---

[10] The volumes in the companion series *Zhongguo quyi zhi* 中國曲藝志 do provide a survey for each province of the subjects treated, but include only a few and very short examples of the texts performed.

series focus primarily on short and lyrical folk songs, many of them also include a small section of narrative ballads. The volume of *Zhongguo geyao jicheng* for Henan province provided me with a long ballad all in verse from Pingdingshan 平頂山. This is a representative of the northern tradition of the legend, which does away with the meeting of Meng Jiangnü and her future husband at the garden pond, and turns her into a prim and proper bride. An interesting feature of this version is the large number of gods who are at times involved in the action. The volume of *Zhongguo geyao jicheng* devoted to Zhejiang province provided me with a narrative ballad from Dongtou 洞頭 island near Wenzhou. This version is remarkable for the motivation it provides for the building of the Great Wall. Whereas in other versions of the legend the First Emperor decides on the construction of the Great Wall because he has been told a prophecy that his dynasty will be destroyed by *hu* 胡 (which he takes to refer to the northern barbarians, but actually refers to his second son Huhai) or because he dreams of sheep swarming his country, in this version he is cursed with an incestuous passion for the empress-dowager (his mother), who agrees to become his wife if he will build a wall as high as heaven.

The last two versions of the legend I translated both come from Hunan province. One version hails from north-western Hunan, an area that used to have a thriving Meng Jiangnü cult. This version is said to be a Tujia 土家 song, but the Tujia are a minority which considered themselves very much Han before 1949, and the text shows little outspoken marks of a non-Han ethnic identity. I had originally translated the version included in the volume de-voted to Hunan province in the *Zhongguo geyao jicheng*, which appeared in 1999, but I later discovered that the version included in the much earlier *Meng Jiangnü ziliao xuanji* of 1985 was more complete, so I based my rendition on that edition. This version, en-titled *Jiangnü xia chi* 姜女下池 (Jiangnü steps into the pond) bas-ically limits itself to an account of the meeting of our heroine and her future husband as she notices him observing her taking a bath in a secluded pond. The final version I translated is the version in women's script from southernmost Hunan. This version was writ-ten out by Yi Nianhua 義年華, one of the last practitioners of women's script, in the nineteen eighties. This version of the legend in the only one in my selection in which Meng Jiangnü eventually returns home with her husband's bones:

Meng Jiang recovered her husband's bones,
She carried them home and put them in her room.
Each night she slept alongside her husband's bones,
And never in her life did she marry another man!

Some General Questions, Conclusions, and Perspectives

While working on these materials on Meng Jiangnü, I was struck by a number of aspects. The very first of these, common knowledge to all scholars with some experience in research I trust, is the enormous variety of these different versions. While practical all versions will touch upon some core elements of the story, even such seemingly central episodes as the journey to the Great Wall or the weeping at the Wall, which in some versions are elaborated at length, may be mentioned only in a few lines in many other adaptations. While some versions develop the final confrontation between Meng Jiangnü and the First Emperor at great length, as our heroine imposes more and more outrageous demands on the lustful tyrant before she will share his couch (a promise she does not intend to keep), other versions have her honored by the First Emperor or omit the meeting of the maiden and the tyrant all together. Northern versions usually omit the scene of the meeting of Meng Jiangnü and her future husband at the garden pond. Southern versions tend to retain this version in which a bathing Meng Jiangnü forces the fugitive corvée laborer who has seen her naked body to marry her. In versions from the Jiangnan area her husband is already on the run before he ever has been to the construction site of the Wall, as he has been selected as the perfect sacrificial victim on account of his name. One could go on listing such differences, and the picture would become even more complicated if one would also include the variations in dramatic adaptations, in the many varieties of regional and ritual drama that include this legend in their repertoire. To me this means that it is hardly possible to discuss "the meaning" of the legend of Meng Jiangnü. Rather, each version, as determined by period, region, and genre, has its own meaning, and each of these meanings would in my eyes be equally valid.

I have also wondered to what extent this large variety in versions is related to the long development of the tale. When reading different versions of the legend of Liang Shanbo and Zhu Yingtai there seemed to be a much smaller degree of variation between the different versions in the main body of the narrative, up to the spectacular suicide of Zhu Yingtai, when she jumps into her lover's grave. (While modern retellings of the tale tend to end here, most traditional versions of the legend find a transformation into butterflies too lame an ending and bring about either a revival or a rebirth of the couple, and allow Liang Shanbo to assert his manhood by passing the examinations and defeating barbarian enemies of the empire.) In the case of Liang Shanbo and Zhu Yingtai, however, we have one *tanci* 彈詞 (string ballads) version, entitled *Da hudie* 大蝴蝶 (Great Butterflies), which would appear to have been written as a deliberate counter-account, in which all the more bawdy aspects of the other versions (such as Liang Shanbo's observation of Zhu Yingtai's exposed breasts) have been omitted, in which Zhu Yingtai on parting with Liang Shanbo does not drop numerous broad hints about her desire for marriage (let alone express a regret she never had sex with him when she had every chance), and in which both of them become paragons of virtue, resisting the advances of prostitutes and saving good girls from the clutches of lechers. Such a deliberate recasting of the whole story is difficult to identify in the case of the legend of Meng Jiangnü, even though our *xuanjiang* versions almost manages to turn our heroine into a mirror image Zhao Wuniang 趙五娘.

A second aspect I would like to highlight is the textual nature of overwhelming number of versions. Written-out versions, whether manuscripts of printed editions, are of course our only sources for knowing the earlier versions of the legend. But also in the case of versions that have been collected in more recent decades, there often exists a close connection with a written source. The *baojuan* version collected by Duan Ping in Western Gansu was a manuscript—a few pages of this manuscript were missing because they had been torn out by the owner's baby granddaughter, but as the old man knew the text by heart anyway, the full text could be reconstructed, the major problem in this effort being the owner's extremely heavy local accent. The version in women's script was by its very nature a written-out text, and it was evidently based on a songbook in standard characters which circulated locally. In the case of the Tujia version, we are told that by the editor of the text that performers told him that there used to exist manuscripts of the song. The version from Henan which I translated based on the modern transcription of a performance, evidently goes back to an earlier ballad from Henan, which has been preserved in several nineteenth-century printing. Only for the ballad from Dongtou island I have no information on a manuscript or printed edition of the text. I do not have to remind this audience how unkind the second half of the twentieth century has been to the survival of textual materials of this kind.

Each version originates of course at a specific place and time, but as written texts they have a remarkable capacity to move from one performance tradition to another and from one place to the next. The text that originally was written as a "youthbook" or *zidishu* was later performed as a "drumsong" or *dagushu* 大鼓書. The same text that was printed in Quanzhou and has been classified as one of the earliest Minnanese *gezai ce*, was also printed in Western Fujian at Sibao, and the Sibao booksellers peddled their wares primarily to the Hakka communities in Guangdong and Guangxi. As a result, as so many performance traditions used the same textual format of ballads composed of seven-syllable lines, scholars have often been in disagreement as to the classification of these texts. Wang Qiugui has questioned Lu Gong's application of the label of *nanci* to some texts included in the latter's compilation, preferring the much more generic and unspecific designation of "ballad." (In the case of the ballad from Dongtou Island which I translated, the editors of the Zhejiang volume of the *Zhongguo geyao jicheng* characterized it as a *shange* 山歌 [mountain song], whereas earlier the editors of the *Meng Jiangnü ziliao xuanji* had described it as a *Wenzhou guci* 溫州鼓詞. [Wenzhou drum ballad])

If folk literature is defined as primarily orally transmitted stories and songs, then these ballads are at the margin of folk literature at best. Late-imperial China has been paradoxically described as a highly literate society with a low degree of literacy: while written texts were needed for many aspects of daily life, only somewhere between 10 to 20 percent of the population could read, and only an even smaller number could write. Even if the written versions of the legend of Meng Jiangnü were based on a living performance tradition, writing down such a version, while it may not have required an academic erudition, still must have required considerable literary skill—and many texts do indeed manifest considerable literary qualities.[11] Many versions, I am convinced, will have been written with an intimate knowledge of some performance tradition but as a new item, and many of these texts will have been written for reading from the very beginning. To the extent that such text were not just read but also performed, they often will have been preformed by professionals. Both the written nature of our materials and the professional nature of performance (if any), would seem to argue for maintaining a distinction between "folk literature" (*minjian wenxue*) and "popular literature" (*suwenxue*), each more narrowly defined than has sometimes been the case in the past.[12]

My conception of *su wenxue* would be limited basically to long works of verse narrative and prosimetric literature, along with the really popular traditional novels, such as the military romances. I very much hope that the recent publication of the *suwenxue* collection of the Fu Ssu-nien Library by the Xinwenfeng Company in Taipei will stimulate the study of these unique materials, also as works of literature.[13]

---

[11] The 1975 authors of *"Meng Jiangnü" shi yizhu zunru fanfa d i da ducao* squarely blamed *wenren* 文人 (literati) for the "feudal" nature of the narrative.

[12] Zheng Zhenduo's 鄭振鐸 notion of *suwenxue* in his pioneering *Zhongguo suwenxue shi* 中國俗文學史 of 1938 included songs, vernacular fiction, drama, and *shuochang wenxue*, but did not include folk literature. The notion of *tongsu wenxue* 通俗文學 as employed by Fan Boqun 范伯群 and his collaborators in their massive *Zhongguo jinxiandai tongsu wenxue shi* 中國近現代通俗文學史 (Nanjing: Jiangsu jiaoyu chubanshe, 1999) is limited to fiction and popular drama, and excludes *shuochang wenxue*.

[13] The publication of the 600-volume *Suwenxue congkan* 俗文學叢刊 was started

It is interesting in this respect also to consider the links be-tween *su wenxue* and the print culture of late-imperial China and the early-Republican period. Most studies of printing and book cul-ture so far have very understandably been focused on the upper end of the industry: the publishing activities of the court, the publishers that catered to the needs of the elite literati, and the religious pub-lishing activities. Cynthia Brokaw, who has focused on the much less well-documented lower end of the industry, has made a com-pelling argument that the Qing dynasty witnessed a large expansion of printing activities at the lower end of the spectrum. In her re-cently published *Commerce in Culture: The Sibao Book Trade in the Qing and Republican Period* she has focused on the business practices and the output of the publishers of Sibao in Western Fu-jian.[14] She argues that the publishers of Sibao primarily targeted the lowest stratum of the literate, book-buying public, and proceeds to sketch a "popular textual culture" on the basis of the production of these publishers, whose products often were sold by book ped-dlers. She divides the production of the Sibao publishers in three broad categories. The first of these consists of "educational works." This category comprises textbooks for primary education and for examination preparation up to the lowest level. Her second cate-gory consists of "guides to good manners, good health, and good

---

in 2001. The first 350 volumes were devoted to play scripts and other drama-related materials; the remaining volumes are devoted to *shuochang wenxue* mate-rials. So far 500 volumes have been printed.

[14] Cambridge MA: Harvard University Asia Center, 2007.

fortune." Books in this category are mostly short guides to ritual and medicine, geomancy and fortune telling, and allow its owners, if they are not professionals themselves, to dispense with the advice of professionals. The third category, entitled "fiction and belles-lettres," consists primarily of military romances and talent-and-beauty novels as far as fiction is concerned, and of long verse narratives where "drama and songbooks" are concerned. It is clear from Professor Brokaw's detailed discussion that ballads, whether verse narratives or prosimetric texts, were published by the same publishing houses which also produced primary text books and self-help books, and were offered for sale by the same sellers to the same audience of readers with at least a basic literacy, and so functioned within a "popular textual culture" which displayed a remarkable homogeneity all over the empire. *Shuochang wenxue* led a double life, so to speak: on the one hand as a performance tradition with a widely divergent audience dependent on subject, style, format, the performer's gender, and venue, and on the other hand as a literary tradition within the "popular textual culture" of late Imperial China.

The Sibao publishers who enjoyed certain advantages for most of the Qing dynasty, such as a cheap supply of paper and low labor costs, were in a most disadvantageous position once the modernization of the Chinese print industry entered a new phase in the last quarter of the nineteenth century and Shanghai quickly developed into the national center of Chinese print capitalism, as described by Christopher A. Reed in his *Gutenberg in Shanghai:*

Chinese Print Capitalism, 1876-1937.[15] By the early twentieth century, Shanghai had become the center of China's modern mass literature—if up to that date many small-scale local centers had provisioned the market, now a much larger, national market was dominated by a few publishers who provided all of China with the same publications, which were uniformly imbued with the ideology of modernization and nationalism. In his monograph, Professor Reed pays ample attention to the role of the technical process of lithography in the modernization of the Chinese printing industry, and here it becomes meaningful, I believe, to point out the role of verse narrative and prosimetric literature as the staple of many of these lithographic publishers in the twentieth century. Once new technologies made for larger print runs and lower prices for a larger audience, publishers quickly exhausted the store of old bestsellers, and new texts had to be supplied in ever larger quantity. If this happened in the field of prose fiction, it probably also happened in the field of verse narrative and prosimetric narrative. The Shanghai lithographic publishers of the early decades of the twentieth century published ballads in a wide variety of genres in numbers never seen before, and sold their publications all over China, soon killing off regional publishing centers such as Sibao. It is impossible to determine how much of the Shanghai production was based on pre-existing texts, and how much was original, unless we have earlier manuscripts or woodblock printings.[16] Even if the

---

[15] Honolulu: University of Hawai'i Press, 2004.

[16] It is the great popularity of this type of materials with the large mass of readers,

Shanghai publishers reprinted earlier works, they often sold them as *gailiang* 改良 or "improved" editions, promising their readers up-to-date modern rewritings. Much more than we usually acknowledge of so-called traditional *suwenxue* is, I'm afraid, a product of the early modernizing print industry.[17] By broadening the reading public and increasing its reading experiences this late-Qing, early Republican *suwenxue* must have played a major but largely unrecognized role in the formation in the modern mass reading public of the twenty-twenties and beyond. Once modern education spread widely, and once the lithographic presses in their turn lost out to the huge printing factories of the Commercial Press and its competitors, however, *suwenxue* was assigned to the dustbin of history, where it soon would be joined by mandarin ducks and butterfly fiction. But whereas the latter genre has enjoyed a revival of sorts in recent decades, fate has been less kind so far to verse narrative and prosimetric literature as forms of literature for reading.

This has not been so much a keynote speech as a keyhole talk. I am grateful that I have been allowed to say a few words on the

---

including women, which stimulated a number of reformist and revolutionary intellectuals to compose their own ballads. These texts have been collected by A Ying 阿英 in the two volumes devoted to *shuochang wenxue* of his *Wan Qing wenxue congchao* 晚清文學叢鈔 (Beijing: Zhonghua shuju, 1960). The works in his collections, however, are only a small fraction of the *suwenxue* published in the Late Qing and early Republic.

[17] The rapid development of *gezai ce* in the early part of the twentieth century and the increasing Minnanese coloring of its language is not just a continuation of tradition but very much a phenomenon of the highly specific colonial modernity of Taiwan.

topic of this conference from my very limited perspective. If I bored you, I hope at least that the drone of my voice will have allowed you to doze off pleasantly, to enjoy the most marvelous adventures in fairy-tale-like dreams of your own making.

台灣文獻所載「媽祖」與「王爺」傳說的文化詮釋

林淑慧

國立台灣師範大學台灣文化及語言文學研究所助理教授

中文摘要

　　十七到十九世紀的台灣方志與文獻，保存歷史脈絡下的情境，也蘊含文人記錄民間文學的研究素材。舉例而言，「媽祖」與「王爺」信仰是台灣最主要的宗教活動，【台灣文獻叢刊】彙集一些文人記錄相關的傳說與儀式。人類學者克羅孔（Clyde Kluckhohn, 1905-1960）認為儀式與神話皆以象徵的方式表達人類心理或社會的需要：儀式是行動象徵，藉戲劇化的行動表達某種需要；神話是語言象徵，藉語言、文字的表達，支持、肯定或合理化儀式中所要表達的同一需要。神靈傳說亦與儀式相關，故本文採文獻分析法，從這些早期台灣方志與文獻中，爬梳媽祖與王爺傳說及其儀式的研究素材，並呈現文人的敘事策略與儀式的象徵意義。

　　在媽祖傳說方面，先論成神、庇渡海、助戰等傳說的敘事策略，再分析進香儀式的象徵意義，藉以呈現傳說背後的信仰體系信念或統治理念。於王爺傳說方面，則論析成神、逐疫及與史事相關傳說的敘事策略，並參考佛萊哲（James Frazer, 1854-1941）《金枝》（*The Golden Bough*）中的「交感巫術」的概念，探究逐疫儀式的象徵意義。這些傳說或承襲，或變異，多與台灣早期的移民經驗及拓墾史相關。如冒險橫渡黑水溝、作戰時託言神仙相助、對抗瘟疫等疾病，以及天然與人為災害的記憶等，常折射表現在傳說與儀式中，以合理化他們的行為。期望探討這些文獻的媽祖、王爺傳說與儀式，能詮釋早期台灣漢語文獻的文化意涵。

關鍵詞

傳說、儀式、台灣文獻叢刊、媽祖、王爺、台灣文化

民間文學與漢學研究

Cultural Interpretation of "Mazu" and "Wangye" Legend in Local Literature in Taiwan

Lin, Shu-hui

Assistant Professor,National Taiwan Normal University

Graduate Institute of Taiwan Culture, Languages and Literature,

Abstract

Taiwanese local histories and literature between the 17th and 19th centuries preserve the situations in historical contexts, and contain the research materials by literati who recorded local literature. For example, belief in "Mazu" and "Wangye" are the most important religious activities in Taiwan. *Taiwan Wenxien Tsongkan* compiled some related legends and rituals recorded by literati. Anthropologist Clyde Kluckhohn (1905-1960) believes that ritual and myth all express psychological or social needs through symbolism: ritual are active symbols that use dramatized action to express certain kinds of needs; myths are linguistic symbols that use the transmission of language and words to support or legitimize the same needs expressed in ritual. Legends of gods and spirits are also related to ritual. Thus this article uses literature analysis to study the legends and rituals on Pashu Mazu and Wangye in early Taiwanese local histories and literature and analyze the descriptive strategies of literati and symbolic meaning of ritual.

In Mazu myth: first I discuss the descriptive strategies of apotheosis, protection of ocean-crossing, and assistance in war, then analyze the symbolic meaning of the incense progression ritual, in order to demonstrate the belief system or governing visions behind legends. In Wangye myth: I discuss the descriptive strategies of apotheosis, disease banishment, and legends relating to history, and refer to the concept of sympathetic magic in *The Golden Bough* by James Frazer (1854-1941), to explore the symbolic meaning of disease banishment rituals.

These legends, inherited or modified, are largely related to the early immigrant or land clearing experiences in early Taiwanese history. For example, crossing the black water channel despite danger, claiming divine assistance in war, or fighting diseases, and memories of natural and manmade disasters; these are frequently projected in current legends and rituals to legitimize their actions. It is hoped that through the exploration of Mazu and Wangye legends and ritual, the cultural meaning of early Chinese language literature in Taiwan can be interpreted.

Keywords:

Legend, ritual, Taiwan Wenxien Tsongkan, Mazu, Wangye, Taiwanese culture

一、前　言

　　傳說具有隨時隨地變化的特性，若要研究其長期的形態，需善加運用歷來所留存的文獻，則能提供相異於只探討民間口語傳承的另一種研究路徑。（李獻璋，1979：1-3，1990：287）舉例而言，台灣 17 到 19 世紀的方志與文獻，不僅保存歷史脈絡下的情境，也蘊含許多有關傳說的研究素材。其中台灣方志依纂輯範圍之異，可分為「府志」、「縣志」、「廳志」及「縣內采訪冊」等類別，且每隔數年常有續修、重修。這些志書的編纂緣起於清廷為了熟諳各地特殊的山川形勢、風土民情，及增進中央與地方之聯繫與統治，而明令各地必須按時編纂方志的行政措施。台灣方志延續傳統方志書寫模式，本以記載風土民俗的功能為主，為錄有政治、經濟、軍事、社會及意文等資料的百科全書；且從方志的書寫策略來看，多寓含教化的目的。（章學誠，1973：308）雖然方志多由官方主修，但在編纂過程中，常聘請許多台灣在地文人進行大規模的田野調查，故亦可說是集體合作參與的文化工程。[1]他們不僅參考若干早期文獻，同時也實地採訪一些風俗儀式，為當地文化留下珍貴的文字記錄。中央研究院執行「漢籍電子文獻」計畫時，已將台灣銀行經濟研究室出版的【台灣文獻叢刊】309 種，包括方志、檔案、文獻，並增添出土的《台灣府志》一書，共近六百冊、

1　例如《彰化縣志》總纂為廣西人周璽，然參與分纂的彰化縣在地文人如陳震曜、曾作霖、廖春波、楊占鰲、楊奎、羅桂芳、曾拔萃、戴天定、林廷璋、賴占梅、紀夢熊、羅在田、陳仁世、李鳳翔、張裏、莊日躋、楊廷琛、洪對揚、曾廷紀、陳國材等參與分纂、採訪或監刻等工作。

四千八百多萬字全文建檔。這些方志，以及公文書、筆記文集、碑文等檔案、文獻，皆是研究台灣早期傳說的資料來源。

早期渡海來台的民眾攜帶三山國王等神明，在建廟祭拜的過程中凝聚特殊的地域族群，且具有文化認同的作用。雖然媽祖與王爺信仰非起源於台灣，但「媽祖」與「王爺」信仰是台灣最主要的宗教活動，亦皆是海神信仰的代表。信仰與超自然現象常有所關聯，民間的媽祖、王爺信仰卻與文獻上的神靈傳說多有區別。若從今日留存的台灣文獻所載錄數則媽祖與王爺相關傳說中，及其描述當時的宗教儀式，則可探究文人書寫有關神靈題材的敘事策略。目前所見媽祖與王爺的研究成果，多從複雜的成神歷程、儀式、遶境、祭祀圈、以及信仰的變遷等層面切入。關於媽祖信仰研究方面，除早期李獻璋（1979）以文獻學方式研究外，在林美容〈台灣媽祖研究相關書目介紹〉（2002）、以及林美容、張珣、蔡相煇主編《媽祖信仰的發展與變遷——媽祖信仰與現代社會國際研討會論文集》，收錄相當多的參考文獻目錄。而王爺信仰的研究，早期如：伊能嘉矩（1928）、片岡巖（1921）、鈴木清一郎（1934）初步提及外，學者長期研究的集結成果如劉枝萬（1990）、康豹（1990）、李豐楙（1993）等人的著作，皆深具參考價值。但本文關注的是有關早期台灣方志與文獻中，究竟記錄了哪些媽祖與王爺傳說及其儀式？【台灣文獻叢刊】中除了收錄《天妃顯聖錄》之外，其他文獻中又如何書寫媽祖與王爺傳說？這些傳說的敘事策略為何？傳說與儀式又有何種詮釋上的意義？媽祖、王爺的信仰多與超自然現象有密切關聯，雖與傳說的類型雖有所區別，然而，人類學者克羅孔（Clyde Kluckhohn, 1905-1960）認為儀式與神話具有密切的關係，兩者皆以象徵的方式表達人類

心理或社會的需要。儀式是行動象徵，藉戲劇化的行動表達某種需要；神話是語言象徵，藉語言、文字的表達，支持、肯定或合理化儀式中所要表達的同一需要。故本文擬從【台灣文獻叢刊】中歸納媽祖與王爺傳說的敘事（narrative）策略，探究台灣媽祖、王爺儀式的象徵意涵，以及這些傳說與台灣移民經驗的關係，並能進一步詮釋（interpretation）早期文獻中台灣漢語傳說的文化意涵。

二、媽祖傳說的敘事策略與儀式的象徵意涵

（一）媽祖傳說的敘事策略

1. 成神傳說的敘事策略

關於媽祖的成神傳說，常具有相同的母題，如：多是海島人家之女，幼時就已有特殊的海上救難能力。《彰化縣志‧祀典志》記載媽祖的成神事蹟時，即描寫她剛出生時，紅光滿室、異氣氤氳，出生後彌月不聞啼聲，故名默娘。八歲輒解經書奧義、喜焚香禮佛，十三歲得道典秘法；甚而至十六歲便能於海上濟人。此志書又詳細記載默娘年二十八昇化後：「里人廟之，有禱輒應。宣和中，賜順濟廟號。自是迄明，屢徵靈跡。」（周璽，1962：154-155）媽祖信仰的崇祀，是由地域性祠廟轉變為較大地區的大眾信仰形式。祠廟的信仰常見於方志或文獻中，因其屬於地方民間的祭祀，不一定獲得官方認可。所以在儒家官僚體制之下，需通過仕紳階層與地方官僚合作，將其報准敕封，此過程可稱為「正祀化」。正祀化使得媽祖信

仰由其生前具有的「巫」、「巫媼」、「里中巫」之地方性巫覡的
宗教性格，逐漸經由朝廷的冊封升格為「神女」、「夫人」乃至
「妃」、「天后」，而轉化為具有母性慈悲概念的女神。（李豐
楙，1993：34-42）此外，由《天妃顯聖錄》所列舉的救難敘
述中，我們可以看出信徒在災難前後的行為，大約呈現一固定
模式。亦即信徒於苦難中先「詣廟拜禱」、「禱我」、「祀我」、
「焚香齋戒，奉符咒」即可得助。得到媽祖救助後，則多「詣
廟致祭」、「建廟」、「捐金」、「焚香」、「獻匾」以答謝神恩。

　　再從媽祖信仰得到官方認可的正祀化過程來看，宋元時期
東南漕運仰賴天妃信仰的護持，因而諸帝屢降詔敕加封或致
祭，成為媽祖被尊為航海神之濫觴；至明代海運蓬勃發展，天
妃信仰更成為海上往來顛危之間的凝聚力量。《天妃顯聖錄》
載鄭和等人所立之〈劉家港天妃宮碑記〉便提及鄭和下西洋航
程中，天妃神力助其在茫茫大海中順利航行。（《天妃顯聖錄》
1960：83）如此看來，海運發展進一步加強了天妃信仰正祀化
的力量。至清代康熙年間靖海侯施琅攻取台灣，皆流傳著媽祖
庇佑的傳說，康熙皇帝也因此降詔加封致祭。民間傳說信仰流
傳，加上官方正祀化過程，擴展了媽祖信仰的延伸空間。

　　這些有關媽祖成神的傳說，表現從出生時周遭環境氣氛的
不尋常，到描繪人物身體官能特殊性，而後依不同年齡階段而
能力漸增的敘事手法。如此刻劃海島之女如何成神的過程，再
加上慈悲形象的塑造，皆顯得具體而詳細。這樣的敘事策略，
不僅強化女神靈異傳說的可信度，亦加深了從鄉里神，而正祀
化屢獲官方冊封的合理性。

2. 庇渡海傳說的敘事策略

媽祖信仰傳說最常見的為海上救難顯靈的神蹟，此與媽祖信仰發源地點近海有莫大關係。媽祖在台灣原本被視為海上的保護神，昔日自唐山來台的移民，往往捧供媽祖神像同行。當飄泊海上遇到驚濤駭浪之時，只要祈禱媽祖，便往往能化險為夷，因此信眾愈來愈多。平安抵台定居之後，為感念媽祖神恩，即建廟崇拜，因此台灣早期的媽祖廟都建在海港邊，如鹿耳門、北港、鹿港、關渡等。

《天妃顯聖錄》記載媽祖「托夢護舟」的傳說，1683（康熙 22）年官員於海程中夢見媽祖在船上，「問其所來，答曰：『舟船有厄，將為爾護』。十九早，舟過柑桔嶼，舟次擱淺，舵折四尺，將溺，眾驚懼，投拜神前，懇求庇佑。倏見天妃現身降靈保護，乃得平穩。」（《天妃顯聖錄》1960：43）；另外又記「燈光引護舟人」的情節：「不意昏暗之中，恍見船頭有燈籠，火光晶晶，似人挽厥纜而徑流至此。」（《天妃顯聖錄》1960：44），稱此為天妃默佑。另一相關傳說為 1786（乾隆 51）年發生林爽文事件，清廷派遣福康安來台。翌年內渡，因天色晦暗迷失方向，且下椗後舟竟不停，舉船驚慌失措：「正在危急間，舟子忽喜曰：『前有火光，媽祖來也』！眾前望，隱約之間，如有人坐小舟中，以火刀擊石，碎火四出。舟子曰：『速轉舵向火行』！一瞬息而舟已進口矣。」（《天妃顯聖錄》1960：71）海上艱險危機四伏，即使已望見港口仍不可懈怠，因近岸海域多礁石，夜航則無法趨避，故有媽祖導航護舟的傳說。

媽祖的傳說在福建各地長期流衍，但這些傳說都是零碎片

段。後人將這些傳說集成《天妃顯聖錄》，此書是由清初僧人照乘所刊刻。雖然媽祖形象最早是由民眾所塑造的，但此書主要內容是歷朝封賜媽祖的記錄，民間故事的成分頗為有限。從上引三則傳說，多為庇官員渡海的情節，文獻上未能呈現媽祖護祐普羅大眾的傳說。【台灣文獻叢刊】的作者或為在地士紳、科舉文人，或為官宦之士，而此叢刊中有關媽祖傳說多為官方或遊宦文人的書寫，正因資料的特殊性而呈現媽祖庇佑對象的差異。這些庇渡海傳說常刻意營造航海之際危急的氣氛，描繪文中的人物遇到海上無法掌控的氣象變化、迷失方向的焦慮。如此的敘事策略，是藉由人物遭難之初表現驚慌失措的樣態，呈現面對自然災難的無力感，更突顯媽祖助人的神奇能量。此外，這些庇佑官員渡海的情節，以託夢降靈、黑暗中忽見光源，強化媽祖在漫漫黑夜的大海中指引光明的護持效果。

3. 助戰傳說的敘事策略

施琅〈師泉井記〉記錄 1682（康熙 21）年孟冬率師三萬餘征討台灣之前，曾將部隊駐集於媽祖的故鄉福建莆田平海。平海此地泉流殫竭，惟在天妃宮廟前泉水平時可供百戶人口之需，到了冬天枯水期更是不堪負荷。在施琅拜禱天妃後，井竟湧出甘泉，供三萬大軍取之不盡、用之不竭。（施琅，1958：20-21）施琅運用這則傳說描述成出征前媽祖助戰的「佐佑戎，殲殄氛，翼衛王室」，藉天妃的靈力助佑軍隊，準備前往殲滅鄭氏；並穩定軍心，作為護衛清朝統治權的正當性。文末，更以《周易》「師卦」來加深這則傳說的漫衍意義：「在易，地中有水曰師。師之行於天下，猶水之行於地中；既著容民蓄眾之義，必協行險而順之德。」（施琅，1958：20-21）

〈彖傳〉提到率眾出險，大順天時與民心。〈大象傳〉則釋地面中間聚集著水，如民眾聚集形成軍旅的象徵。君子因此要團聚民眾，蓄養民眾禦侮的力量。[2]此篇的敘事策略在使師出有名，大軍凝聚向心力、信仰，也使皇朝天子的赫濯之威遍布遠播。媽祖顯靈的傳說讓三萬大軍凝聚了共同信仰，施琅對於這口井的命名，也使得征討的行動更具天意。

此外，《天妃顯聖錄》記載施琅上奏乞皇恩為媽祖顯靈助戰加敕封后，[3]並提到：「均由我皇上至仁上達昊蒼，故無往而不得神庥。」將湧泉功勞，歸功於皇上峻德格天，才使得征討過程順利。《澎湖志略・宮廟》記錄澎湖天后宮湧泉給師的傳說，而時間卻變為 1684（康熙 23）年 6 月，地點也非平海天后宮（周于仁，1961：34）。因而形成湧泉傳說，異地出現的情形。《澎湖志略》的作者轉換施琅所記的傳說，加強此一地區宮廟的靈力，擴張媽祖信仰的範疇。這些記錄於史志的文字，使傳說的散播信仰力量更為穩固。

1721（康熙 60）年清朝派施世驃與藍廷珍渡台處理朱一貴事件，藍廷珍上奏言明媽祖神蹟，請求加以冊封。另外，乾隆年間奉命來台敉平林爽文事件的福康安，渡台時也受恩於媽祖保佑。1792（乾隆 57 年）〈天后宮田產碑記〉則記載林爽文事件歸功於「莫非神之所默祐而陰相之者也。」（《台灣中部碑文集成》1962：9-10）文獻中常出現平台有功的媽祖傳說，可能是因來台平亂的官員擔心掛上功高震主，或恃功驕縱的罪

---

[2] 師卦為坎在下、坤在上，坤為順、坎為險，〈彖傳〉：「行險而順」。〈大象傳〉：「象曰：地中有水，師；君子以容民畜眾。」

[3] 施琅此則奏疏未見於《靖海紀事》，奏摺全文收錄於《天妃顯聖錄・歷朝褒封致祭詔誥》，頁 12。

名，於是將功勞歸功給媽祖，以此避禍。（石萬壽：2000：200）台灣媽祖助戰傳說的內容具有幾項特色，在情節的承襲性方面，1682（康熙 21）年施琅〈師泉井記〉載錄關於「井湧甘泉」的顯靈神蹟，與 1684（康熙 23）年《澎湖志略》中的湧泉神蹟如出一轍，唯時空有所變動，兩者間可尋到故事情節依循的痕跡。在敘事手法方面，有關媽祖如何顯靈化身的情節，常僅以「后屢著靈異」（《臺東州采訪冊》1895：48），或「見神像面有汗，衣袍俱濕」（范咸，1961：266、267）等語形容，這些文本中顯靈方式的敘述，多呈現簡略而模糊的情形。

（二）媽祖信仰儀式的象徵意義

台灣文獻除載錄媽祖傳說之外，亦保存相關儀式的記錄，透過儀式使口語傳說更與民眾生活結合。其中進香為媽祖信仰具有代表性的儀式，故就文獻所載詮釋其象徵意義。

1. 媽祖信仰與地方意識

媽祖信仰在台灣擁有最多信徒、廟宇分布也最廣。古籍如《台灣紀事‧台俗》便記載著進香時盛況時提到：廟以北港天后宮最為顯赫，每年南北兩路人絡繹如織，齊往北港進香（吳子光，1959：98），雖然其中帶著道德教化的視野來批評進香盛況的揮霍，卻也記錄當時進香「肖媽祖」之情景。[4]迎媽祖的活動多於農曆三月間舉行，此為農人插秧工作結束的空閒

---

[4] 進香盛況亦載於（《安平縣雜記》1959：14）：「自二月初旬起，上而嘉義，下而鳳恒以及內山屯番，或夫婦偕來，或扶老攜幼，陸續到廟叩祝，鑼鼓笙絃，不絕於道，總在神誕前，昭其誠敬。」

期，迎神活動不僅具有滿足百姓精神信仰之需要，亦為村落聚合的機會及凝聚地方意識的功能。

　　宗教信仰常與各種職業而有所關聯，如最初媽祖信仰者多為航海人，從事海上貿易或漁業活動。台灣民間普遍信仰的媽祖，本為海上航海者的守護神，平安渡過大海來台的民眾，多感激媽祖的庇佑；然隨著移民的墾殖，民間信仰也逐漸賦予媽祖農業神明的神格，如出現「風調雨順」的祈求。而原由中國分香來台的「湄洲媽」、「銀同媽」，歷經一段時期後，有了「開台媽」、「鹿港媽」等新的稱法，顯示媽祖信仰「本土化」特徵。與地方歷史事件、群體經驗融合，形成地方性的媽祖文化，反映出地方群體意識及情感認同。（黃美英，1988：110-124）

　　媽祖信仰盛行的因素之一，與早期冒險橫渡黑水溝來台，以及須適應新的水土環境有關，為民眾集體性恐懼不安，無意識下的流露與反應。哈伯瓦克（Maurice Halbwachs）就曾提出這樣的觀點，認為「集體記憶」（collective memory）為一種集體的社會行為，每一種集體記憶皆有其相對應的社會群體，社會群體所提供一種持久的架構，人們的記憶一定會與這個架構相符。（Maurice Halbwachs, 1992：22）宗教信仰中所崇拜的神為社會的象徵，拜神或為拜社會本身的一種外在表現，這種象徵性的社群情感為「集體意識」（collective consciousness）。台灣三月肖媽祖的社會現象可視為這「集體意識」的展現，經台灣民眾再次分香散布至全台各地，每年三月媽祖慶典，由進香割火儀式，共同參與並凝聚各區域人民的集體情感。

2. 進香儀式的教化功能

清廷利用媽祖信仰產生政治上的作用，將原為地方神靈，轉化成「媽祖」、「天后」，強調詔封後的母性、慈悲，並擴展其與官方的聯結。例如台南大天后宮原是寧靖王朱術桂的宅第原址，施琅攻取台灣後，為了消除反清意識，企圖以媽祖信仰抹去鄭成功與明朝的認同。如此看來，媽祖信仰既是區域的認同，亦牽涉到國族認同的議題。施琅需要藉用媽祖信仰的庇蔭，因為在舊王朝的眼中，他是一位背叛者。至於傳說本身除衍生自其歷史的時空背景之外，在信仰體系中，傳說也扮演了一種增強作用的角色與解釋的功能。整個信仰體系中的信念，透過傳說更加擴張，傳說亦加強並支持了整個信仰的真實性。若再加上政治力量的操作，便更增加信仰的發展力，傳說之虛實就難以區分了（王嵩山，1983：71）從媽祖傳說來看，將媽祖信仰藉由詔封天后的儀式，以加強統治政權的穩固性，是官方介入宗教的例子。

統治者利用祭祀與宗教的儀式，以政教合一的方式影響民眾價值觀的形成。官僚也必須定期前往天后宮朝拜，以加深教化的宣導作用。例如清治末期至台東任職的胡傳《台灣日記與稟啟》所載：「十四日，冬至。黎明率屬官詣天后宮向闕行叩賀禮。」（胡傳，1960：206）又如，柯培元編《噶瑪蘭志略》亦言朝拜時間：「天后宮，歲以春秋仲月及三月二十三日誕辰致祭，自嘉慶十七年奉行。」（柯培元，1961：59）這些官員至天后宮祭拜的實例，呈現官方主導的儀式活動。不僅儒家的祭孔、祭天、祭祖的宗教性蘊藏於禮制的運作之中，甚至在官建媽祖廟強調具有忠孝節義的教化功能。台灣許多主祀男神的

廟宇，並沒有特別建「聖父母殿」，但台灣的媽祖香火重鎮——北港朝天宮建有「聖父母殿」，供奉媽祖的父母親，因此也有「謁拜媽祖父母」的儀式和說法，強調的是倫理孝道的實踐。（黃美英，1995：535）《彰化縣志》又提到：「嘉靖中，編入祀典，疊加徽號。國朝康熙中，屢著靈應，紀功加封天后，入祀典。雍正四年，御賜『神昭海表』額。十一年，賜『錫福安瀾』匾。令江海各省，一體奉祠致祭。后英靈溥濟，廟遍薄海。今就官所致祭，朔望祇謁者紀之。」（周璽，1962：154-155）廟方領導組織的建構，於台灣文獻中早有記載，如《苑裏志》載：「媽祖會者，設值年頭家、爐主輪掌之。」（蔡振豐1957：85）[5] 成為領導成員者，往往最有權力接近香火等神聖儀式。而廟方領導者也往往透過神明香火的淵源或歷史的闡釋、乃至各種靈驗傳說，與地方的開發史事及群體的經驗、情感作密切結合。台灣的媽祖也演變成為一種超祖籍群的神明祭祀，在發展過程中，各地媽祖廟超越了地域群體，與鄰近媽祖廟產生競爭態勢，各廟領導者便運用各種論述、資源、儀式活動，彰顯該廟的神威與特點，以求成為超地域的信仰重鎮或香火中心。

　　神明的「香火」牽涉到「靈力」與「靈氣」的問題，「割火」儀式的主要目的便是增加神明的靈力，隨香客親身參與割火儀式，也是為了能獲得媽祖的靈氣。（黃美英，1994：203）古籍記載與進香有關的儀式：在進香前要先備妥牲禮祭拜天妃海神，然後每人預做紅袖香袋，上面寫著天妃寶號，而「至進

5　廟方領導組織的紀錄亦載於（《安平縣雜記》1959：19）及《新竹縣志初稿》：「三月。二十有三日為天后誕，有積款為媽祖會者，設值年爐主、頭家，輪流掌理；陳犧牲、演雜劇。」（鄭鵬雲，1959：179）

香時取爐內香灰實袋,縫於帽上,以昭頂戴之誠。」(《臺灣輿地彙鈔》1965:13)漢移民常攜帶香火或神像祈求平安,最初大都屬私家神明的性質,由於一些靈驗的神蹟,信徒漸多,私神也漸公眾化,在居民捐錢建廟後,成為較具體的公神。寺廟的公神,也可能因靈跡顯著,成為地緣群體的信仰中心。(張勝彥,1996:141-144)靈跡顯著與否即與傳說的傳遞效用有關,靈跡傳說鞏固其區域的信仰中心,相對其所希冀達到的教化功能便能相得益彰。

三、王爺傳說的敘事策略與儀式的象徵意涵

(一)王爺傳說的敘事策略

1. 成神傳說的敘事策略

有關王爺的身分頗為複雜,一般的王爺只有姓而沒有名,有□府王爺、□府千歲、□大王、□大人、□老爺等各種不同的稱呼。有的王爺是掌管瘟疫[6]的瘟神(如五府千歲),有的是身世不詳的厲鬼(如溫王爺、池王爺),有的是歷史人物(如張王爺),有的是鄭成功及其親屬部將。王爺的角色說法眾多紛歧,此名詞在台灣民間已成一種泛稱,包涵:自然物的神靈、歷史上的名人或帝王、大臣將相、死於非命的敗軍死將而被納入祀典之中的神明。此外,有姓無名,生前有功名卻死於非命(尤其與瘟疫有關),死後而成為瘟神。另有道教系統的

6　瘟或瘟疫係指急症熱性傳染病之總稱,平常包括鼠疫、霍亂、斑疹、傷寒及瘧疾等症。

瘟神，稱之「五瘟神」或「十二瘟王」。這些成神原因的多元性，擴大了王爺信仰的複雜體系。

學界對於「王爺」的認定可歸納為以下三種：第一種意見是將王爺視為「瘟神」、「瘟疫神」的尊稱。第二種意見是認為王爺的基本性格就是「厲鬼」。第三種意見是認為王爺就是「功烈神靈」，亦即其生前有大功於人民，死後受誥封或受祭拜而成神。學界對王爺的各種不同說法，雖然呈現出王爺信仰的多樣性，但其間仍有共通性。基本上王爺傳說中的主角多為集體橫死（冤死、枉死、自殺、意外等）的厲鬼。但這類鬼魂往往和「行瘟」或「逐瘟」的傳說及活動有關，或和道教瘟部神的信仰結合，因此以瘟神稱之，亦被認定與一般「死不瞑目」的厲鬼不同，而以「功烈神靈」或「英烈崇拜」下的王爺稱之。（林富士，1995：142-147）本文對「王爺」這個稱名，即採取以英烈神靈為探討對象，又因王爺信仰與瘟神傳說有所關聯，所以同時也將王船信仰的傳說作為探討的範疇。

在【台灣文獻叢刊】中有關英烈神靈崇拜的敘事，最明顯的如 1722（康熙六十一）年首任巡台御史黃叔璥所著《臺海使槎錄》，曾提到台灣的王船醮所祭祀的對象。此書中提到：「相傳池府大王，其為唐代三十六進士，受張天師用法冤死，上帝敕令其代天巡遊，即五瘟神。」（黃叔璥，1957：45）此為「三百六十進士死於非命」為王爺傳說的骨幹之一。[7]此處以池府王爺的傳說與瘟神信仰相聯結，又將含冤而死進士昇華

7　以曾景來整理出的王爺傳說七大類型，皆提及三百六十位進士或橫死受封、或自殺為國等（曾景來，1995：122-124）；惟黃叔璥《臺海使槎錄》的記錄為三十六位進士（頁 45），自台灣研究叢刊查詢亦未得王爺傳說中橫死進士的數字資料。

為代天巡遊。如此的敘事手法，蘊含將策略。

傳統上世間的王爺常有爵無權，[8]而王爺傳說則描述某位王爺神在某地建廟，呈現其具有區域認同的意義。如鹿港鎮金門館內的〈重建浯江館碑記〉，可見科舉文人對王爺的描述：「曩者浯人崇祀蘇王爺之像，由淡越府，過鹿溪，而神低徊而不能去。卜之曰：『此吉地也，其將住留於此』。然有是神，必有是館。」（《臺灣中部碑文集成》1962：41-42）「擇地」傳說與台灣開發史相關。傳統對於「吉地」的擇求，表示了長久居住及發展的渴望，為落地生根的表現。此種這種擇地的神靈傳說，是王爺信仰在台落地發展，也是於這塊土地定居的移民，心靈寄託的所在。

2. 逐疫傳說的敘事策略

各方志有關王爺與逐疫的記載，如 1717（康熙 56）年的《諸羅縣志》中所載：「祭畢，乃送船入水，順流揚帆以去，或泊其岸，則其鄉多厲，必禳之。」（周鍾瑄，1962：150）後來的《重修鳳山縣志》亦提到：「民間齊醮祈福，大約不離古儺。近是，最慎重者曰王醮。」（余文儀，1962：59）文中所提「儺」，為古時候為了驅逐各種疫鬼而做的儀式，台灣古俗尚王醮，每三年舉行一次，作醮便取其送瘟之意。「瘟神」受命於天庭，於行惡之處，受玉旨行瘟以處不義之人，於是民眾加以崇敬。對於施放載有瘟疫之王船，若任其隨處而去，勢必造成他地之瘟疫加深，這位對抗者所扮演的角色，就是押解著瘟疫，或將布瘟的瘟神請回天上去，或前來巡視瘟神有無擅離

8　漢代廢除異姓諸侯以後，王爺的爵位很高，卻無行政職務。民間流傳小王爺出巡的故事，顯現這些王爺雖無實權，但可以處理緊急救護的諸多事務。

職守的一種功能，如同古代之「巡撫」一般。在民眾心中逐漸出現這種陰陽對立之下所產生的神，許多民間的王爺崇拜者是以這樣的思考來加深對王爺信仰的崇敬。

劉枝萬認為這是王爺神和保生大帝神格的相結合：「有除瘟逐疫和醫治病患的功能。往昔地多瘴癘之處，處於水土不服的環境中，墾民心目中之瘟神，實以醫神之成分居多。」（劉枝萬，1990：225-234）王爺具有醫神的功能與台灣本身的氣候相關，台灣屬海島濕熱的氣候，早期地多瘴氣，根據台灣文獻中關於瘴癘、瘟疫的記載，如 1874 年（同治 13）牡丹社事件後來台的羅大春提到：「重以瘴癘之氣鬱而成瘟疫之證，傳染甚易。」（羅大春，1972：71）記錄當時台灣「開山」的情形，並描述官員感染瘟疫而病逝的狀況。另《述報法兵侵臺紀事殘輯》中也提及，1885（光緒 11）年清法戰爭時，基隆瘟疫盛行，法國軍隊全退至寧波普陀山洋面（羅惇，1968：373）。此外洪棄生《寄鶴齋選集》提到：「有喪其子、亡其兄，東家哭而西家應之者矣；是瘟疫之劫也。」（洪棄生，1972：72）亦描寫日治初期瘟疫橫行，威脅民眾生命的情景。從台灣文獻記載看來，在台灣開發的過程中，瘟疫這種傳染性的疾病，對民眾的威脅未曾消褪。早期移民所組成的社會，由於醫學不發達，造成對生死的不確定性，除了求助偏方外就只能求助於巫筮、神明的協助，以靈力、神力對抗不可見的病菌，成為民眾面對自然環境的一種因應態度。

3. 與史事相關傳說的敘事策略

成書於 1720（康熙五十九）年的《台灣縣志》記錄早期與王船有關的傳說：相傳昔年有王船漂至海中，與荷蘭舟相

遇，結果荷蘭以砲火矢石徹夜攻擊，到天亮後，看見滿船人眾都是紙所裝成，荷蘭驚慌恐懼，死者甚多。（陳文達，1961：61）這一段記載，呈顯出異地文化間的衝擊，荷蘭人面對滿船皆紙人的現象感到無法理解而驚異，甚至因此而亡。此段傳說雖為「不經之談」，卻也透露出對於王船的恐懼。

鄭氏時期有關的王爺傳說，較具代表性的如瘟使者借陳永華宅之事。1695（康熙三十四）年高拱乾《台灣府志》及1719（康熙五十八）年陳文達《台灣縣志》、1720（康熙五十九）年《鳳山縣志》皆曾記錄，然未提及瘟使者為池府大王所派、或陳永華死後為池大王陪侍神之事。惟有 1722（康熙六十一）年來台的黃叔璥，於《臺海使槎錄》提到：「偽鄭陳永華臨危前數日，有人持柬借宅，永華盛筵以待，稱為池大人，池呼陳為角宿大人，揖讓酬對如大賓；永華亡，土人以為神，故並祀焉。」（黃叔璥，1957：45）這則簡略傳說，記載陳永華臨危前數日，遇及池府大王借宅居住，土人並將永華奉祀為神。而江日昇《臺灣外記》亦記載王爺借居永華宅的傳說，且鉅細靡遺地記錄其中過程，欲以此則傳說預示鄭氏王朝氣數已盡。從傳說的背景來看，三藩事件後馮錫範隨鄭經歸台，內心妒忌陳永華掌握大權，諸事方正敢為，於是與劉國軒串通，圖謀剝奪陳氏兵權；陳永華本無所顧忌，鄭經亦聽受讒言，於是陳永華將兵權轉交至劉國軒。本欲同陳永華隱退的馮錫範卻仍舊在位，致使陳永華懊悔不及、心情不舒暢。《臺灣外記》運用第三者的視角來描述這則王爺傳說：「永華退居無事，偶爾倦坐中堂。左右見永華起，揖讓進退，禮儀甚恭，似接客狀；賓主言語，唯唯應諾。徐而睡去。逮覺，即喚左右，將內署搬徙，讓客居。」（江日昇，1960：374）左右旁侍問其原因，永

華卻回答：瘟使者欲借此屋，我便允許。而瘟使者至此的原因，是為了延請當事者：刑官柯平、戶官楊英，餘尚有不可言者，關於此位不可言者，瘟使者也只是嗟吁而已。[9]以此委婉的暗喻，預示永華的惡兆。過了幾天，永華、柯平、楊英相繼死亡，果然悉如永華所言。陳永華、柯平、楊英，都象徵當初協助鄭氏王朝的賢良將相，今瘟使者接連前來帶走他們的生命，也預示著鄭氏王朝的命運即將衰頹滅亡。

另外一則與戰役相關的王爺傳說，相傳於鄭成功在 1658（順治 15）年揮軍北伐時，由舟山前往羊山的海程中，羊山上有一大王廟甚靈，海中有曚、瞽二龍，在經過羊山時，忌擂鼓鳴金，且需祭拜獻紙。然鄭成功不信傳說，放鳴鑼，須臾間風起浪湧，迅雷閃電，只聞呼救之聲，臣屬跪求鄭成功上棚拜天後，風雨才歇息。結果鄭軍傷亡數千，更失妃、子數人，只能返回廈門休養生息。（阮旻錫，1958：27）民間王爺的傳說雖繁多，但因古文獻多為官員或科舉文人所著，對於王爺傳說較偏重於與政治或軍事相關的記載。

這些與史事相關傳說，多蘊含作者的敘事策略。如《台灣外記》運用旁觀者的敘事對話，鋪陳出傳說的懸疑性質，「瘟使者」、「延請諸當事者」、「嗟吁而已」暗示著厄運將臨的氣氛。而有關鄭成功的傳說，刻意細膩描繪情節過程而呈顯文學的張力。藉由主事者對王爺傳說的質疑，到虔誠信服神力轉折，散播傳說的影響，更加強塑造王爺特殊靈力的形象。

---

9 相關傳說亦記載於（高拱乾，1960：217）（范咸，1961：578）（王必昌，1961：544）（余文儀，1962：681）。

（二）王爺信仰儀式的象徵意義

十九世紀末葉的人類學者弗萊則（James Frazer）稱所有的巫術為交感巫術（sympathetic magic）。他認為巫術具兩種基本形式，即模擬巫術（imitative magic）和接觸巫術（contagious magic），但在實踐中這兩種巫術經常是合在一起進行。這也是人類思維比喻的兩個基本方式，開啟現代象徵研究的關鍵。（J. G. Frazer，1991：22-33）以下即分析王爺信仰中醮典與送王船儀式，多以相似的聯想為模擬巫術的象徵意義。

1. 王爺的醮典儀式

現代新功能派的人類學家綜合宗教功能的意義為：生存的功能、適應的功能，以及整合的功能。有些民族的宗教儀式作用，主要為滿足個人與自然的奮鬥，以求生存的需要；有時宗教儀式的功能著重於使個人在心理上得以調適。宗教儀式又可作為整合社群的手段，宗族中的祭祖儀式以及台灣民間的迎神拜拜，都是很明顯地發揮整合群體的功能。上述三種不同的功能，在若干特殊社會中，又常可同時並存而發生作用。（李亦園，1974：171-177）《東瀛識略》中對祭祀王爺的儀式有具體的說明：「出海者，義取逐疫，古所謂儺。鳩貲造木舟，以五彩紙為瘟王像三座，延道士禮醮二日夜或三日夜，醮盡日，盛設牲醴演戲，名曰請王；既畢，舁瘟王舟中，凡百食物、器用、財寶，無不備，鼓吹儀仗，送船入水，順流以去則喜。或泊於岸，則其鄉多屬，必更禳之每醮費數百金。亦有閒一、二年始舉者。」（丁紹儀，1957：35）早期漢移民來台的祭祀信

仰，反映出農業拓墾社會精神文化的重要一面。渡海來台的移民常因水土不服而病亡、或因生存爭鬥而逝，民間傳說若無人祭祀則淪為惡鬼，可能降災禍於人：為免厲鬼作祟，而出現集資建廟的情形。此種信仰反映人們對厲鬼的畏懼，也間接呈現出早期移民生存艱辛的寫照。

此外，《安平縣雜記‧風俗現況》記載醮典儀式提到：較大的區域如市、街延請道士禳醮，每三年舉行一次，都由民眾捐錢祈求天地神明為民人消災降祥之意，一次費金幾千圓，而鄉莊里堡民人則費金幾百圓。靠近海邊的村莊，則有王爺醮，每十二年一次，用木製王船禳醮三日，送船出海，任風飄流。其間倘若王船停靠其他村莊海岸，那麼該村莊也要禳醮，否則該莊民定招致災禍。（《安平縣雜記》1959：14）另於《安平縣雜記‧僧侶並道士》更記載醮典儀式的細節：醮典儀式若為三天大醮者，為火醮、慶成、祈安醮典各一天，而五、七天大醮者，或多一水醮。醮典結束之隔日，做一小醮，名曰「醮仔」。凡作醮必普渡，準備豐盛的豬、羊、牲醴、酒席、米糕、鉆肉山之類。（《安平縣雜記》1959：21）醮典儀式即是運用「象徵」的基本原則，使壇界的狹小空間象徵化，成為建醮聖域。在此空間內的一舉一動，完全出之以戲劇化的象徵動作，藉以表達祈福的內心企望。

2. 送王船的逐疫儀式

王爺在台灣是最眾多、龐雜的神明；本來王船漂來之地，據說都會遭瘟疫，所以要做醮大拜拜一番，復將王船送走，以禳除瘟疫。《澎湖廳志‧風俗》便記載送王船的習俗儀式：先提到澎湖域內王爺廟興盛，而有造王船、設王醮的儀式。這些

習俗由中國傳來,王船多堅緻整肅,旗幟皆綢緞且鮮明奪目;有龍林料者,有半木半紙者。王船建造完成後,擇日付之一炬,稱為「遊天河」;派數人駕船遊海上,稱為「遊地河」。而澎湖之王船,則多以紙為之,耗費金錢不少金錢。(林豪,1958:325)《台灣縣志‧風俗》亦有詳細記載:內容提到台灣崇尚王醮,每三年一次,取送走瘟疫之義。村莊境內之人集資造舟,設三座紙製瘟王,延請道士設醮祭拜二至三日夜,末日設盛宴、演戲,稱作「請王」,進酒上菜,隨後將瘟王置船上,船上凡百食物、器用、財寶,無一不具。醮典結束,送王船至大海,然後送王船之人再駕小船回來。(陳文達,1961:60-61)可見送王船的儀式是從「請王」起始,而非只有「送王」,並多在海邊舉行相關活動,增強王爺與海神信仰的相關性。

造船送王儀式一般都含有民眾所要產生效果的模擬,採用的巫術是順勢的或模擬的。歐洲古代和現代的民族中也流行相似的作法,如把疾病、災難和罪孽的負擔從某人身上轉給別人、轉給動物或其他物體身上。轉嫁災禍的習俗在阿拉伯遇到瘟疫盛行的時候,有的人就牽一隻駱駝,走遍城裡各個地區,駱駝把瘟疫馱在身上。然後,他們在一個聖地將牠勒死,認為一舉去掉了駱駝,也去掉了瘟疫。在哈福德郡的伯克漢普斯特,患者把一絡頭髮釘在橡樹上,然後猛然一擰,就把那一絡頭髮和瘰疾都留在樹裡了。(J. G. Frazer,1991:787-794)除了將這些瘟疫等傳染病轉移至駱駝等動物、或橡樹等植物,亦有轉給其他物體上的逐疫方式。例如台灣的送王船儀式,即是期盼藉由裝飾華麗的王船,載走可能奪人性命的瘟疫災難。

四、結　語

　　媽祖、王爺的信仰多與超自然現象有密切關聯，與傳說的類型雖有所區別，但傳說與儀式皆以象徵的方式表達人類心理或社會的需要。又因媽祖與王爺為台灣具有海神信仰質性的宗教活動，故本文從【台灣文獻叢刊】309 種中歸納媽祖與王爺傳說的敘事特色，並探究台灣媽祖、王爺儀式的象徵意涵。同時分析這些傳說與台灣移民經驗的關係，以詮釋早期台灣漢語傳說的文化意涵。

　　於媽祖信仰方面：（一）媽祖傳說的敘事策略，分為成神、庇渡海、助戰傳說加以論析，藉以呈現傳說背後的信仰體系信念或政治力量操作。如成神傳說：多為特殊的海上救難能力的海島少女形象；而正祀化使得媽祖信仰由地方性巫覡的宗教性格，逐漸經由朝廷的策封轉化提升為具有母性慈悲概念的女神。又如庇渡海傳說：渡海來台的民眾，向媽祖祈禱就能化險為夷，故信眾漸增。文獻中也記載官員受到媽祖「導航護舟」的傳說。此外，助戰傳說則有施琅的〈師泉井記〉書寫媽祖「湧泉給師」等傳說，加強媽祖顯赫的靈力及征討台灣的正當性。《澎湖志略‧宮廟》所載澎湖天后宮誤植湧泉給師傳說，也透露宮廟利用傳說凝聚民眾的信仰力量。朱一貴事件後，藍廷珍上奏將事功歸於媽祖，呈現媽祖、國家與民眾三者禍害與共的相關性。（二）媽祖信仰儀式的象徵意涵方面：漢移民常攜帶香火或神像祈求平安，居民捐錢建廟後，「開臺媽」、「鹿港媽」等，顯示媽祖信仰本土化特徵。象徵性的社群情感為「集體意識」，迎媽祖活動除了可滿足百姓精神信仰需

求外，亦有促進地方意識與情感認同的功能。在進香儀式的教化功能方面，官僚必須定期前往天后宮朝拜，以加深教化的宣導作用。廟方領導者透過神明香火的淵源或歷史的闡釋，乃至各種靈驗傳說，以鞏固其區域的信仰中心。

在王爺傳說信仰方面：（一）王爺傳說的敘事策略的探討，分從成神、逐疫及與史事相關傳說來論析。成神方面：《臺海使槎錄》曾記錄池府大王成為五瘟神的過程。逐疫傳說方面：《諸羅縣志》等志書對除瘟、送王船的傳說曾有零星的記錄。與史事相關的傳說：如《臺海使槎錄》記錄池府大王曾在陳永華臨危前數日，借其宅居住；《臺灣外記》則以當瘟使者前來取陳永華、柯平、楊英等賢良將相的性命，預視鄭氏王朝滅亡的命運。《臺灣縣志》記載荷蘭人以砲火攻擊王船，至天明因滿船皆紙人的現象感到無法理解而驚異，透露王爺信仰於台灣的發展源起甚早。又羊山有一大王廟，經過時禁搖鼓鳴金，且得祭拜獻紙，鄭成功不予理會，致鄭軍傷亡數千的傳說。藉由這類傳說的廣為散播，更加強塑造王爺特殊靈力的形象。（二）在王爺信仰相關的儀式方面：醮典儀式即是使壇界的狹小空間象徵化，成為建醮聖域，並藉由食物及戲劇化的象徵動作，以表達祈福的內心企望。在送王船逐疫儀式方面，《臺灣縣志·風俗》及《澎湖廳志·風俗》皆記載延請道士設醮祭拜，後將瘟王置船上，醮典結束即送王船至大海。送王船儀式為一種模擬巫術，即是期盼藉由裝飾華麗的王船，載走可能奪人性命的瘟疫災難。

民間將媽祖與王爺等神靈，作為終極信仰的對象，於宗教儀式虔誠膜拜。但台灣文獻所載錄數則媽祖與王爺相關傳說中，及其描述當時的宗教儀式，則可探究文人書寫有關神靈題

民間文學與漢學研究

材的敘事策略。在媽祖與王爺傳說或承襲、或變異，多與台灣早期的移民經驗及拓墾史相關。如冒險橫渡黑水溝、作戰時託言神仙相助、對抗瘟疫等疾病，以及天然與人為災害的記憶等，常折射表現在傳說與儀式中，以合理化他們的行為。期望藉由探討這些文獻的媽祖、王爺傳說與儀式，能詮釋早期台灣漢語文獻的文化意涵；台灣文獻中所蘊含其他多元的傳說，亦值得學界進一步探究。

參考書目

一、中文專書

〔清〕丁紹儀（1957）《東瀛識略》，台灣文獻叢刊第 2 種。台北：台灣銀行經濟研究室。

大豐南天宮管理委員會（2002）《大豐南天宮沿革志》。

〔清〕王必昌主編（1961）《重修台灣縣志》，台灣文獻叢刊第 113 種。台北：台灣銀行經濟研究室。

仇德哉（1983）《台灣之寺廟與神明（四）》。台中市：台灣省文獻委員會。

石萬壽（2000）《台灣的媽祖信仰》。台北市：台原。

弗雷澤（J. G. Frazer）著；汪培基譯（1991）《金枝：巫術與宗教之研究》。台北：久大：桂冠。

〔清〕江日昇主編（1960）《台灣外記》，台灣文獻叢刊第 60 種。台北：台灣銀行經濟研究室。

〔清〕池志澂（1960）《全台遊記》，台灣文獻叢刊第 89 種。台北：台灣銀行經濟研究室。

阮昌銳（1991）《歲時與神誕》。台北：台灣省立博物館。

〔清〕阮旻錫（1958）《海上見聞錄》，台灣文獻叢刊第 24 種。台北：台灣銀行經濟研究室。

（俄）李福清（1998）《神話與鬼話》。台中：晨星出版社。

李亦園（1968）《信仰與文化》。台北：巨流。

——（1992）《文化的圖像》上下冊。台北：允晨文化。

李獻璋（1979）《媽祖信仰の研究》。東京：泰山文物出版社。

〔清〕余文儀主編（1962）《續修台灣府志》，台灣文獻叢刊第 121 種。台北：台灣銀行經濟研究室。

——（1962）《重修鳳山縣志》，台灣文獻叢刊第 146 種。台北：台灣銀行經濟研究室。

〔清〕吳子光（1959）《台灣紀事》，台灣文獻叢刊第 36 種。台北：台灣銀行經濟研究室。

〔清〕林焜熿主編（1960）《金門志》，台灣文獻叢刊第 80 種。台北：台灣銀行經濟研究室。

〔清〕林豪主編（1958）《澎湖廳志》，台灣文獻叢刊第 164 種。台北：台灣銀行經濟研究室。

〔清〕柯培元（1961）《噶瑪蘭志略》，台灣文獻叢刊第 92 種。台北：台灣銀行經濟研究室。

林美容（1993）《台灣人的社會與信仰》〈與彰化媽祖有關的傳說故事與諺語〉。台北市：自立晚報。

林富士（1995）《孤魂與鬼雄的世界——北台灣的厲鬼信仰》。台北：台北縣立文化中心。

岡松參太郎、陳金田譯（1990）《台灣私法》第二卷。南投：台灣省文獻會。

〔清〕周璽主編（1962）《彰化縣志》。台北：台灣銀行經濟研究室。

〔清〕周鍾瑄主編（1962）《諸羅縣志》，台灣文獻叢刊第 141 種。台北：台灣銀行經濟研究室。

〔清〕周于仁、胡格（1961）《澎湖志略》，台灣文獻叢刊第 104 種。台北：台灣銀行經濟研究室。

〔清〕施琅（1958）《靖海紀事》，台灣文獻叢刊第 13 種。台北：台灣銀行經濟研究室。

〔清〕范咸主編（1961）《重修台灣府志》，台灣文獻叢刊第 105 種。台北：台灣銀行經濟研究室。

〔清〕洪棄生（1972）《寄鶴齋選集》，台灣文獻叢刊第 304 種。台北：台灣銀行經濟研究室。

〔清〕胡傳（1960）《台灣日記與稟啟》，台灣文獻叢刊第 71 種。台北：台灣銀行經濟研究室。

胡萬川總編輯（1995）《大甲鎮閩南語故事集（一）》。台中：台中縣立文化中心。

──（1998）《大安鄉閩南故事集（二）》。台中：台中縣立文化中心。

──（1999）《雲林縣閩南語故事集》。雲林：雲林縣立文化局。

〔清〕高拱乾主編（1960）《台灣府志》，台灣文獻叢刊第 65 種。台北：台灣銀行經濟研究室。

曹永和（1979）《台灣早期歷史研究》。台北：聯經出版事業公司。

〔清〕章學誠（1973）《文史通義》。台北：漢聲影印吳興劉氏嘉業堂刊本。

陳正之（1997）《台灣歲時記：二十四節氣與常民文化》。台北：新聞局。

〔清〕陳文達主編（1961）《台灣縣志》，台灣文獻叢刊第 103 種。台北：台灣銀行經濟研究室。

〔清〕陳文達主編（1961）《鳳山縣志》，台灣文獻叢刊第 124 種。
　　台北：台灣銀行經濟研究室。

康豹（1997）《台灣的王爺信仰》。台北：商鼎文化出版社。

張勝彥等編著（1996）《台灣開發史》。台北：國立空中大學。

連橫（1962）《台灣語典》，台灣文獻叢刊第 161 種。台北：台灣銀
　　行經濟研究室。

連橫（1964）《雅堂文集》，台灣文獻叢刊第 208 種。台北：台灣銀
　　行經濟研究室。

曾景來（1995）《台灣宗教と迷信陋習》。台北市：南天。

〔清〕黃叔璥（1957）《臺海使槎錄》，台灣文獻叢刊第 4 種。台
　　北：台灣銀行經濟研究室。

黃典權（1962）《台灣中部碑文集成》，台灣文獻叢刊第 151 種。台
　　北：台灣銀行研究室。

黃美英（1988）《千年媽祖：湄洲到台灣》。台北：人間。

黃美英（1994）《台灣媽祖的香火與儀式》。台北：自立晚報

〔清〕彭孫貽（1959）《靖海志》，台灣文獻叢刊第 35 種。台北：台
　　灣銀行經濟研究室。

台灣銀行經濟研究室主編（1959）《安平縣雜記》，台灣文獻叢刊第
　　52 種。台北：台灣銀行經濟研究室。

台灣銀行經濟研究室主編（1960）《天妃顯聖錄》，台灣文獻叢刊第
　　77 種。台北：台灣銀行經濟研究室。

台灣銀行經濟研究室主編（1965）《台灣輿地彙鈔》，台灣文獻叢刊
　　第 216 種。台北：台灣銀行研究室。

台灣銀行經濟研究室主編（1984）《清聖祖實錄選輯》，台灣文獻叢
　　刊第 187 種。台北：大通書局。

劉枝萬（1990）《台灣民間信仰論集》。台北：聯經。

民間文學與漢學研究

蔡相煇（1989）《台灣的王爺與媽祖》。台北：台原。

蔡相煇編（1995）《北港朝天宮志》。雲林：北港朝天宮。

〔清〕蔡振豐主編（1957）《苑裏志》，台灣文獻叢刊第 48 種。台北：台灣銀行經濟研究室。

鄭志明（1990）《王爺傳說與民間信仰》，台灣的宗教與秘密教派，台原出版。

〔清〕鄭鵬雲、曾逢辰主編（1959）《新竹縣志初稿》，台灣文獻叢刊第 61 種。台北：台灣銀行經濟研究室。

〔清〕藍鼎元（1958）《東征集》，台灣文獻叢刊第 12 種。台北：台灣銀行經濟研究室。

〔清〕羅惇、池仲祐、唐景崧（1968）《述報法兵侵臺紀事殘輯》，臺灣文獻叢刊第 253 種。台北：台灣銀行經濟研究室。

瞿海源主編（1992）《重修台灣省通志》。南投：台灣省文獻委員會。

J. G. Frager (1989), *The Golden*. Bauhg. NY.1960，汪培養中譯本。台北：久大桂冠。

二、中文論文

中華民國民間文學學會編（1991）《中國民間文學學術研討會論文集‧台灣神明傳說的文學意義與宗教功能》，高雄：國立高雄師範大學國文系。

王嵩山（1983）〈從進香活動看民間信仰與儀式〉，《民俗曲藝》，25 期，頁 61-90。

李獻璋（1990）〈媽祖傳說的開展〉，《漢學研究》，第 8 卷，第 1 期，頁 287。

李豐楙（1989）〈鎮瀾宮建醮科儀之探討〉，《民俗曲藝》，第 58

期，頁 23-45。

李豐楙（1991）〈台灣的歲時行事與民間傳說——以上元、中原的儀式、神話為例〉,《第一屆中國民間文學國際學術會議》

李豐楙（1993）〈東港王船和瘟與送王習俗之研究〉,《東方宗教研究》,第 3 期,頁 229-265。

林鶴亭（1976）〈安平天后宮志〉,《台灣風物》,26 卷,1 期,頁 37～71。

林美容（2002）〈台灣媽祖研究相關書目介紹〉,《台灣史料研究》,18 期,頁 135-165。

周育聖（2007）《台灣神話傳說與故事中的海洋文化研究》,國立台灣師範大學台灣文化及語言文學研究所碩士論文。

徐曉望（2003）〈從福建霞浦縣松山天后宮掛圖看閩東媽祖信仰的文化心態〉,林美容·張珣·蔡相煇主編《媽祖信仰的發展與變遷——媽祖信仰與現代社會國際研討會論文集》,台北：台灣宗教學會。

祖運輝（2003）〈十一到十九世紀中葉中國航海宗教初探〉,林美容、張珣、蔡相煇主編《媽祖信仰的發展與變遷——媽祖信仰與現代社會國際研討會論文集》,台北：台灣宗教學會。

康无惟（康豹；Paul Katz）（1990）〈屏東縣東港鎮的迎王祭典——台灣瘟神與王爺信仰之分析〉,收入鄭志明編《宗教與文化》,台北：台灣學生書局。

康豹（1990）〈東隆宮迎王祭典中的和瘟儀式及其科儀本〉,《中央研究院民族學研究所資料彙編》,第 2 期,頁 93-105。

張珣（2003）〈從媽祖的救難敘述看媽祖信仰的變遷〉,林美容·張珣·蔡相煇主編《媽祖信仰的發展與變遷——媽祖信仰與現代社會國際研討會論文集》,台北：台灣宗教學會。

黃美英（1983）〈訪李亦園教授從比較宗教學觀點談朝聖進香〉，《民俗曲藝》，25 期，頁 1-22。

黃美英（1995）〈香火與女人——媽祖信仰與儀式的性別意涵〉，收錄於《寺廟與民間文化研討會論文集》，頁 531-552，台北：文建會。

Turner 著（1989），劉肖洵譯〈朝聖：一個「類中介性」的儀式現象〉，《大陸雜誌》，66 卷，2 期，頁 51-69。

三、日文、英文專書與論文

片岡巖（1921）《臺灣風俗誌》。台北市：台灣日日新報社。

伊能嘉矩（1928）《臺灣文化志》。東京：刀江書院。

鈴木清一郎（1934）《臺灣舊慣冠婚葬祭年中行事》。台北市：台灣日日新報社。

前島信次（1938）〈台灣の瘟疫神、王爺と送瘟の風習に就ごて〉，《民族學研究》，第 4 期，頁 25-66。

Maurice Halbwachs 1992 "*On Collective Memory*", Edited, Translated, and with an Introduction by Lewis A. Coser, p.22。

東亞望夫石傳說初探

彭衍綸

國立花蓮教育大學民間文學研究所助理教授

中文摘要

　　望夫石傳說在中國流傳已久且分布廣闊，而同屬東亞的韓國、日本、越南等地，不約而同地，亦有望夫石傳說的流傳，甚至連馬來西亞皆疑似有此傳說。本文的撰寫即在針對東亞各國家（除中國、台灣外）的望夫石傳說進行一初步地探討，並企希獲得迴響。

　　透過探討，發現東亞諸望夫石傳說中，韓國、日本者，分別與二國歷史人物，五世紀的金（朴）堤上、六世紀的大伴狹手彥產生關聯。至於越南諒山附近的望夫山傳聞，與中國晉朝的竇滔及其妻蘇蕙的牽涉，則是十分明顯的荒謬。回顧中國自古以來絕大部分的望夫石傳說，由歷史人物事蹟延續發展而來的，幾乎不曾見聞，男、女主人公，大多為不知名的百姓形象。所以中國方面，以表現解釋功能，說明命名的特質較為顯著。韓、日方面除了亦具有解釋說明的作用外，傳說最重要的特質之一「歷史性」，則較中國方面表現得強烈。

　　再者，在這些傳說中，韓、日者結合歷史事件，使得事件傳奇化並令人感受到古代兩國緊張的政治氛圍；越南方面，或人物為中國人，或情節似唐小說，均可見其受中國文化影響之深；馬來西亞者雖是望夫石傳說的變異，傳達的卻是早期中國百姓移民東南亞的生活經歷；所以在這些共同歌詠望夫女子堅貞節操的傳說背後，尚且可見到民間文學作為反映人類生活歷史的載體的具體表現。

關鍵詞

民間文學、東亞文學、東亞民間文學、傳說、望夫石傳說

The initially searches of East Asia Husband Waiting Rock legends

Peng,Yen–Lun

Assistant Professor, Graduate Institute of Folk Literature,

National Hualien University of Education

Abstract

Husband Waiting Rock legend spread in China already long alsodistributed is broad, but with is places such as East Asian South Korea, Japan, Vietnam, as if by prior agreement, also Husband Waiting Rock legends spreading, even Malaysia possible to have this legend. This article namely in aims at the East Asia various countries (except outside China, Taiwan) Husband Waiting Rock legends to carry on one initially discusses, and hope to obtain the echo.

After discussion, discovered East Aisa Husband Waiting Rock legends, South Korea, Japan, with two countries historical personage, five centuries Kim（Pak）Je Sang（金（朴）堤上）, six centuries Otomono Sadehiko（大伴狹手彥）has the connection. As for near by Vietnam Lang Son（諒山）Husband Waiting mountain legend, with Chinese Jin Dynasty（晉朝）Dou T'ao（竇滔）and his wife Su Hui's（蘇蕙）involving, then is the extremely obvious absurd. Majority of reviews China Husband Waiting Rock legends since the ancient times, continues by the historical personage fact, nearly not once what one sees and hears which the development comes, the leading role of male and lady, mostly for not well-known common people image. Therefore the China aspect, displays the explanation function, explained the naming the special characteristic reveals. South Korea, Japan aspect besides also has explanation showing the function, one of legends the most important special characteristics "historicity", then compares the China aspect to display intensely.

Furthermore, in these legends, South Korea, Japan union historical event, caused the event legend and makes one feel the ancient times both countries tense politics atmosphere. Vietnam aspect, either the character are Chinese, either the plot resembles the novel of Tang Dynasty（唐朝）, obviously it depth of the Chinese culture influence. The Malaysia although is Husband Waiting Rock legend the variation, the transmission actually is the early China common people immigrates Southeast Asia's life experience. Therefore the leading role of lady' firm chastity morals whom Husband Waiting Rock legends at these common sings behind these legends, in addition obviously arrives the folk literature achievement to reflect the humanity historical lives of carrier concrete manifestation.

Keywords:

Folk Literature, East Asia Literature, East Asia Folk Literature, legend, Husband Waiting Rock legend

一、前　言

　　長久以來在中國流傳著這樣一個傳說：女子的丈夫（愛人）因故離開，久不見返回，女子經年累月引頸企盼，最後竟變成了石頭。一般將這樣的傳說稱之為「望夫石傳說」。[1] 的確，這傳說在中國確實流傳已久，自魏晉的《列異傳》、南朝的《幽明錄》之後，歷代的志書史傳、私人雜錄、大型類書，都可見到望夫石傳說的載錄。時至今日，我們仍不難於某些地區見到該傳說的流傳。

　　根據拙作（2005：552）的考察，在中國，就時間而言，至少包括魏晉、南朝宋、北魏、唐、宋、元、明、清，以至現代等時期；就區域而言，有如吉林、遼寧、寧夏等二十個省份暨一個特別行政區香港，都曾有望夫石傳說流傳。傳說的出現，從魏晉到現今，象徵它的突破時間隔閡；傳說的分布，涵蓋大半個中國，代表它的超越空間局限。

　　如此歷史久遠、分布廣闊的傳說，當然能夠引起注意，朱恒夫（1995：163-168）便曾有精彩的論述。朱文可說是大陸地區對於「望夫石傳說」議題，最具精闢論析的佳作之一，資料引用相當豐富。朱先生（1995：168）在考察此傳說之所以能夠形成和長期傳播的原因時，陳述了以下這段話：

　　　　四是受地理環境遼闊這一因素的影響。古時男子外出，
　　　　不論是戍邊、遊學、作官，還是行商，因路途遙遠，交

---

[1] 望夫石傳說通常亦涵蓋望夫山傳說。

通不便，三年五載不歸是很平常的事，這時間對於一個思婦來說，是十分漫長的，其精神上的痛苦可以想見。而日本、朝鮮、馬來西亞等國因其地域狹小，男子離鄉不久就能歸還，因此閨婦思人的痛苦相應地也小得多。思人不至刻骨的程度，當然就不會至山頭日日盼望，婦不望夫，自然就生不出像望夫石這類的傳說。由此看出，我國形成望夫石的傳說並長期傳播，與地理環境的遼闊也不無關係。

這裡指出日本、朝鮮（韓國）、[2] 馬來西亞等國因為地域狹小，男子離鄉不久後即能返回，因此婦女思念愛人的痛苦不至於刻骨銘心，自然發展不出望夫石傳說。果真如此？其實不然，臺灣澎湖的七美地區，全嶼總面積也不過約七‧五八九五平方公里，卻也能夠發展出望夫石傳說。所以，地理環境的遼闊與否，實非決定傳說能否形成的絕對因素。進一步地說，也就不能以這個因素來推測日本等地域較中國狹小的國家，便產生不了望夫石傳說。因為朱先生或許忽略了一件事：日本、韓國、馬來西亞與七美，在地理環境上都有一個共同的特色——臨海，有了海洋，行旅的範圍便能無限延長擴展，如此也就不受陸地範圍的限制。況且海洋詭譎多變，潛藏無法預料的危機。

另一方面，經過筆者的多方搜羅資料，以及諮詢日、韓籍友人之後，發現東北亞的韓國、日本，東南亞的越南，其實也都能見到望夫石傳說的流傳，且部分望夫石遺跡至今仍然存

2　本文的韓國即指南韓。

在，成為著名景點。至於馬來西亞的婆羅洲則疑似亦有望夫石傳說的流傳。所以，朱先生的說法實有需要更正之處。

接著，筆者即要加以說明韓國、日本、越南等東亞地區的望夫石傳說，並一併探討馬來西亞是否亦有望夫石傳說。

二、韓國的望夫石傳說

在西漢宣帝五鳳元年（前 57）至後唐廢帝清泰二年（935）此時期，鄰近中國東北的朝鮮半島，曾先後出現三個國家：新羅、高句麗、百濟，共同為朝鮮半島寫下近千年的「三國時代」歷史。

爾後在高麗時代（918-1392）產生了兩本敘述朝鮮半島「三國時代」史事的書籍：《三國史記》和《三國遺事》。而在後者的卷一〈紀異二·奈勿王·金堤上〉中曾記載了一位忠君愛國的人物：金堤上。該卷對於其人的描述，主要著墨於其為新羅第十九世訥祇王（417-457 在位）的臣子，為拯救君王二位先後留質於倭國（日本）、高句麗的手足美海、寶海，自己卻不得不拋妻棄子，壯烈犧牲的事蹟。最後並述及堤上夫人因懷想丈夫，於是帶領三個女兒登上鵄述嶺，遠望倭國方向痛哭至死，後人還拜為鵄述神母，並建祠堂紀念。

《三國遺事》的上述載記，也分見《三國史記》的卷三及卷四五。[3] 卷三屬「本紀」，堤上自然非描寫的主軸，卷四五為堤上的列傳，順理成章有較詳細地敘說。

---

3 對於堤上事蹟中的相關人物姓名，《三國遺事》和《三國史記》的記載稍有不同：《三國遺事》中的金堤上、美海、寶海，亦即《三國史記》中的朴堤上、未斯欣、卜好。

《三國史記》卷四五除同《三國遺事》一般，記載了未斯欣（美海）、卜好（寶海）先後成為倭國、高句麗人質之事外，對於堤上的家世、如何受推薦出使，則有清楚地交代。並且詳細描述了堤上以聘禮入高句麗，且全身而退地將卜好帶回與訥祇王相聚，繼而續往倭國成功拯救了未斯欣，自己卻為倭人流於木島，以薪火燒爛肢體，然後斬之等事。後來訥祇王因感念堤上，乃追贈他為大阿飧，並使未斯欣娶堤上第二女為妻。可是對於堤上夫人的部分，《三國史記》則沒有多加描述。

《三國遺事》、《三國史記》關於堤上事蹟的記載，大致如上所述，然而在民間卻有了後續的發展：有人說堤上夫人及三個女兒後來變成鵄、述鳥，亦另有流傳堤上夫人因傷心過度，最後死去，屍體卻變為岩石，人稱「望夫石」。在松元竹二所編的《支那・朝鮮・台灣　神話と傳說》（1935：401）中的《朝鮮神話傳說集》，其中〈諸國傳說〉的第九五則〈望夫岩と萬波亭〉（見圖 1），即敘說著堤上夫人變化為望夫石的過程：

> もう仕方がないので、今の慶州と蔚山との境の邊にある鵄述嶺といふ山によぢ登って、せめて帆かげだけても見送らうと、いぢらしくも山の頂まで登って行きました。山の峯からはるかに、風におくられて行く帆船を見送りながら、兩手を擧げて、聲を限りに叫びました。併し、どんなに叫んでも聞えるわけはありません。そのま、船は波におくられて、地平線の彼方に消えてしまひました。……
> すっかり船のかげが見えなくなると、妻は、悲しさが

一時にこみ上げて來て、そのまゝ其處に倒れて、たう
とう死んで了ったのでありました。
と、妻の屍は、いつか大きな巖となつてゐました。
それから其岩を、望夫岩とよぶやうになりました。[4]

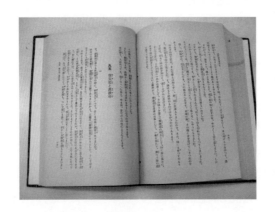

圖1：《朝鮮神話傳說集·諸國傳說》之〈望夫岩と萬波亭〉書影

　　這裡主要描寫堤上夫人登上今日慶州和蔚山市交界處，一
個叫「鵄述嶺」的山，眺望丈夫終至悲傷而死，屍體竟化成大
岩石，從此人們便稱這岩石為「望夫岩」的情節。而以堤上夫

4　中文譯意如下：

　　因為沒有辦法了，祇好登上今日慶州和蔚山交界處那座叫鵄述嶺的山，
　　為了目送遠去的帆船，即使再怎麼辛苦也要走上山頂。在山頂，一邊目
　　送被風吹著走的帆船，一邊高舉雙手，用盡所有的聲音叫著。然而在再
　　怎麼呼喊，對方是不可能聽到的。就這樣，船被波浪送走，消失於地平
　　線的那一端。
　　當船完全看不到的時候，堤上妻子的悲傷一時間全湧了上來，就這樣就
　　地倒了下去，最後就這樣死去。
　　之後屍體竟化成了大岩石，從此人們便稱這岩石為「望夫岩」。
　　再者，筆者目前尚未尋獲韓文記述的文本，先暫以日文記述者為本。

人為女主人公的望夫石傳說，幾成了韓國類似傳說的代表，韓國部分口碑文學也都曾加以介紹這傳說。蔚山市更在西元一九九七年十月九日，將該「望夫石（岩）」制定為蔚山市的歷史古蹟第一號。

假設傳說自堤上成仁後即開始流傳，那麼依《三國史記》所記，是在訥祇王二年（418），約當中國的東晉安帝義熙十四年，依《三國遺事》所記，是在訥祇王十年乙丑（425 或426），[5] 約當中國的南朝宋文帝元嘉二年或三年，那麼在時間點上，便頗為接近南朝宋《幽明錄》時代。又果真如此，這傳說在韓國也已有一段不算短的流傳歷史了。

三、日本的望夫石傳說

王孝廉在〈石頭的古代信仰與神話傳說〉（1977：58）中闡述「感生與回歸」議題時，曾提到日本有所謂的「女夫石」：

> 在（日本）岩手縣、長野縣等地有「女夫石」的傳說，內容類似於中國的望夫石傳說，是女子泣而化為石的內容。

如果根據上文的敘述：女夫石傳說類似中國望夫石傳說，那麼，日本應該也有望石夫傳說。然而，朝倉治彥等人（1997：427-428）卻是如此介紹「女夫石」：

5　訥祇王十年應為丙寅年，所以不知《三國遺事》何處記錯。

めおといし　女夫石　夫婦石とも書く。二つならんだ自
然石に関して、その由來を說明する伝說。岩手県岩手
郡のは、田村將軍が岩手山の鬼退治のため大宮に陣を
かまえたとき、美男の家来がこの里の娘とちぎり、將
軍が京に帰るとき、二人つれだってここまで来て、泣
いてそのまま石になって。[6]

從詞條一開始解說：「女夫石　夫婦石とも書く」，即「女夫石
也可以寫作夫婦石」，再配合後面的描述來看，這女夫石應指
二個石頭，二個透過想像，認為是男、女二人變成的石頭，
「女夫（めおと）」在這裡指的是「妻子丈夫」。很清楚地，女
夫石傳說，不僅女主人公化石，連男主人公也變成了石頭。進
一步地說，日本確有女夫石及其傳說，但與望夫石傳說不同，
況且其女主人公也並非望夫後才化石。如此，是否就像朱桓夫
所言，在日本即沒有望夫石傳說？

　　位於日本九州佐賀縣東松浦半島的唐津市，有日本的三大
松林之一：「虹ノ松原」（虹之松原），松原南邊有座「鏡山」，
海拔約二百八十三公尺，別名「領布振山」（ひれふりやま）。
「領布振」是揮動領巾（似今披肩）的意思，傳說是因為一位
叫作松浦佐用姬的女子，曾在鏡山揮動領巾，而留下領布振山
的別名。也因此，今日諸如在佐賀縣加部島天童岳等地所見的
佐用姬塑像，其形貌即是右手抬起作揮動狀。（見圖2）[7]

6　中文譯意如下：
　　女夫石也可以寫作夫婦石，它是關於二個自然石由來的傳說。田村將軍
　　為了打退岩手山的鬼，而在大宮布陣時，將軍的一位英俊部屬和村裡的
　　姑娘許下諾言。就在將軍準備回京的時候，二人來到這裡（女夫石所在
　　地點），在哭泣時都變成了石頭。

7　資料來源：www4.airnet.ne.jp/soutai/07_douzou/31_ma/matuura_sayohime.html

圖2：日本九州佐賀縣加部島天童岳的「松浦佐用姬」塑像

　　在相關松浦佐用姬的傳說中，有一部分提到佐用姬在鏡山揮動領巾後，自該山狂奔而下，渡過栗川（今松浦川），沿著海邊往北的方向奔跑，來到加部島的天童岳頂端，經過七天七夜連續悲痛地哭泣，竟變成了石頭。就一般望夫石傳說末了女主人公變成石頭的情節來看，佐用姬的石化是符合的，接下來，祇要瞭解佐用姬是因望夫（愛人）而化石，那麼佐用姬石化的傳說即屬於望夫石傳說。

　　有關松浦佐用姬揮動領巾的描述，最早出現在完成於八世紀後期（奈良時代）的和歌集《萬葉集》卷五中：[8]

　　868　松浦がた佐用姫の児が領巾振りし山の名のみや聞
　　　　　きつつ居らむ
　　871　遠つ人松浦佐用姫夫恋に領巾振りしより負へる山
　　　　　の名
　　872　山の名と言ひ継げとかも佐用姫がこの山の上に領
　　　　　巾を振りけむ

8　七首和歌分見〔日〕佐竹昭広等校注（1999：488–489、490–491、491、
　　491–492、492、492、495）；又，各首和歌前的數字為其位於書中的順序。

873 万代に語り継げとしこの岳に領巾振りけらし松浦
　　佐用姫

874 海原の沖行く船を帰れとか領巾振らしけむ松浦佐
　　用姫

875 行く船を振り留みかねいかばかり恋しくありけむ
　　松浦佐用姫

883 音に聞き目にはいまだ見ず佐用姫が領巾振りきと
　　ふ君松浦山[9]

　　七首作品中，僅知第 868、871 首作者為山上憶良，第八八三
首為三島王。又，山上在完成第 868、869、870 等三首和歌之
後，留下了「天平二年七月十一日、筑前国司山上憶良謹上」
數字，由此可知第 868 首完成於天平二年（730），時值中國唐
玄宗開元十八年。也因此，松浦佐用姫揮動領巾之事，可能於
八世紀初期就在日本流傳了。

　　再者，透過上引和歌，即可清楚松浦佐用姫揮動領巾是為
了送別她的愛人。[10] 換句話說，憑藉《萬葉集》的描述，再
加以結合佐用姫變成石頭的說法，幾可斷定松浦佐用姫的石化
傳說，其實就是望夫石傳說。

9　筆者參考楊烈（1984：187－190）、趙樂甡（2002：205－208）二人的翻譯，
　　嘗試將七首和歌中譯如下：
　　　　868 松浦佐用姫，送夫揮領巾，從此領巾山，聞名遐且永。
　　　　871 松浦有佳人，松浦佐用姫，思夫揮領巾，從此山名起。
　　　　872 山名何以傳，果有佐用姫。曾在此高山，領巾揮不已。
　　　　873 山名萬代傳，領巾揮不止。松浦有佳人，佐用比賣子。
　　　　874 船離河岸邊，不知何時歸？直把領巾揮，松浦佐用姫。
　　　　875 行船遠不留，愛戀如何起。松浦有佳人，佐用比賣子。
　　　　883 耳聞眼未見，佐用比賣子。領巾搖不止，待君松浦山。

10　在此自然可理解松浦佐用姫送別愛人時必有遠望他。

至於松浦佐用姬的愛人為何人？根據《萬葉集》卷五，第871 首和歌附記的序文，可知其人為大伴佐提比古，亦即大伴狹手彥。而狹手彥之所以離開佐用姬，導因他的出征。此次出征，八世紀初期編纂的日本第一部純漢文正史《日本書紀》中即有明載：

> 二年冬十月壬辰朔。天皇以新羅寇於任那。詔大伴金村大連。遣其子磐與狹手彥以助任那。是時。磐留筑紫執其國政以備三韓。狹手彥往鎮任那。加救百濟。（《日本書紀·宣化二年》）

此處載說：宣化帝二年（537）十月，新羅寇任那（加羅），大伴金村大連承詔，派遣其子磐及狹手彥，援助任那。是時，磐留筑紫（今福岡縣），統其國政，以防備三韓。狹手彥往鎮任那，且救百濟。宣化帝在位之時為六世紀初，此時朝鮮半島即處於新羅、高句麗、百濟鼎立的三國時代。狹手彥之父金村，為歷事仁賢、武烈、繼體、安閑、宣化、欽明六帝的大臣。由於在宣化帝即位之前，掌有執導政治權的大伴氏，主張任那等四縣予百濟，因此招致新羅的蓄怨，興起事端，以致後來方有宣化帝時派狹手彥出征新羅，且救百濟之事發生。

因此在《神話傳說辭典》（1997：408）的「まつらさよひめ 松浦佐用媛（姬）」條，即訴說著後代傳說佐用姬在送別出征的愛人狹手彥後，竟變成了石頭，成了所謂的望夫石傳說。

至此，可以簡單地說，以松浦佐用姬為女主人公的日本望夫石傳說，是在宣化帝時，大伴狹手彥出征到新羅任那的歷史事件背景上，延續發展而來的。

四、越南的望夫石傳說

關於越南地區的望夫石傳說，筆者蒐集到二筆資料：

（一）《海南雜著·炎荒紀程》

> 二十日，……自城東過溪，……去溪行二里許，見
> 石山一帶，四峰循環相接，幾三、四里，石質粘合渾
> 融。山前一洞，名二青洞（景興四十一年己亥，諒山鎮
> 吳時任始闢。舊有自然石文，象「二那青」三字，因以
> 二青名洞）。洞口磚砌高垣，三扉並豁。……徙倚半
> 日，循山前二里許至三青洞（景興四十一年闢）；廣倍
> 二青，而遜其幽折。內供諸天菩薩像，瓔珞寶珠，金光
> 四照。洞上垂石乳，有無根水時一滴、滴處皆融結為石
> 理，亦奇矣。洞前對山，孤峰獨峻，名望夫山；俗傳為
> 蘇若蘭望竇滔處，語甚荒唐。日向午，尋舊路還。（《海
> 南雜著·炎荒紀程》）

《海南雜著》一書分為〈滄溟紀險〉、〈炎荒紀程〉、〈越南
紀略〉三個部分，為清朝澎湖人士蔡廷蘭所撰。此書可說是清
道光年間有關越南風土民情的一部實地調查記錄，更是一部越
南遊歷記，甚可直說是蔡氏因颶風劫難而成的越南餘生錄。其
中的〈炎荒紀程〉，更明白地說，其實就是蔡氏一次路線由南
往北的越南旅行記錄。

引文中所記「景興」為越南黎朝（後）顯宗年號，[11] 景興四十一年，時當中國的清高宗乾隆四十五年（1780）。「自城東過溪」的「城」指的是諒山城，行至諒山，也等於到了蔡廷蘭在越南旅程的末段。所以，蔡廷蘭在越南所見到的望夫山正位於諒山城附近，景興四十一年開闢的三青洞對面。諒山地處越南東北部，它的東北毗鄰中國廣西，有著二百餘公里的界線，換句話說，這望夫山所處位置，其實已十分靠近中國。

至於其中所記「俗傳為蘇若蘭望竇滔處」，實在荒謬至極，連蔡廷蘭自己也評論「語甚荒唐」。竇滔為晉朝人，妻子為蘇蕙，據《晉書》載：

> 竇滔妻蘇氏，始平人也，名蕙，字若蘭。善屬文。滔，苻堅時為秦州刺史，被徙流沙，蘇氏思之，織錦為迴文旋圖詩以贈滔。宛轉循環以讀之，詞甚悽惋，凡八百四十字，文多不錄。（《晉書》卷九六〈列女・竇滔妻蘇氏〉）

換句話說，苻堅時，竇滔為秦州刺史，因罪流徙到北方沙漠，蘇若蘭於是寫作詩句迴轉循環皆可誦讀的迴文旋圖詩，繡織錦以寄相思。

前秦在苻堅時，因任用漢人王猛為相，國勢大盛，於是積極向外擴充領土，前後併滅了前燕、前涼、代，統一了北方，又經略西域，侵襲東晉，版圖遼闊，曾東達淮泗，西入西域，

---

11 景興四十一年應為庚子年，如果是己亥年，則應為景興四十年；另據陳益源（2006：175）考察，當時的諒山督鎮實為「吳時仕」（1725-1780），「吳時任」（1746－1803）乃吳時仕長子，此處應為蔡廷蘭誤記。

民間文學與漢學研究

南至邛楚，北抵大漠。所以從地緣，或者是竇滔流放的地區來看，都與越南搭不上關係，甚至差了十萬八千里，因此這俗傳實在荒謬。

〈炎荒紀程〉中所述的二青洞、三青洞，目前是諒山的觀光景點，在「諒山公共信息網」[12] 中均有介紹。另在該網站中亦見有一望夫石圖文的說明：[13]

> 座落於二青、三青名勝群體之中，望夫石隱含在其中一個感動的傳說故事。望夫之婦在高高山上懷裡抱著孩子等著丈夫回來的形象已走進了越南民族的心靈深處，是越南婦女始終如一的象徵。

雖然上述文字完全未提及竇滔、蘇蕙之事，並將此望夫女子形象與越南婦女的始終如一相連結，但從其中所述地理位置來看，此望夫石應即位於〈炎荒紀程〉中的望夫山。

圖 3：越南諒山望夫石

---

12 網址：http://www.langson.gov.vn/details_c.asp?Object=6152020&news_ID=6154190

13 點選步驟：諒山公共信息網→旅遊信息→名勝古蹟→望夫石（網址：http://www.langson.gov.vn/content_c.asp?topic=4&getcontent=1）；瀏覽日期：2008 年 1 月 16 日。

（二）《嶺南摭怪外傳》之〈望夫山神傳〉

> 山在順化道海門。武昌縣世傳：昔有兄妹二人，樵
> 于林中。兄斫木，誤被妹面，妹痛倒臥，兄以為必死，
> 懼而遠遁。遇一老父，遂收養之。及其長成，顏色甚
> 美，頗異於前。後老父死，始嫁其夫，乃親兄也。
>
> 兄不知為妹，見頭上有大痕，因問之。婦曰：「妾
> 幼時從兄入林斫木，誤中額上，兄即遁去，不知生死何
> 方？」兄心覺其妹，然已誤娶，不敢明言。乃託為販賣
> 行役，逃去不歸。妹不知為兄，日望之，沒乃化為石，
> 因呼「望夫石。」人見其靈異，立祠奉事之。（陳慶浩
> 等，1992：180）

《嶺南摭怪外傳》共收錄三十八篇越南舊時志怪小說，此
書其實源自《嶺南摭怪》。《嶺南摭怪》乃越南的志怪小說，但
觀其內容，亦可將之視為越南神話、傳說、民間故事的總集。
由於此書經歷多次的增減和修改，所以版本繁多，可說非出自
一人之手，亦非成於一時。根據林翠萍（1996：50-58）的考
述，歷來編纂者可能有陳世法、武瓊、喬富、段永福等人。陳
氏生平不可考，但概是較早的編纂者；至於武、喬、段三人，
因目前所存的《嶺南摭怪》諸版本中尚可見到前二人的序文及
段氏的後跋，所以應可肯定三人確曾編纂《嶺南摭怪》，祇不
過武、喬二人所編纂者為二卷本，段氏則另外再增些稱為「續
類」的故事，而成三卷本。
　　至於收錄〈望夫山神傳〉的《嶺南摭怪外傳》，林翠萍
（1996：62）則認為應是後人增刪修改《嶺南摭怪》而成的。

如果說《嶺南摭怪外傳》是由《嶺南摭怪》增刪修改而來，那麼其書的出現必在《嶺南摭怪》二卷本、三卷本之後，也就是武、喬、段三人年代之後。按武瓊、喬富為後黎朝（1428-1527）時人，段永福為更晚的莫朝（1527-1592）時人，時約中國明朝的世宗、穆宗、神宗三朝。今如依林翠萍的說法，並且暫不考慮〈望夫山神傳〉原始出處的問題，那麼《嶺南摭怪外傳》中的望夫石（山）傳說的流傳年代，應該就是十六世紀之後了。當然，因屬神話傳說，所以原創者當不知何人。

另據傳說所示，望夫石（山）遺跡位於越南順化道，換句話說，這裡是越南除了諒山之外，另一個流傳望夫石傳說的地方。觀其部分內容，尚與唐朝《續玄怪錄》卷四的〈定婚店〉，其中妻子曾為丈夫所傷的情節描寫有所類似。而此望夫石與他處望夫石相較，最特別的，莫過於這望夫石因為靈異，還成為民眾立祠膜拜的對象。

五、馬來西亞有無望夫石傳說

西元一九八六年福州海峽文藝出版社發行了一冊由曾閱搜集整理的傳說集，因集子的首則傳說為〈望夫山〉，所以名稱即取為《望夫山》。至於〈望夫山〉的梗概則為：

> 從前福建晉江沿海有艘到南洋的商船，返途遇上大颱風，祇剩一個年輕人倖免於難，被一處港灣的土人救起，並送交酋長，後來酋長還將女兒許配給他。若干年後的某一天，年輕人登上日後取名為「望夫山」的那座山，向北眺望家鄉，不禁興起思鄉情懷。於是和妻子商

量,希望能返鄉一趟。臨別當天,妻子叮嚀丈夫要在三個月的期限屆滿前回來。自離別後,妻子每天企盼丈夫歸來,卻始終等候不到。原來年輕人返鄉的船又遇到了颱風,下落不明。最後妻子就死在盼望丈夫的山頂。子女們為了紀念母親對父親的真情,便在山上興建廟亭,好讓後代子孫記得這段與唐山(中國)的姻緣;島上的土酋也因為懷念年輕人教導他們耕種和買賣的恩澤,於是把酋長女兒等待丈夫的那座山取名為「望夫山」。自此以後,望夫山的故事就在華僑間一代一代地流傳下來。(曾閱 1986:1-5)[14]

　　這應該是一則反映早期福建一帶先民前往東南亞謀生,過程充滿冒險犯難的傳說。嚴格來說,雖然傳說中的山也叫做望夫山,但是其由來卻是為了紀念母親對父親的真情,以及父親為當地帶來好處。

　　今日在婆羅洲北部,隸屬馬來西亞的「沙巴」,有座海拔四〇九五‧二公尺,堪稱東南亞最高山嶽,又稱「神山」的「京那峇魯山」(Mountain Kinabalu),有人將這座山稱為沙巴的望夫石(山),華僑則習慣稱呼為「中國寡婦山」。「Kina」是「China」(中國)的近音,「balu」在當地的方言裡則是「寡婦」的意思。至於為何稱作「中國寡婦山」,有以下說法:

(一)《南洋民間故事》之說

　　(梗概)杜娜是北婆(北婆羅洲)某村土酋的獨生女,天

14　此則傳說講述者為吳我便,吳先生為泗水歸僑,講述當時七十八歲。

生麗質，因此引來許多男子的追求，但她往往一笑置之。有一天，幾艘載乘中國人的大船來到這裡，受到酋長盛大舞會的歡迎。舞會上出眾的杜娜吸引了一位官拜「鎮撫」的中國大人目光，不久杜娜便和中國大人結婚了。一天，這位中國大人心血來潮，向杜娜表達想要返鄉探親，但保證會立刻回來。就這樣，中國大人返回故鄉，卻再也沒有回來。一天一天地過去，杜娜傷心地攀上當地第一高山「神山」，希望可以看到丈夫的身影。但一切都落空，她再也沒有活著的勇氣，便縱身往神山嶺上的神湖一躍。自此後，杜森人便稱神山為「支（京）峇魯山」，這也就是華人口中的「中國寡婦山」的來歷。（婁子匡，1970：10-17）

（二）《南洋神話傳說掌故》之說

（梗概）幾百年前，本地（北婆羅洲）還未開發，只有少數土族傍山居住。這時候，中國皇帝派來了兩位黃姓總兵至此尋寶。總兵部屬中有個士兵，偶然遇到土族酋長魯順的公主即迷戀上她。後來，二人結為夫婦，生活幸福。可是不久，士兵因思鄉而茶飯無心。公主不忍丈夫終日愁苦，決心讓他回鄉。臨別時，特別囑咐他要早日回來，豈料丈夫走後三年，卻音信全無。因思夫心切，於是她長途跋涉，爬上這座高山，希望看到丈夫回來的帆影，卻始終未能見到，最後她絕望地跳下懸崖。之後，當地土人，就稱此座高山為「中國寡婦山」。[15]

---

15 轉引整理自譚達先〈「望夫」型傳說的遠播──對國內少數民族和海外華僑傳說的影響〉（1993b：194）一文引香港僑光書店西元 1960 年編輯、出版的《南洋神話傳說掌故》（頁 38-40）。

連同〈望夫山〉，三則傳說共同具有以下情節：

1. 酋長女兒結識外來的中國人，進而結婚；
2. 中國人藉思鄉理由返鄉；
3. 酋長女兒自丈夫離開後，登高望遠，企盼丈夫歸來；
4. 最後苦候不到丈夫，失望非常，酋長女兒或病死或自我結束生命。

一方面由於情節架構的類似，另一方面再從譚達先（1993a：287-291）曾引述曾閱《望夫山》，其中一篇他另取名為〈婆羅洲華僑望夫山〉的傳說，以作為論述中國愛情傳說中望夫石傳說的材料，自其中附註《望夫山》的出版處、時和所引頁數，以及整理的梗概來看，實可推測〈望夫山〉中的山嶽，應即是中國寡婦山。

再者，就目前所見的望夫石傳說而言，基本上都是依循下列情節軌跡發展的：

1. <u>男離開</u> → 2. <u>女守望</u> → 3. <u>女化石</u>

姑且不論傳說中男、女主人公結識的部分，三則傳說的內容事實上是頗為符合望夫石傳說的前二項發展的。然而它們所久缺的，也是最關鍵的發展：女主人公化石。亦即三則傳說的女主人公皆未變化為石頭。所以即使如〈望夫山〉，名稱雖為「望夫山」，仍然無法視作望夫石傳說。

如此看來，馬來西亞雖然有名為「望夫山」的傳說，但在觀察傳說的內容之後，卻發現此又名「望夫山」的中國寡婦山（神山）傳說，僅能視作望夫石傳說的變異。

六、結　語

　　本文自朱恒夫論點出發，並在多方蒐集資料後發現，與中國同屬東亞的韓國、日本、越南等地，其實都曾流傳望夫石傳說。認知誤差的發生，或許因為朱先生忽略了韓國、日本在地理環境方面都有一個共同的特色——臨海，由於海洋，行旅的範圍便能無限延長擴展。當然本文撰寫的用意絕不在反駁朱桓夫前輩的論點，甚或糾正王孝廉先進女夫石傳說的舉證，[16]因為二人在望夫石傳說研究的付出，著實令人佩服。重要的是：由望夫石傳說流傳於東亞不同國家、民族、地區的現象來看，更能反映位處東亞的諸國家（民族、地區），如同史籍所載，彼此間確有相近的生活文化，頻繁的往來關係存在。這一方面佐證了史籍的內容，另一方面更突顯了民間故事研究對於考察人類文化的重要價值所在。

　　況且本文的撰寫尚有另一立意：希望能夠激發拋磚引玉之用，引來更多相關的專注。從事研究者，尤其是人文科學研究者，深知資料的掌握在研究中佔有重要的份量，筆者自認在資料蒐集方面尚有待加強，也因此，在題目上僅暫以「初探」字眼呈現，企希能獲得迴響。

　　透過以上的論述可以得知，東亞地區，自北而南：韓國、日本、中國、台灣、越南等地，都有望夫石傳說的流傳，而馬來西亞的中國寡婦山傳說則僅能視作望夫石傳說的變異。這象徵望夫石傳說能夠突破空間、族群的限制，成為女性對丈夫表

16　畢竟二文的發表距今均有一段時間，或許二人之後已有補充說明，祇是筆者未能見到。

達專一情感的共同表現方式，也是東亞許多國家（民族、地區）用以頌揚貞潔女子的媒介。其中韓國、日本者，分別與二國歷史上的人物，五世紀的金（朴）堤上、六世紀的大伴狹手彥產生關聯。[17] 至於越南諒山城附近的望夫山傳聞，與中國晉朝的竇滔及其妻蘇蕙的牽涉，則是十分明顯的荒謬。傳說是一種重要的散文體民間文學體裁，屬歷史性較強的民間故事，與一定的歷史人物、事件和地方古蹟、自然風物、社會習俗、日常生活有關；是一種關於事物命名、起源、性質、功用等的傳奇性民間創作。事實上，回溯中國地區自古以來絕大部分的望夫石傳說，由歷史人物事蹟延續發展而來的，幾乎不曾見聞，其中的男、女主人公，大多為百姓形象，更多是不知名的民眾。所以中國的望夫石傳說，表現在傳說的特質方面，以解釋功能，說明事物命名的作用較為顯著。韓、日的望夫石傳說，除了亦具有解釋事物命名的功能外，傳說有別於神話、故事，最重要的特質之一「歷史性」，則較中國部分表現得強烈。而不管是韓國、日本、越南，還是中國、台灣，諸地望夫石傳說中，最終女主人公變化為異類的發展，則將傳說的「傳奇性」表現得淋漓盡致。

關於東亞的望夫石傳說，其實尚有許多值得研究之處，這亦是本文名為「初探」的另一個原因。譬如說，筆者曾思索：如日本僅就佐賀一帶流傳望夫石傳說，那便有值得玩味之處。因為事實上，同受中國文化深刻影響，且地理關係與日本十分

17　十分巧合地，韓、日望夫石傳說中的男主人公之所以離開，都是因為出使或出征到鄰國，其中韓國傳說的男主人公是到日本，日本傳說的男主人公則是到韓國。所以從這二則傳說自然也可略窺古代韓國、日本兩國往來的密切，祇不過往來有時是構築在緊張的關係上。當然，這也等於說明了藉由民間文學的研究，可以考察國家、民族、地區間的交通史。

接近的韓國，除了本文主述的蔚山望夫石傳說外，韓國知名的觀光勝地濟州島亦有此傳說。

濟州島南部有一西歸浦絕景「獨立岩」，因其孤獨矗立在蔚藍的大海而得名，此岩又稱「望夫石」。相傳古時在西歸浦有一對老夫妻，一日丈夫出海捕魚，妻子因擔心丈夫安危，就天天站在海邊等候丈夫歸來，卻不知丈夫早已葬身大海。日夜盼望丈夫的妻子最後竟變成石頭。後來，丈夫的屍體也漂流到妻子的化石前，成為一塊石頭，所以今日獨立岩前面也有一塊岩石。這裡的望夫石傳說情節，倒頗似台灣澎湖的七美望夫石傳說。

筆者想要表達的是，望夫石傳說在韓國的發展，較類似中國，非僅限於一地，已有所擴散。但就目前掌握的資料來看，日本卻祇發現最靠近中國及韓國的九州西北部，區域部分臨海的佐賀一帶流傳望夫石傳說，而未見他地流傳。假設這個情況成立，那就有需要再另覓時間、篇幅詳加探討了。

綜言之，在東亞望夫石傳說中，韓、日者結合歷史事件，一方面使得事件傳奇化，另一方面令人感受到古代兩國緊張的政治氛圍；越南的二則，或人物為中國人，或情節似唐小說，均可見其受中國文化影響之深；馬來西亞者雖是望夫石傳說的變異，傳達的卻是早期中國百姓移民東南亞的生活經歷；所以在這些共同歌詠望夫女子堅貞節操的傳說背後，我們尚且獲得到上述寶貴的訊息，這也是民間文學作為反映人類生活歷史的載體的具體表現。

參考書目

一、中文古籍（依成書年代先後排列）

房玄齡等（唐）《晉書》。北京：中華書局，1974。

蔡廷蘭（清）《海南雜著》。台北：台灣銀行，1959。

二、中文專書（依作、編、譯者姓氏筆劃排列）

〔韓〕一然：《三國遺事》。首爾：民眾書館，1969。（古籍）

王孝廉（1977）《中國的神話與傳說》。台北：聯經出版事業公司。

〔日〕舍人親王編：《日本書紀》。東京：吉川弘文館，1988。（古籍）

林明德（2005）《日本史》。台北：三民書局。

〔韓〕金富軾撰，〔韓〕金鍾權譯：《三國史記》。出版地不詳：先進文化社，1969。（古籍）

陳育崧校刊，王娟、筱林、臨淵編譯：《南洋民間故事》，婁子匡總纂（1970）《國立北京大學中國民俗學會民俗叢書》第一輯第十冊。台北：東方文化，複刊。

陳益源（2006）《蔡廷蘭及其〈海南雜著〉》。台北：里仁書局。

陳慶浩、鄭阿財、陳義主編（1992）《越南漢文小說叢刊》第二輯《神話傳說類》第一冊《嶺南摭怪外傳》。台北：台灣學生書局。

曾閱搜集整理（1986）《望夫山》。福州：海峽文藝出版社。

楊烈譯（1984）《萬葉集》。長沙：南人民出版社，第一版。

趙樂甡譯（2002）《萬葉集》。南京：譯林出版社，第一版。

譚達先（1993a）《中國描敘性傳說概論》。台北：貫雅文化事業公司。

——（1993b）《譚達先民間文學論文集》上編。北京：中國友誼出版公司。

三、學位論文（依作者姓氏筆劃排列）

林翠萍（1996）〈《搜神記》與《嶺南摭怪》之比較研究〉，台南：成功大學中國文學研究所碩士論文。

彭衍綸（2005）〈中國望夫傳說研究〉，台北：政治大學中國文學系博士論文。

四、期刊論文（依作者姓氏筆劃排列）

朱恒夫（1995）〈望夫石傳說考論〉，《江海學刊》，1995 年第 4 期，頁 163-168。

五、日文專書（依作、編者姓氏筆劃排列）

〔日〕中村亮平編：《朝鮮神話傳說集》，〔日〕松元竹二編（1935）《支那‧朝鮮‧台灣 神話と傳說》。東京：神谷勵。

〔日〕佐竹昭広等校注（1999）《萬葉集一》，《新日本古典文學大系 1》。東京：岩波書店。

〔日〕朝倉治彦、井之口章次、岡野弘彦、松前健共編（1997）《神話傳說辭典》。東京：東京堂。

明清時期傳說中的諸葛亮形象述略

張谷良

元智大學通識教學部，專案客座助理教授

中文摘要

在所有諸葛亮藝術形象的造型體類中，就以民間傳說的故事流傳最早。早在三國時期，有關諸葛亮的生平事蹟，即以口頭傳說的方式流傳開來；並被以遺事軼聞的形式，記載在古籍與稗官野史中；甚至還曾與正史發生些糾葛，而被當作史實給寫進其中。有關諸葛亮的民間傳說故事，經過千百年來的口耳相傳，已被後人以文字的方式採擷下來，並彙編有豐富的資料，可供我們觀察當中的諸葛亮藝術形象。

本文即是透過明清時期所擷錄下來的諸葛亮傳說故事，分別就遺事軼聞、地形地物、物產特產、習俗信仰等四類型的資料記載，從中摘選出幾則較具特色或代表性的傳說故事，來觀察諸葛亮的藝術形象，在這段期間裡所表現出來的造型情況。

經過本文概括的陳述，我們發現到：民間傳說對於諸葛亮藝術形象的造型工作，並不會因《三國演義》藝術形象典型的出現，即弱化其神奇性的形象色彩；反而仍會處在故事形象的生產階段，持續朝著民間情趣的路線，不斷地緣飾、附會與繁衍，生產出許多的新傳說。如此的演變與發展情形，可顯見傳說「變異性」特質所發揮的功效，能藉由民間「集體性」豐富的想像力，生生不息地創造出屬於廣大群眾所喜聞樂見的諸葛亮故事，以彰揚其藝術形象內具的獨特思想蘊義，而堪值我們投以關注與探討，且對於現、當代民間流傳的諸葛亮傳說故事研究，也具有相當大的啟示作用。

關鍵詞

諸葛亮、民間傳說、藝術形象、智慧、變異性

A Brief Introduction to the Legend Image of Chuke Liang in Period of Ming and Qing

Chang, Cuu-liang

Assistant Professor, College of General studies in Yuan Ze University

Abstract

Among the model category of Chuke Liang's artistic image, the popular legend has spread the earliest. As far back as the period of San Kuo, the life story about Chuke Liang, was spread by way of oral legend; was recorded in ancient books and unofficial histories in the form of anecdote of incidents; even once there were some conflicts with national history, and was written into the national history as historical facts. The story of popular legend about Chuke Liang, from mouth to mouth according to the legend, has already been selected by way of writing by the descendant and collected abundant materials. It is able to provide us information to observe the artistic image of Chuke Liang .

his thesis is based on the legend stories of Chuke Liang recorded of period of Ming and Qing. The stories were recorded on the materials of four types, including anecdote of incidents, topographical surface feature, local product, custom and belief, etc. This thesis selected several characteristic and representative legend stories in order to observe Chuke Liang's artistic image and the model situations showing during this period.

According to the statement from this thesis, we can find that the model of popular legend artistic image for Chuke Liang is not weakened with "San Kuo Yen Yi" artistic image typical appearance. It will still remain at the production stage of the image of the story instead and sustain the direction towards the folk and interest. Moreover, it is modified and drawn by false analogy and multiplying constantly; then, produces a lot of new legends. From such evolution and development, we can notice that the efficiency of the speciality of the legend "varia-

民間文學與漢學研究

bility." That is, it can create the popular story incessantly by the "collective" abundant imagination strength and also reveal the unique thought of the artistic image which is worth focusing and exploring. It has inspiration for the research of the contemporary folk legend story of Chuke Liang that spread as well.

Keywords:

Chuke Liang, popular legend, artistic image, wisdom, variability.

一、前　言

在所有諸葛亮（181-234）藝術形象的造型體類中，就以民間傳說的故事流傳最早。不唯早在三國時期，有關諸葛亮的生平事蹟，即以口頭傳說的方式流傳開來；並被以遺事軼聞的形式，記載在古籍與稗官野史中；甚至還曾與正史發生些糾葛，而被當作史實給寫進其中。而且，無論後來有多少文藝體類逐漸興起，共同參與了諸葛亮藝術形象的造型工作，民間傳說仍然會不斷地藉由其對於「基型因子」的觸發、聯想、緣飾、附會，而孳乳、展延、繁衍出新的藝術形象內容；並透過口耳相傳的方式，一代又一代地流傳於後世，然後繼續觸發、緣飾與附會；乃至千百年來，風行不輟地被保留在人民的記憶裡，成為民族文化的精神象徵。像這樣生生不息的傳說故事，口耳流傳至今，也已被人以文字的方式大量地採擷下來，並彙編有相當豐富的資料，可供我們觀察當中的諸葛亮藝術形象。

筆者根據〔明〕諸葛羲（？-？）、諸葛倬（？-？）《諸葛孔明全集》（1632）、[1]〔清〕張澍（1776-1847）《諸葛亮集》、[2]王瑞功（1942-）主編《諸葛亮研究集成》[3]等書，所輯錄與採擷的諸葛亮傳說故事（包含：遺事、軼聞、遺蹟、祠廟等方面的傳說），予以整理與分類，嘗試擬作「古籍與稗官野史中『諸葛亮傳說故事』名目彙編」（簡稱「古傳說彙編」）、「古籍

1　〔明〕諸葛羲、諸葛倬：《諸葛孔明全集》（北京：中國書店，1996）。

2　〔清〕張澍：《諸葛亮集》（北京：中華書局，1974）。

3　王瑞功主編：《諸葛亮研究集成》（濟南：齊魯書社，1997）。

與稗官野史中『諸葛亮傳說故事』時代分布總表（843 則[4]）」（簡稱「古傳說時代分布總表」）與「古籍與稗官野史中『諸葛亮傳說故事』與人物生平事蹟的各階段關係分布總表（1047則）」（簡稱「古傳說事蹟分布總表」）等[5]，從中可知：在「古籍與稗官野史」方面，自三國時期開始，歷代記載有關諸葛亮的傳說故事，就不絕於書，且再經兩晉南北朝、隋、唐、宋、元，乃至明、清兩代，總計已累積有 1047 則以上的數量。

諸葛亮故事的演變與發展，到了宋元時期已達到了大量生產的階段，有關其人生平事蹟完整的長套故事，主要也都是藉由雜劇與說話來作敷演或講述，以致表現在傳說方面，除遺蹟類地方風物傳說的創作轉趨活絡外，遺事與軼聞類的傳說故事創作則逐漸式微。逮及元末明初，諸葛亮成熟的藝術形象典型更已被羅貫中（1330？-1400？）《三國演義》給塑造出來，進而影響其他藝術體類的造型活動，如：詩歌、小說、戲曲等。按理推測，民間傳說中的諸葛亮故事，應該可能不免都會受其影響，而由生產階段邁入傳播階段，以致明清時期的諸葛亮傳說形象，會淪為《三國演義》小說的翻版流傳而已。不過，其情形卻未必如此，因為實際上明清時期的諸葛亮傳說故事，仍然處於生產階段，不唯在遺事與軼聞類的傳說故事創作，有媲美六朝隋唐時期的表現；在遺蹟類的地方風物傳說創作，更是繼宋元時期的表現，而有更加豐富可觀的創作量。

根據拙作「古傳說時代分布總表」的統計可知，明代與清

4　〔明〕諸葛羲、諸葛倬：《諸葛孔明全集》所輯 204 則，尚未計入 1047 則中，故僅只有 843 則。

5　參見拙著：《諸葛亮民間造型之研究》〔附錄三〕（花蓮：國立東華大學中國語文學系，2006），頁 433-522。

代時期，可堪稱為諸葛亮傳說性質的故事，約略分別有 86 則
與 198 則。而其傳說的特色，就是在各類型的故事創作上都有
相當數量的表現；至於，其人物的造型特點，並不因《三國演
義》藝術形象典型的出現，即弱化其神奇性的形象色彩；反而
持續朝向著民間情趣的路線，不斷地緣飾、附會與繁衍，生產
出許多零星片段的新傳說。底下，茲分別就遺事軼聞、地形地
物、物產特產、習俗信仰四類型的資料記載，從中摘選出幾則
較具特色或代表性的傳說故事，來觀察諸葛亮的藝術形象，在
這段期間裡所表現出來的造型情況。

二、遺事軼聞

　　首先，在遺事與軼聞方面，這部分的資料除了沿襲前代的
故事情節，繼續緣飾、附會與發展有關諸葛亮生平事蹟的傳說
外；更有新題材內容的融入，使其形象愈發豐富多姿的表現。
如〔明〕謝肇淛（1567-1624）《四庫全書》本《滇略》卷一
《版略》中所載〈諸葛亮賜姓龍佑那〉云：

> 春秋時，楚叔熊逃難於濮，始屬楚。楚威王遣莊蹻略地
> 至滇，會有秦師，道絕，遂王之。秦通五尺道，置吏
> 焉。漢元狩間，彩雲見於南中，遣使蹟之，雲南之名始
> 此也。……後主建興三年，益州渠帥雍闓殺永昌太守，
> 與孟獲誘扇諸夷以叛，丞相亮討平之。時仁果十五世孫
> 龍佑那者能撫其民，號大白子國。仍以其地封之，賜姓

> 張氏，而以呂凱為雲南太守。[6]

這則故事與東晉以來迄至宋元時期，流傳於滇西地區的諸葛亮民間傳說的創作旨趣，大抵相同，都乃為宣揚諸葛亮南征活動，促成了漢、蠻一家，和諧共處關係的偉大功績。[7]觀其平定亂事後，能採「懷柔和撫」的政策，即其渠帥而用之，從中選擇「能撫其民」的賢明酋長——龍佑那，不以力制（仍以其地封之），而取其心服（賜姓張氏），使得「綱紀粗定，夷漢粗安」，漢人與蠻夷間的關係更形融洽。因為漢姓氏的賜予與接受，代表著族群間彼此認同感的相互信任，蠻夷歸化為漢人；而漢人也視蠻夷為同一族類，突破了不同種族間的隔閡。相同的故事題材，在《滇載紀》中則載云：

> 滇酋有六，各號為詔，夷語謂王為詔。其一曰蒙舍詔，其二曰浪施詔，其三曰鄧賧詔，其四曰施浪詔，其五曰摩迆詔，其六曰蒙巂詔。兵埒，不能相君長。至漢，有仁果者，九龍八族之四世孫也，彊大，居昆彌川。傳十七世，至龍佑那，當蜀漢建興三年，諸葛武侯南征雍閩，師次白崖川，獲閩，斬之[8]，封龍佑那為酋長，賜姓張氏。割永昌益州地置雲南郡於白崖。諸夷慕侯之德，漸去山林，徙居平地，建城邑，務農桑，諸郡於是始有姓氏。[9]

6　參見謝肇淛：《滇略》，四庫全書珍本三集（台北：台灣商務印書館，1972），頁 2-3。

7　參見拙著：《諸葛亮民間造型之研究》，頁 143-144。

8　若根據史實，雍閩當為高定部曲所殺，並非諸葛亮。

9　參見〔明〕楊慎：《大理行記・滇載記》，叢書集成初編（北京：中華書局，

又更詳細地將龍佑那的身世背景，以及蠻夷因傾慕諸葛亮的大恩大德，而逐漸漢化的情形交代清楚。對照起宋元時期〈諸葛亮定南詔〉的傳說故事，[10] 顯然也有新的內容發展。再如〔清〕顧祖禹（1631-1692）《方輿紀要》中則載云：

> 《白虎通》，戰國時，楚莊蹻據滇，號為莊氏。漢武帝立白崖人仁果為滇王，而蹻嗣絕。仁果傳十五代為龍佑那。諸葛武侯南征，師次白崖，立為酋長，賜姓張氏。歷十七傳，當貞觀世，張樂進求以蒙舍酋細農羅彊，遂遜位焉。[11]

仁杲與仁果二者間，雖然必定有一個是錯誤的，不過，正可反映出民間文學傳說訛誤的真實情況。又從後段文字的記載，更可見此則故事隨著時代的不同，而增生有新的情節內容發展。正因為諸葛亮南征蠻越所創建的歷史功業，對漢、蠻民族而言，其影響力都極為深遠，甚至幾乎無人可比，所以，只要涉及到西南族群間的問題時，民間自然會將之與諸葛亮的事蹟相互聯想，從而附會出新的故事傳說。如〔明〕陳耀文（？－？）《天中記》中所載〈孔明石碑〉云：

1985），頁1。

10 〔北宋〕宋祁（998-1061）《新唐書》卷二二二上《南蠻上‧南詔上》中所載〈諸葛亮定南詔〉云：「南詔，或曰鶴拓，曰龍尾，曰苴咩，曰陽劍。本哀牢夷後，烏蠻別種也。夷語王為『詔』。其先渠帥有六，自號『六詔』，曰蒙巂詔、越析詔、浪穹詔、邆睒詔、施浪詔、蒙舍詔。兵埒，不能相君，蜀諸葛亮討定之。」見《新唐書》，四部備要史部（台北：台灣中華書局，1966），頁1。

11 參見顧祖禹：《讀史方輿紀要》，四庫全書存目叢書（台南：莊嚴文化，1955），頁710-711。

> 耒陽有孔明石碑。孔明斬雍闓，禽孟獲，經耒陽，立石
> 以紀功。歲久，字不可辨。相傳立石誓云：「後有功在
> 吾上者，宜立石於右。」至宋狄青破儂智高，立碑其
> 右，尋為震雷所擊，今存斷碑，橫臥其側。[12]

這則狄青（1008-1057）立碑的故事，顯然即是沿襲〈諸葛亮紀功碑〉（隋將史萬歲南征）[13] 與〈武侯祠石碑〉（宋將曹彬伐蜀）[14] 的傳說，更以緣飾、附會出來的新故事。觀其情節的設計，都是以一名武將，在參與西南征戰的過程中，因與諸葛亮所立的石碑，相互遭遇，而衍生出怪力亂神的傳說，可知相同母題的傳說故事，對於諸葛亮藝術形象的塑造有更加突顯其神威能力的傾向，由「預知」、「顯靈」、「恐嚇」、「懲罰」的發展脈絡，即可獲得此一印證。又如〔清〕張廷玉（1642-1711）《明史》卷三〇《五行志三・詩妖》中所載〈迴瀾塔古碑〉云：

---

12 引文轉見〔清〕張澍：《諸葛亮集》，頁 236-237。

13 〔唐〕魏徵（580-643）《隋書・史萬歲傳》中所載〈諸葛亮紀功碑〉云：「先是南寧夷爨翫來降，拜昆州刺史，入自蜻蛉川，經弄棟，次小勃弄、大勃弄，至于南中，賊本據要官，萬歲皆擊破之，行數百里，見諸葛亮紀功碑，銘其背曰：『萬歲之後，勝我者過此。』萬歲令左右倒其碑，而進度西二河，入渠濫川，行千餘里，破其三十餘部，虜獲男女二萬餘。諸夷大懼，遣使請降，獻明珠徑寸，於是勒石頌美隋德。」見《隋書》，卷五十三（台北：台灣商務印書館，1988），頁 609 下。

14 《蜀古蹟記》中所載〈武侯祠石碑〉云：「宋建隆二年，曹彬為都監，伐蜀，謁武侯祠，視宇第雄觀，頗有不平之色，謂左右曰：『孔明雖忠於漢，然疲竭蜀之軍民，不能復中原之萬一，何得為武？當因其傾敗者拆去之，止留其中，以祀香火。』左右皆諫不可。俄報中殿摧塌，有石碑出，驚視之，出土尺許，石有刻字，宛若新書，乃孔明親題也。題曰：『測吾心腹事，惟有宋曹彬。』讀訖，下拜，曰：『公，神人也，小子安能測哉！』遂令蜀守新其祠宇，為文祭之而去。（亦見《聞見錄》）」引文轉見同註 12，頁 244。

萬曆末年，有道士歌於市曰：「委鬼當頭坐，茄花遍地生。」北人讀客為楷，茄又轉音，為魏忠賢、客氏之兆。又成都東門外鎮江橋迴瀾塔，萬曆中布政余一龍所修也。張獻忠破蜀毀之，穿地取磚，得古碑。上有篆書云：「修塔余一龍，拆塔張獻忠。歲逢甲乙丙，此地血流紅。妖運終川北，毒氣播川東。吹簫不用竹，一箭貫當胸。漢元興元年，丞相諸葛孔明記。」本朝大兵西征，獻忠被射而死，時肅王為將。又有謠曰：「鄴臺復鄴臺，曹操再出來。」賊羅汝才自號曹操，此其兆也。[15]

也是採用類似的設計手法，將時事附會成諸葛亮的傳說故事，以塑造其預知神算的形象特質。其中，「石碑」仍舊是傳達諸葛亮旨意的主要載體，顯然此一物件，與諸葛亮的神識間有極為密切的關聯。此種聯想的觸發原素，或許與其八陣圖的創制有關。如〔清〕穆彰阿（1782-1856）《四部叢刊續編》本道光年間所修《大清一統志》卷四六三《柳州府》所載〈巴巒〉云：

巴，在懷遠縣。石陣臨溪，陰風慄冽，人猶聞鬼哭。相傳昔諸葛武侯立營於此，夜令云：枕石者去，枕草者留。中夜撤軍，枕石者不寐，從孔明去；枕草者熟睡，遂留茲土，遺種斯在，尚能操巴音而歌烏烏。[16]

---

15 參見張廷玉等撰：《明史》（北京：中華書局，1987），頁 486-487。

16 參見穆彰阿：《大清一統志》，四部叢刊續編（上海：上海古籍出版社，1995），頁 121 下。

有關諸葛亮八陣圖的故事，早在魏晉南北朝開始，即以地方風物傳說的方式，散布流傳於民間，使之瀰漫著濃厚的神奇色彩，如〔東晉〕干寶（？-336）《晉紀》所載：「諸葛孔明於漢中積石為壘，方可數百步，四郭，又聚石為八行，相去三丈許，謂之八陳圖，於今儼然，常有鼓甲之聲，天陰彌響。」[17]〈巴蠻〉這則傳說故事，除是用以解釋漢蠻族群間，因受諸葛亮當年南征遺民的關係，而達成同融的結果，來表現出其人恩德澤被漢蠻外；更也塑造出諸葛亮能布陣施法、枕石撤軍的神奇形象，使得八陣圖的風物傳說，不再只是瀰漫著神秘的氣氛而已，乃有人物故事的情節趣味融入表現，以致傳說較有可看（聽）性。例如〔清〕李復心（？-？）《勉縣忠武祠墓志》卷一《拾遺》所載〈定軍山奇聞〉即云：

> 日之夕矣，群牛鬥於定軍山之下，眾牧人以鞭敲散。忽一牛狂奔，隨後追之，飄飄乎如敗葉乘風，身若不能自主者。已而，烟消霧淨，月朗星疏，喘息未定，自覺形神恍惚。乍聞連珠炮響，谷應山鳴，號令將終，繼以簫管笙笛；登高遠望，滿目旌旗飄搖，甲帳參差而隊伍整肅，四面盡平洋、大川。道旁行人之或往、或來、或坐、或立，間有相識者，及近而告以覓牛之故，則蟲吟唧唧，螢光點點，荒草荊棘之外，寂然無物。所見所聞，頃刻化為幻景，而層巒聳翠，與孤峰挺秀之高可凌霄者，前後左右皆兩兩相對。又聞風送擊柝、人號馬嘶，仰視銀漢，依稀遺韻丁東，頗似搖鈴。近而察之，

---

17 參同註 12，頁 210。

則城高池深，金鼓森嚴，圍繞幾遍，不得其門而入。自
言自語，且止且行，約數十餘里，毫無踪跡可訪，所慣
歷之刈草場、飲水泉、山莊窩戶，杳不知其所之矣。斯
時也，金烏將墜，寒氣逼人，兼以饑渴交迫，困乏不
堪，遂臥於地。逮至東方既白，如夢初覺，四顧彷徨，
則身在亂石堆中，去追牛之所，未及百步。[18]

這則牧人追牛，誤入定軍山下諸葛亮所布八陣圖的傳說故事，
更滲融六朝志怪小說「仙鄉譚」與唐人傳奇小說「黃粱夢」的
情節母題，使之活像是個迷宮般，炫惑牧人的眼目與情思；並
將諸葛亮的藝術形象給塑造成為一種神祕奇幻的存在，故事內
容全無史實的根據可言，儼然是一則短篇的筆記小說。再如同
書，〈樵子剔燈〉云：

相傳有樵子迷徑者，遇古衣冠人為前導，樵子尾之。由
石門入，豁然開朗，殿宇宏深，有油甕數十，環列左
右。獨中一甕，燈花結蕊，狀如胡桃，勢將滅。古衣冠
者曰：「子曷取架上剔燈剪，剪去花蕊乎？剪畢，閉目
以手扶吾肩，即歸家矣。」樵子從其言，藏剪於袖，覺
耳中微風習習，須臾間不知所在。尋路歸家，遍示里
鄰，上有古篆云：「白鑌五錢，謝樵子剔燈之勞！」[19]

此則傳說故事的情節安排，也與上述的創作表現相似，除頗受
六朝志怪小說的影響外；也應有吸收到《演義》陸遜迷八陣，

---

18 引文轉見王瑞功主編：《諸葛亮研究集成》，頁 1695。
19 參同註 18，頁 1697。

經黃承彥指引迷津後，方才順利脫困[20]的啟發痕跡。茲觀其中「古衣冠人」，或可能即為諸葛亮的神明化身，抑或者護法甲丁之類；而請樵夫代為剔燈剪蕊，使燈火能延續昌明，也有傳達諸葛亮精神永存的象徵意味，著實富有民間特殊的造型情趣。

此外，同書〈武侯遣地脈龍神穿水道〉載云：

> 瓦洞溝十岩之半有二水竅，一如條磚鑲成而形方，一如筒瓦合成而形圓。水色稍渾濁，其性冷冽而四時涓滴不斷。云武侯遣地脈龍神穿水道，引四川之水以通脈氣。理之所無，不妨事之所有。[21]

這則故事，與宋元時期所流傳的〈諸葛泉〉、〈諸葛井〉與〈淯井〉等傳說的情節母題[22]相似，恐是泉、井傳說雜溶緣飾、附會後，衍生出來的故事。觀其「二水竅」與「出泉均為二流」、「淯井脈有二」等，都是以水流的兩種形式，傳述其奇異情形的特性；而此一特性，或因「武侯駐師」，或由「孔明鑿井」，乃至「武侯遣地脈龍神穿水道」等，也都是緣自諸葛亮的行為動作所促成，可見其有益趨神化形象的造型添加，竟還能驅遣地脈龍神穿水道，儼然就是天神之尊。至於，其內容主旨應該也是著重於諸葛亮為求能「興復漢室」，所體現出來的「忠貞」行誼；只是民間傳說向來還是慣以神異奇譎的情節，

---

20 詳見《三國演義》第八十四回「陸遜營燒七百里，孔明巧布八陣圖」故事情節。

21 參同註18，頁1696。

22 參見拙著：《諸葛亮民間造型之研究》，頁146-147。

來包裝人物形象的特點，以致難免使得其原本的立意隱蔽不明，而相形之下，淪為只是彰顯卓越「智慧」形象的表現。

不過，在諸葛亮傳說故事瀰漫著一片濃厚怪力亂神的塑造氣氛中，卻也有少數著重於諸葛亮品格道德特質的新傳說創作，如〔明〕何宇度（？-？）《益部談資》〈孔明券〉：

> 先主寓荊州，從南陽大姓晁氏貸錢千萬，以為軍需。諸葛孔明作保，券至宋猶存。[23]

劉備當初向老百姓借貸，籌措軍資，由孔明作保，以取信於民，「券至宋猶存」，主要即是要塑造諸葛亮「誠信」人格的形象特質。同樣題材的傳說故事，演變到明、清時代，也有新的情節附會，如〔清〕吳偉業（1609-1671）《綏寇紀略》載云：「獻賊破荊州時，民家有漢昭烈帝借富民金充軍餉券，武侯押字，紙墨如新。」[24] 更以「紙墨如新」，來描繪其人誠信永固的品質（品德特質）保證。

三、地形地物

其次，在地形與地物方面，這部分的傳說資料在地理書與方志中，更是屢見不鮮，蔚為奇觀。舉凡涉及到諸葛亮的生平事蹟，甚至與其原不相關者，無論是山、嶺、峰、岩、岡、坡、坪、石、洞；峽、谷、江、池、泉、井、堰、堤、灘；城、樓、塔、台、壇、營、寨、壘、屯、戍；村、廟、院、

---

23 參同註12，頁239。
24 參同前註。

宅、室、驛、道、橋、碑、柱等等，各式各樣自然或人文的景
觀、建築，殆都紛紛地被附會成一則則與之相關的風物傳說，
使之滿布著諸葛亮南征北討的行跡芳踪，或者神奇怪異的情節
故事，而供世人追思、想像與驚歎。如〔清〕《打箭鑪廳志》
中所載〈魚通〉云：

> 相傳諸葛武侯渡瀘而西，嘗鑄軍器於魚通之地。郭達一
> 夜打箭三千，稱為神手，遂封為將軍。[25]

基於民間素樸的思想情感中，英雄必須要有類如神人伙伴相助
的心理出發，即附會出了這則「一夜打箭三千」的神手郭達造
箭，幫助諸葛亮南征的傳說故事。同樣的故事，在〔清〕黃廷
桂（1691-1759）《四川通志》（1729）中所載〈打箭鑪〉與
〈郭達山〉，更有進一步的說明：

> 昔武侯南征，命郭達造箭於此，其鑪猶存，故名打箭
> 鑪。時有青羊遶山而行，夷人不敢輕至。[26]

神手郭達（？-？）奉孔明之命，在此（魚通之地）造箭，鑪
即能歷經千年猶存；而山更「時有青羊遶山而行」，以致「夷
人不敢輕至」，視之如同禁地，更為諸葛亮的傳說形象戴上一
層神秘的面紗。再如《屏山志》所載〈十丈空崖〉云：

> 十丈空崖在屏山縣，崖絕壁廣數十丈。相傳武侯南征過

25　參同註 12，頁 232。

26　參同前註。

此，投三戟於上，仿佛有形。壁間多名賢題詠。[27]

此則傳說故事，乃是將十丈空崖壁上的特殊形狀，給附會成是諸葛亮在南征時，投戟鑿開天險所造成的，藉以刻意渲染其有鬼斧神工的力量。對此，《馬邊志》也曾徵引陳禹謨（1548-1618）《石丈篇》序載云：「石丈空者，上題鑿開天險，其崖畔有鐵鎗若干，插置石罅，相傳孔明所藏。」[28] 來進一步補充說明，諸葛亮身上所賦有「鑿山」的神奇力量。又如《述異錄》所載〈九隆山〉云：

> 九隆山在永昌軍民府城南。山有九嶺，九隆兄弟遺種，世居此山之下。諸葛孔明南征時，鑿斷山脈，以泄其氣。[29]

此則傳說故事，用諸葛亮鑿山以泄蠻氣的方式，來代替其「七擒七縱孟獲」或「賜姓龍佑那」的平服南蠻策略，使其形象更加豐富多姿，神秘色彩更加濃厚；而顯然地，也是〈武侯遣地脈龍神穿水道〉等相關傳說情節的一種輾轉附會。有關諸葛亮南征蠻夷的地形地物傳說，還有如：

> ・南廣小河北流入江處，有巨石生江中，其上有三十七字，云：「開禧元年，其日甲午，南谿令與客焦昌廟訪武侯歇馬之石，齒齒橫流，真奇絕也，鼓觴弔古而

27　參同註 12，頁 229。

28　參同前註。

29　參同註 12，頁 238。

下。」（〈武侯歇馬石〉錄自《慶符縣志》）[30]

・黔中郡南，石崖屹立，旁有石洞數丈，相傳諸葛亮征九谿蠻嘗過此，留宿洞中，設一牀，縣粟一握以秣馬，後遂化為石。石牀石粟，至今猶存。一云，在平茶洞長官司。（〈石牀〉〈石粟〉錄自《郡邑志》）[31]

這二則傳說在造型上的共同特徵，都是藉由諸葛亮南征途中「歇馬」、「留宿」等簡單的休息動作，將所碰觸到的相關事物，自然地沾染神奇的力量，使之產生不可思議的石化現象，以突顯出其彷若天神般降臨，隨意點化即可讓凡物變為神奇的情形。此種「仙跡」類的造型方法，正是民間風物傳說中最為典型的伎倆。

此外，諸葛亮在北伐時，也曾將其神力展現於馴服猛獸身上，如《梓潼志》中所載〈葛山〉即云：

> 葛山在梓潼縣西南二十里，一名亮山，又名臥龍山。相傳武侯伐魏，駐兵於此，見虎豹蛇蟲勢惡，自臥草中，獸皆俯伏。有古碑，在山之景福院。[32]

諸葛亮自臥草中，即能馴服百獸，彷彿其有通靈之術，可以與世間萬物相溝通；且其威力更足以震懾兇惡的猛獸，使之自然俯伏，不敢造次。至於，如《南陽府志》中所載〈臥龍岡〉云：

30　參同註 12，頁 230。
31　參同註 12，頁 235。
32　參同註 12，頁 226。

> 臥龍岡府城西南七里，起自嵩山之南，綿亙數百里，至
> 此截然而止，回旋如巢然。草廬在其內，前有井，淵然
> 瀟深，曰諸葛井。青石為牀，有汲綆渠百十道，數不能
> 竭。其下平如掌，即侯躬耕處。舊為祠以奉之。元至大
> 中，建書院，嘗有道士居住，夜聞兵聲，懼而移之。[33]

此則傳說與東晉時〈孔明故居〉的傳說[34]，也有些相似，都認
為諸葛亮死後的英靈永存，其神威是不容隨便侵犯的。觀其將
隆中臥龍岡給附會在南陽府，即可見民間傳說在造型時，對於
歷史客觀實證考究的輕忽，只為表明：諸葛亮英靈與神威猶
在，死後千年依舊立志要興復漢室，如此簡單的主觀情感與想
法，而可隨意敷衍情事的特點。

　　由此可知，與諸葛亮相關的地形地物傳說，大致上都是以
「遺物」、「留跡」的型式呈現出來，至於其真假與否，史傳有
無記載等問題，則非傳說故事所關注的焦點，因為其主要關心
的重點，乃在於傳說能否給予這些地形地物一個與諸葛亮有關
的來源解釋，以增加其歷史感與趣味感，來塑造諸葛亮神奇的
藝術形象。

33　參見〔清〕朱璘：《南陽府志》（台北：台灣學生書局，1968），頁48-49。

34　〔東晉〕習鑿齒（？-384）《襄陽記》與盛弘之（？-？）《荊州記》中所載
　　〈孔明故宅〉云：「襄陽有孔明故宅，有井，深五丈，廣五尺，曰葛井。堂
　　前有三間屋地，基址極高，云是避暑臺。宅西面山臨水，孔明常登之，鼓瑟
　　為《梁甫吟》，因名此為樂山。嗣有董家居此宅，衰殄滅亡，後人不敢復憩
　　焉（案：盛弘之《荊州記》，避暑作避水，鼓瑟作鼓琴，面山作背山，與
　　《襄陽記》微異。」）。引文轉見同註12，頁216。

四、物產特產

其三，在物產與特產方面，這部分的資料記載顯示：許多神奇物品的來源，大多是由諸葛亮所創制發明的，尤其是與行軍裝置有關的東西。如〔明〕楊慎（1488-1559）《丹鉛錄》所載〈諸葛行鍋〉云：

> 井研縣有掘地者，得一釜，鐵色光瑩，將來造飯，少頃即熟，一鄉皆異。有爭之者，不得，白於縣令，命取看，未至堂下，失手落地，分為二，中乃夾底，心縣一符，文不可辨；旁有八分書「諸葛行鍋」四字。又麻城毛柱史鳳韶為予言：近日平谷縣耕民得一釜，以涼水沃之，忽自沸；以之炊飯，即熟；釜下有「諸葛行鍋」字。鄉民以為中有寶物，乃碎之，其複層中有「水火」二字亦異哉！瑞應圖曰丹甑不炊而自熟，玉皋不及而常滿，以此類忽信夫，孔明之才藝，故傳世之神禹周公也，世所傳有划車弩、雞鳴枕，不一而足。[35]

---

[35] 參見楊慎：《升庵全集·諸葛炊釜》，國學基本叢書四百種（台北：台灣商務印書館，1968），頁 872-873。又〔明〕曹學佺《四庫全書》本《蜀中廣記》卷六八《方物記》第一〇也載云：「《丹鉛錄》云：麻城毛柱史鳳韶為予言，近日平谷縣耕民得一釜，以涼水沃之，忽自沸；以之炊飯，即熟；釜下有『諸葛行鍋』字。鄉民以為中為寶物，乃碎之，其釜複層中有『水、火』二字，異哉！《瑞應圖》曰：『丹甑不炊而自熟，玉皋不及而常滿』，殆此類乎？《遊梁雜記》：井研縣鄉中有掘地者，得一釜，鐵色光瑩。將來造飯，少頃即熟，一鄉皆異。有爭之者，不得，共舉于縣中，令君命取看，未至堂下，失手落地，分之為二。中乃夾底，心懸一符，文不可辨；旁有八分書『諸葛行鍋』四字，或即此物。」見《蜀中廣記》，四庫珍本初集（台北：

這個「諸葛行鍋」,「以涼水沃之,忽自沸;以之炊飯,即熟」,完全無需燃燒柴火,即能用來煮飯燒水,其神奇的效力,彷彿鍋具本身即是熱火的來源體,而涼水則是其加溫的觸媒,這不唯遠比傳說中關公的「行軍鍋」(需靠關公的三根鬍鬚燒熱)來得神奇;也比現今的電鍋或悶燒鍋來得特別,真有如神鍋般,人間罕有。傳說所要突顯的,無非就是諸葛亮神智的形象,可以創發奇珍異寶;而此物又涉及「水、火」,似乎也有以五行觀念來作思考的意蘊,含有以諸葛亮為興旺火德的象徵載體。對此,〔清〕李復心《勉縣忠武祠墓志》卷一《拾遺》中所載〈諸葛行軍鍋〉也云:

> 定軍山下墾地,農人得一瓦壺。細視之,左鑄「堯」字,右鑄「火」字。貯水,置風中不燃自炊,亦行軍鍋之類,或疑武侯所制也。爭取之,遂損於地。此乾隆四十七年事,武生趙真明目睹之。[36]

更以趙真明(?-?)目睹其神奇的變化,來加強「諸葛行鍋」的真實感。類似的寶物創發,還有如「雞鳴枕」,〔明〕曹學佺(1567-1624)《四庫全書》本《蜀中廣記》卷六八《方物記》第一〇中所載〈武侯雞鳴枕〉云:

> 《蜀志》:簡雍性簡傲跌宕。見客,自諸葛亮已下則獨擅一榻,頂枕臥語,無所為屈。《齊諧記》:武岡有幕官,

台灣商務印書館,1970),頁26左。

36 參同註18,頁1697。

> 因鑿渠得一瓦枕。枕之，聞其中鳴鼓起擂，一更至五更，鼓聲次第更轉不差。既聞雞鳴，亦至三唱而曉。抵暮復然，其人以為怪而碎之，見其中設有機局，以應夜氣，乃諸葛武侯雞鳴枕也。[37]

這個雞鳴枕，「其中設有機局」，可「以應夜氣」，來調控報時，使行軍作息井然有序，其神奇的效力，並不輸給公雞報曉，就是拿現代的鬧鐘來與之相比，恐怕也省電不少，更符合環保要求，足見民間傳說浪漫的想像力，無非都是將諸葛亮給視為智慧的化身，認為其能化腐朽為神奇，具有鬼斧神工的創發能力；而又是以「雞」（朱雀＝火德）為其傳說載體，或恐仍不免也有五行觀念思想的潛植。相同是雞鳴枕的傳說故事，還見於〔明〕謝肇淛《四庫全書》本《滇略》卷一〇《雜略》載〈諸葛亮著《琴經》作雞鳴枕〉云：

> 丞相亮征孟獲入滇。滇人未知琴，亮居南，常操之。土人有願學者，乃為著《琴經》一卷，述琴之始及七弦十三徽之音意，於是滇人始識鼓琴。又從征者冬暮思歸，各與一磚，曰：臥枕此，即抵家。從之果然，不用命者終莫能歸，因號雞鳴枕。又嘗用炊釜自隨，不炊自熟，以防不時之需。[38]

---

37 參見曹學佺：《蜀中廣記》，四庫珍本初集（台北：台灣商務印書館，1970），頁 11 右。

38 參見謝肇淛：《滇略》，四庫全書珍本三集（台北：台灣商務印書館，1972），頁 4。

這則傳說故事，與前文〈巴蠻〉傳說中「枕石者去」的情節，
應該有所關涉，可能是故事在輾轉流傳的過程中，加油添醋使
然。觀其進一步地將雞鳴枕的神奇效力給發揮到極致，使之彷
彿仙物，可以讓征者枕之即抵家，以解其行軍遠役的鄉思之
愁。如此寶物的創制，已然超乎邏輯規則可以理解的範圍，使
得諸葛亮的形象在人情關懷中，更添賦有神秘的色彩。至於，
如〔清〕穆彰阿（1782-1856）《四部叢刊續編》本道光年間所
修《大清一統志》卷四八七《永昌府》「太保山」條中所載
〈武侯磚〉云：

> 太保山在保山縣內，郡之鎮山也。舊志：舊時府城，西
> 倚山麓，洪武中於山之絕巇為子城，設兵以守。尋辟城
> 之西，羅山於內。《府志》：嵯峨東向，橫亘數里。山巔
> 平衍，可習騎射，林木蒼翠。嘗掘地得巨磚，上有「平
> 好」二字，相傳為諸葛武侯所遺。[39]

這「武侯磚」的傳說，雖故事內容並不清楚，但應該也與「雞
鳴枕」的傳說故事相似，觀其上有「平好」二字，或即表示行
軍時士兵用以報安的意思。

　　此外，有些物產與特產的傳說，則是用諸葛亮的創制來鎮
壓篡逆造反的惡氣，以防患未然，彰明其興漢的用心。如「定
軍鼎」、「銅鼓」：

> ・武侯戮王雙還定軍，作一鼎，篆其文曰「定軍鼎」，

---

[39] 參見穆彰阿：《大清一統志》，四部叢刊續編（上海：上海古籍出版社，
　　1995），頁602下。

沈於沔水，以壓王氣。又云軍山有王氣，侯墓截其山脈，公墓後之斬斷埡半系人力截成。當時天下多事，侯恐篡逆再出，不得已截脈而葬此。其衛漢之心，良可悲已。(〈定軍鼎〉，錄自〔清〕李復心《勉縣忠武祠墓志》卷一《拾遺》) [40]

· 前明萬曆元年，巡撫曾省吾平九絲城，獲諸葛銅鼓。擇其有聲者，分天、地、人三號以獻。銅鼓在蠻中視為寶器，其有剝蝕而聲響者為上上，易牛千頭；次易牛七八百頭。得鼓二三面，即可雄視一方。鼓所鑄，皆奇文異狀；僅可辨者，周刻螞螢，間綴蝦蟆，其數皆四。舊志所載頗詳，要從征伐得之，非自然呈現者也。國朝雍正十年閏五月二十五日，石工吳占祥、目兵廖君亮等采石至黃螂所五馬寺岩洞內，獲銅鼓四，其形圓，高尺許，上寬而中束，下則敞口。面各有四水獸，如蟾蜍形。四周有細花紋，皆剝蝕，作翡翠斑；旁有四耳。置水上，以楷木桴擊之，聲極圓潤；微破者聲愈弘。安阜營都同毛龍甲呈送總督黃廷桂，齎獻內庭。按《武侯集》：銅鼓者，諸葛制以鎮蠻，往往埋置山谷間。有云鼓去則蠻運終，揆之理數，確實不爽。(〈諸葛銅鼓紀事〉，錄自〔清〕黃廷桂《四川通志》卷二○《土司》) [41]

茲觀「沈鼎」，以壓王氣；「埋鼓」，以鎮蠻運等傳說的內容，都顯示了民間在塑造諸葛亮輔弼漢室的「忠貞」形象，而其造

40　參同註 18，頁 1698。

41　參同註 18，頁 1691-1692。

型方法，又不免都會結合諸葛亮「智慧」形象所發揮的奇異情節來作敷衍，更可見「竭智效忠」，實乃諸葛亮藝術形象的造型規律。

明清時期，各地還盛行有關於諸葛亮「兵書匣」的傳說故事，來渲染其運籌帷幄，神機妙算的智慧形象，如〔清〕王士禛（1634-1711）《龍威秘書》本《隴蜀餘聞》中所載〈兵書匣〉云：

> 顧華玉璘云：「武侯兵書匣在定軍山上。壁立萬仞，非人跡可到。凡兩經其地，初視匣，其色淡紅；後則鮮明，若更新者。」[42]

以兵書匣地處「壁立萬仞」的定軍山上，人跡罕能企及；又經歷千年，其色澤依然淡紅、鮮明，彷彿有英靈勤於護持與擦拭，來刻劃出諸葛亮壯志猶存、「竭智效忠」的豪氣雄心。對此，〔清〕李復心《勉縣忠武祠墓志》卷一《拾遺》也曾載云：「《沔縣志》載：定軍山有諸葛岩，上有兵書匣。其山壁立萬仞，非人跡可到。又云：顧東橋兩經其地，初視斯匣色淡，經後則鮮明，殆不可曉。」[43]李氏雖將此則傳說故事給客觀地記錄下來，但除以「殆不可曉」一語，來突顯其對「兵書匣」傳聞的困惑外，更對於之提出過疑議，而云：

> 西岳華山壁立五千仞，高僅四十里；此山高無十里，何

---

42 參見王士禛：《隴蜀餘聞》，四庫全書存目叢書（台南：莊嚴文化，1955），頁 175 下。

43 參同註 18，頁 1698-1699。

> 云萬仞？所謂兵書匣，余訪求二十餘年，終無踪跡，因於古蹟中只繪石琴、銅蒺藜、銅箭鏃、遮箭牌等圖而不及兵書匣。志以傳信，闕遺可也。或云遮箭牌即兵書匣。又郎公瑛《七修類稿》載廣西全州山上有諸葛忠武侯兵書匣，歲或一換新板於外。余初聞之未信，今大中丞顧東橋云親見也。據此，則東橋作官於廣西，至沔與否，無從考核，姑存之，以俟博雅。又夔府三峽中懸崖上亦有兵書匣，相傳為武侯藏書處，真壁立萬仞、人跡不可到者。[44]

李氏認為以常理推斷，定軍山高不及華山，當無萬仞峭壁可攀爬，或許傳言虛誕；為求能證實傳說內容，其更親身尋訪定軍山上的兵書匣，歷經二十餘年的時間，仍尋之未果，只好言其「志以傳信，闕遺可也」，或者暫以同是諸葛亮遺制的「遮箭牌」，來權作「兵書匣」傳聞的解釋。更而甚者，李氏還從時人顧東橋的口中，得知全州確有武侯兵書匣存在的實情；並進而提出夔州三峽懸崖上確當有兵書匣才是，因其正符合傳說中所描述的地理形勢。又〔清〕袁枚（1716-1797）/清乾隆間刊本《隨園詩話補遺》卷一中所載〈全州武侯藏兵書處〉云：

> 過廣西全州，見江上山凹有匣，非石非木，頗類棺狀。甲辰再過視之，其匣如故，絲毫無損，相傳武侯藏兵書處。或用千里鏡睨之，的系是木匣，非石也，但其上似無蓋耳。庚戌夏間，偶閱朱國禎《涌幢小品》云：「嘉

44 參同前註。

靖時，上遣南昌姜御史訪求奇書。入全州，張雲梯募健
卒探取，乃一棺，中函頭顱其巨，兩牙長尺許，垂口
外，如虎豹狀，卒取其骨下山。卒暴死，姜埋其骨而覆
奏焉。」余曾戲題石壁云：「萬疊驚濤百尺崖，山凹石
匣有誰開？此中畢竟藏何物？枉費行人萬古猜。」爾時
未見《涌幢》所載，故用「疑猜」；若見此書，亦無可
猜矣。惜武夷山之紅橋板，不得姜御史搭雲梯而一探
之。[45]

更將全州武侯兵書匣的傳說，給描繪得神秘幽玄，惹人百思費
解，只能疑猜。諸此，都可見出知識份子對於諸葛亮風物傳說
的好奇與興趣，從而也反映出諸葛亮在民間傳說中形象造型的
神秘特色。

五、習俗信仰

其四，在習俗與信仰方面，這部分的資料記載大多與蠻夷
地區的風俗信仰有關。例如：

· 蜀山谷民皆冠帛巾，相傳云為諸葛孔明服，所居深遠
　者，後遂不除。今蜀人民不問有服無服，皆戴孝帽，
　市井中人，十常八九。余以重午登南城樓，觀競渡
　戲，兩岸男女，匝水而聚，望之如沙城。(〈蜀民為亮
　戴天孝〉，錄自〔明〕朱孟震（西元 1568 年進士）

45　參見袁枚：《隨園詩話》（台北：新陸書局，1971），頁 263-264。

《浣水續談》）[46]

· 蠻酋自謂太保，大抵與山僚相似，但有首領，其人椎髻，以白紙繫之，云，尚為諸葛公制服也。（〈諸葛公制服〉，出處同上）[47]

· 武侯廟府城南八陣磧圖經，夔人重諸葛公，每歲以人日遊傾城出遊磧上。（〈夔人重武侯〉，錄自〔明〕陸應陽（西元 1686 年所著）《廣輿記》）[48]

· 戎、瀘皆有諸葛武侯廟。每歲，蠻人貢馬，相率拜於廟前。慶符有順應廟，乃祀馬謖者，歲以三月二日致祭。馬湖之夷，歲暮，百十為群，擊銅鼓，歌舞飲酒，窮晝夜以為樂。其所儲蓄，弗盡弗已，謂之諸葛窮夷法。（〈諸葛窮夷法〉，錄自〔明〕曹學佺《蜀中廣記》卷五六《風俗》）[49]

· 永昌之俗，三月二十七日，俠少之徒聚於諸葛營前走馬賭勝。有觀騎樓，至日登者如市。今樓毀而俗尚存。（〈永昌之俗〉，錄自〔明〕謝肇淛《四庫全書》本《滇略》卷四《俗略》）[50]

由此可知，無論是蜀山谷民為諸葛亮戴天孝；或者蠻酋太保為

---

46 參見朱孟震：《浣水續談》，四庫全書存目叢書（台南：莊嚴文化，1955），頁 721 上。

47 參同前註。

48 參見陸應陽：《廣輿記》，四庫全書存目叢書（台南：莊嚴文化，1955），頁 375 下。

49 參見曹學佺：《蜀中廣記》，四庫珍本初集（台北：台灣商務印書館，1970），頁 12 右。

50 參見謝肇淛：《滇略》，四庫全書珍本三集（台北：台灣商務印書館，1972），頁 8 左。

諸葛亮制服，應當都是沿襲宋代〈為諸葛亮服白巾〉[51]的傳說故事，持續加溫、附會與散布而來的。其風俗習慣的成因，也無非是當地居民由於謹遵其祖先的遺訓，在畏服與感念諸葛亮天威與恩德的情感基礎下，發自內心自然產生的一種崇敬信仰。茲觀西南蠻地普遍都蓋有武侯廟，且蠻人每年定期都會舉行各種不同的祭祀儀式與活動，或正月初七（人日）的踏磧遊；或三月二日的祭馬謖；或三月二十七日的走馬聚賭；或歲暮的散盡儲蓄等等，來向諸葛亮的英靈輸誠，以表示蠻人不再復反的千古誓言，足見諸葛亮南征所積造的功業，及其神明的影響力有多麼深遠。

諸葛亮天威神明的形象傳說，不唯深刻地烙印在西南蠻人世代的文化記憶裡，成為當地民間普遍的習俗信仰；同時，在各地的諸葛亮祠墓中，也都衍生有許多神奇靈異的傳說故事，如《游夢雜鈔》所載〈孔明廟栢〉云：

> 嘉靖中，建乾清宮，遣少司馬馮清求大材於蜀地，至孔
> 明廟，見栢，謂無出其右，定為首選，用斧削去其皮，
> 硃書第一號字。俄聚千百人斫伐，忽羣鴉無數，飛遶鳴
> 噪，啄人面目。藩臬諸君皆力諫，遂止，命削去硃書，
> 深入膚理，字畫燦然。[52]

這則馮清（？-？）求伐孔明廟栢的故事，顯然是在宋代〈武

---

51 〔南宋〕程大昌（1123-1195）《演繁露》中所載〈為諸葛亮服白巾〉云：
「世傳《明皇幸蜀圖》，山谷間老叟出望駕，有著白巾者。釋者曰：『服諸葛武侯也。』此不知古人人不忌白也。」見《演繁露正續外三種》（台北：新文豐出版社，1984），頁 365-367。

52 參同註 12，頁 243。

侯祠〉古栢傳說[53] 的內容基礎上，繼續緣飾、附會而來的，觀其用羣鴉「飛遶鳴噪，啄人面目」；以及砆書「深入膚理，字畫燦然」，來映襯之前古栢縱使枯瘁，人「亦不敢伐之」；且逮及枯柯再生，新枝更聳雲，而天矯若虬龍之形。正顯示著傳說中諸葛亮英靈護持的信仰思維。又如〔清〕李復心《勉縣忠武祠墓志》卷一《拾遺》中所載〈諸葛亮英靈護民〉云：

> 自嘉慶元年，白蓮教匪由川、楚延及漢南，受害者不可勝記，獨祠墓之附近約三、四十里未受焚戮。四年冬，馬公允剛具詳各大憲，其略云：每於賊近時，見定軍山上晝則旗幟閃灼，夜則燈燭輝煌，賊望而遠遁。中丞陸公有仁奏侯之靈異於朝，嘉慶皇帝頒發御書匾額曰「忠貫雲霄」。八年秋，又御制祭文，欽命工部侍郎初公彭齡以太牢致祭。[54]

此則傳說故事，更具體地描述諸葛亮曾經顯靈保護生民，使免遭白蓮教眾焚戮的情節，將其神威慈心塑造出來。再如〔清〕《大清一統志》中所載〈武侯廟〉云：

53　〔北宋〕田況（1005-1063）《儒林公議》中所載〈諸葛武侯祠〉云：「成都劉備廟側有諸葛武侯祠，前有大柏圍數丈，唐相段文昌有詩石刻在焉，唐末漸枯，歷王建、孟知祥二偽國，不復生，然亦不敢伐之。皇朝乾德五年丁卯夏五月，枯柯再生，時人異焉。三國至乾德丙寅歷年一千二百餘年，枯而復生，生于皇祐初守城都又八十年矣，新枝聳雲，拜舊枯餘存者若老龍之形。」見《儒林公議》卷下，叢書集成初編（北京：中華書局，1985），頁41。

54　參同註18，頁 1696-1697。

龍州武侯廟在宣慰東一百八十里。初，州人以鄧艾嘗經
於此，立廟祀之。宋知州洪咨夔毀其像，更以諸葛，諭
其民曰：「毋事仇讐而忘父母。」[55]

此則傳說故事，顯然乃是宋代〈武侯祠〉董繼舒撤廟改祀傳
說[56] 的另種內容變體，觀其彼此間的情節母題頗為雷同，只
是將施行者的人物姓名改為洪咨夔，捨棄鄧艾托夢解厄的情
節，再增加些封建忠君思想的對話，可見民間傳說在流傳過程
中，為因應時地居民的不同情感需求，會產生極大的變異性。

六、結　語

綜上所述，可知明清時期的諸葛亮傳說故事，無論是在遺
事軼聞、地形地物、物產特產、習俗信仰等四種類型的故事創
作上，都持續沿襲著前代的傳說基因，不斷地緣飾、附會與繁
衍，產生出許多饒富民間情趣的新傳說，而這些傳說所熱衷從
事的諸葛亮造型，無疑地，主要還是偏向於其智慧化身所散發
出迷人的神奇色彩。

歷代有關諸葛亮民間傳說的故事，在「賢相、名士、智
將、英靈將、臥龍仙、道士、神明」等等，極為「多變的」藝
術形象中，除特別突顯出諸葛亮「超人」的「才智謀略」與

55　參同註 12，頁 242。

56　〔北宋〕鄭樵（1104-1162）《通志》中所載〈武侯祠〉云：「夾江武侯祠原
　　在九盤坂，距縣三十里許，鄧艾廟即今祠地，邑令陝西人董繼舒欲撤廟，改
　　祀武侯，投艾像於水。九盤里人夜夢艾云：『明日吾有水厄，爾可乘夜偷吾
　　像。』來人從之。至明日，艾像失矣，董因改祀武侯。」引文轉見同註
　　12，頁 242。

「神威力量」，以充分表現各個不同階層的人民對其相同的評價觀感外；更也利用這些形形色色的風物影跡，來傳達各時、地、階層的人民身歷其境，蒙受感召，心生崇敬與讚佩的信仰情思，以尋求人民精神心靈的寄托與慰藉，從而造成一種特殊的「崇智」文化現象，使得諸葛亮的傳說形象益發活樣鮮明。

我們透過明清時期傳說中諸葛亮形象的概括，多少能夠發現到：民間傳說對於諸葛亮藝術形象的造型工作，雖然不至於會改變其造型活動的總體態勢（將主角給塑造成為「智慧」與「忠貞」的「類型化典型」），但也並不會因為《演義》藝術形象典型的出現，即就此弱化其神奇性的形象色彩；反而仍舊會處在故事形象的生產階段，持續朝著民間情趣的路線，不斷地緣飾、附會與繁衍，生產出許許多多的新傳說。

如此的演變與發展情形，正可顯見傳說「變異性」[57]特質所發揮的功效，能藉由民間「集體性」[58]豐富的想像力，生生不息地創造出屬於廣大群眾所喜聞樂見的諸葛亮故事，以彰揚其藝術形象內具的獨特思想蘊義，而堪值我們投以關注與探討，且對於現、當代民間流傳的諸葛亮傳說故事研究，也具有相當大的啟示作用。

---

57 譚達先云：「變異性，也稱為『變動性』或『原文不穩固性』。它是伴隨著民間文學的集體性、口頭性和流傳性而來的一個比較次要的特徵。它指的是民間文學在流傳過程中，由於沒有用文字形式固定下來，就往往產生同一母題的『異文』。歌謠、故事、諺語、謎語、民間曲藝、民間小戲等等，不管是什麼藝術形式，只要在勞動群眾中一流傳，就會產生變異，從語言、表現手法、人物形象，有時甚至包括主題在內，都會發生變化。」詳見氏著《中國民間文學概論》（台北：貫雅文化，1992），頁38。

58 譚達先云：「民間文學的集體性，就是指它是由勞動人民集體創作、集體流傳、集體享有，為廣大人民集體服務。」參同前註《中國民間文學概論》，頁29。

參考書目

〔唐〕魏徵（1988）《隋書》。台北：台灣商務印書館。

〔北宋〕田況（1985）《儒林公議》，叢書集成初編。北京：中華書局。

〔北宋〕宋祁（1966）《新唐書》，四部備要史部。台北：台灣中華書局。

〔南宋〕程大昌（1984）《演繁露正續外三種》。台北：新文豐出版社。

〔明〕朱孟震（1955）《浣水續談》，四庫全書存目叢書。台南：莊嚴文化。

〔明〕曹學佺（1970）《蜀中廣記》，四庫珍本初集。台北：台灣商務印書館。

〔明〕陸應陽（1955）《廣輿記》，四庫全書存目叢書。台南：莊嚴文化。

〔明〕楊慎（1985）《大理行記・滇載記》，叢書集成初編。北京：中華書局。

〔明〕楊慎（1968）《升庵全集》，國學基本叢書四百種。台北：台灣商務印書館。

〔明〕諸葛義、諸葛倬（1996）《諸葛孔明全集》。北京：中國書店。

〔明〕謝肇淛（1972）《滇略》，四庫全書珍本三集。台北：台灣商務印書館。

〔清〕王士禎（1955）《隴蜀餘聞》，四庫全書存目叢書。台南：莊嚴文化。

〔清〕朱璘（1968）《南陽府志》。台北：台灣學生書局。

〔清〕袁枚（1971）《隨園詩話》。台北：新陸書局。

〔清〕張廷玉（1987）《明史》。北京：中華書局。

〔清〕張澍（1974）《諸葛亮集》。北京：中華書局。

〔清〕穆彰阿（1955）《大清一統志》，四部叢刊續編。上海：上海古籍出版社。

〔清〕顧祖禹（1955）《讀史方輿紀要》，四庫全書存目叢書。台南：莊嚴文化。

王瑞功（1997）《諸葛亮研究集成》。濟南：齊魯書社。

張谷良（2006）《諸葛亮民間造型之研究》。花蓮：國立東華大學中國語文學系。

譚達先（1992）《中國民間文學概論》。台北：貫雅文化。

民間故事的比較研究

以台灣〈虎姑婆〉與日本〈天道的金鎖鍊〉之人物分析為中心

林佳慧

日本白百合女子大學兒童文學研究所博士生

中文摘要

在台灣耳熟能詳的民間故事〈虎姑婆〉，在日本也有情節相似的故事——〈天道的金鎖鍊〉，此類故事在日本的民間故事分類裡，稱為「逃走譚」。筆者查閱整理了日本全國北從北海道、南至沖繩的此類型故事，加上台灣已經出版的虎姑婆故事，整理出兩方的故事基本情節，並細分項目加以分析。兩方都有吃人的妖怪與逃跑的孩子，不同的是台灣的這個故事裡吃人妖怪是虎姑婆、而日本則是山姥或者鬼婆。另外逃跑的孩子性別與人數構成也大不相同，台灣多為女孩與另一個姊妹或弟弟，在日本則多為三兄弟。另外在台灣和日本的故事裡吃人妖怪謊稱自己吃的是什麼食物、孩子逃跑時爬的什麼樹等等的細節部分裡，也可看出台日的地域性的不同。另外此類型故事在日本的分布上，吃人妖怪雖然以山姥和鬼婆居多，但在關西有狸貓、沖繩與鹿兒島多為鬼。從此研究中可以看到鹿兒島與沖繩等偏南方的地區有一些細部情節是日本本島沒有，但是卻和台灣的相似。此研究中還可以看到，兩故事在敘述上存有共通的口述文藝特質，另一方面，因為地域性的不同，故事的發展與敘述上也呈現出差異性。

關鍵詞

台日民間故事比較、天道的金鎖鍊、虎姑婆、山姥

民間文學與漢學研究

"Grandaunt Tiger" and
"Tendo-san kane no kusari":
A Comparative Study of Taiwanese and Japanese Folktales

Lin,Chia-Hui

Doctoral Program, (Japan) Shirayuri College Graduate School of
Children's Literature Studies

Abstract

"Grandaunt Tiger" is a well-known folk tale in Taiwan. And there is also a similar story in Japan which is called "Tendo-san kane no kusari". I collected some Japanese folk tales similar to "Tendo-san kane no kusari" that are circulating from Hokkaido in the north to Okinawa in the south, along with the "Grandaunt Tiger" story published in Taiwan. I state the basic plot between both folk tales in Japan and Taiwan and also itemize them for analysis. Both "Grandaunt Tiger" and "Tendo-san kane no kusari" have a monster, who eat human beings, and children, who escape from the monster. The difference is that the monster in this Taiwanese story is Grandaunt Tiger, but is Yamang-ba or Oni-baba in Japan.

In addition, the gender and the number of the children who escape are also constructed differently. In Taiwan, most of the children are a girl and one of her sisters or brothers. But in Japan, most of the children are three brothers. In addition, we can see the geographic difference between Taiwanese and Japanese folk tales from such details as what food the monster lies it has eaten and what tree the children climb up as escaping. From this study on the comparison between Taiwanese and foreign folk tales, we can also see the similarities between Okinawans and Taiwanese folktales.

Keywords:

A Comparative Study of Taiwanese and Japanese Folktales, Grandaunt Tiger, Tendo-san kane no kusari, Yamang-ba

一、前　言

「民間故事」被認為是民族共有的作品，它不但反映出一個民族的心與感受性，也反映出這個民族的意識與喜好。在不同民族間的民間故事做比較研究時，可以發現不同的地方會流傳著相類似的故事。關於這一點，日本民俗學之父柳田國男（1997：541）指出：「無論是已開發或未開發國家，都有這樣的現象；何以在不同地區會流傳著相同故事，這一點很值得我們去研究。（筆者譯）」另外，關於不同地區及民族間的民間故事比較，日本學者小澤俊夫（1997：28）提出這樣的看法：

> 我們自以為了解其他民族，但其實所了解到的關於其他民族只是非常片面的，不過是這個民族的一部分而已。但是，若能從這個民族裡所孕育出的「民間故事」去了解該民族的話，將能夠了解這個民族的心，而不致流於片面的價值觀。（…）「民間故事」是一個民族去了解其他不同民族的心的一種很具體的材料。（筆者譯）

以上的敘述也點出了民間故事比較的重要性及功能。

本民間故事比較研究的研究對象，以台灣最為人所知的〈虎姑婆〉故事，以及與此故事相類似的日本的民間故事〈天道的金鎖鍊〉[1] 為例，分析彼此的敘述方式。〈天道的金鎖

1　〈天道的金鎖鏈〉，其原名為〈天道さん金の鎖〉，中文的意思為上天所賜與的金鎖鍊。「天道」在日文裡，除了上天的意思，也意指為天體中的發光體如太陽，此發光星體以其在天體所行走的軌道即「天道」稱呼，天道神即為

鍊〉的故事文本，採用現今廣為日本民間故事研究界所使用、
具權威性的研究資料《日本昔話通觀》[2]資料篇，從其第1卷至
第26卷，找出日本各縣關於〈天道的金鎖鍊〉的代表性故事
34則。而台灣的〈虎姑婆〉則是從各縣市文化局所出版的民間
文學集以及坊間出版社所出版的故事中，收集到51篇故事。

二、故事構成

（一）分析項目

本研究在進行上，為先按照故事情節的發展訂定分析項
目，以利進一步分析其故事構成。台灣與日本的故事依照這些
項目，製成表格[3]進行分析，並得出兩故事的最常出現的敘述
方式，並進一步從中比較出〈虎姑婆〉與〈天道的金鎖鍊〉的
敘述上的差異。

分析項目先訂有「基本設定」的部分：「故事流傳的地區
與民族」、「標題」、「敵對者」與「孩子」。本文裡所稱的
敵對者，是指與主角敵對立場的角色。並將故事按照情節發

將太陽神格化後的產物（參見《広辞苑第六版》，p.1951）；另外在日本神話
中，太陽神為「天照大御神」，是位女神，被奉為日本天皇始祖（參見《神
話・伝承事典——失われた女神たちの復権》，p.590）。本論文裡，為保留
原義、尊重日文原漢字名稱，日文故事的篇名翻譯上採用原日文稱呼。

[2] 《日本昔話通觀》（小澤俊夫、稲田浩二編），分有資料篇與研究篇；資料篇
的內容為實地田野調查所收集的第一手資料集成，以各縣為單位成冊，共
26卷，所收集的各篇故事均附有情節分析、與故事類型資料，具高度研究
價值，為日本研究民間故事的第一首選研究資料。

[3] 表格部分因篇幅關係，不列入本篇研究中，可另外參見拙作《台湾と日本の
昔話の比較研究——「虎婆さん」と「天道さん金の鎖」をめぐって》（白
百合女子大學碩士論文，2004）pp.65-95,132-149

展，分成五大部分：「父母的外出」、「敵對者來襲」、「孩子逃走」、「救援者的介入」以及「結尾」，並在這五大部分之下又細分項目加以分析。

故事起始的部分為「父母的外出」，在這個項目裡，又細分如以下的小項：「1. 故事裡所被提及的親人」、「2. 父母外出的理由」、「3. 父母外出前是否提醒孩子們注意門戶安全」、「4. 父母是否與敵對者相遇」、「5. 父母是否被敵對者吃掉」。

父母外出後，接著是「敵對者來襲」的這個情節，在這個分析項目裡，又細分如下：「1. 家的位置」、「2. 敵對者所假扮的人物」、「3. 來襲的時間」、「4. 敵對者進屋前和孩子的對話」、「5. 敵對者入屋」、「6. 入屋後發生的事件」、「7. 孩子發現敵對者的真面目」、「8. 被敵對者吃掉的孩子」。

其中，「6. 入屋後發生的事件」裡，按照所發生的事情，又可分為：「a. 敵對者的掩飾」、「b. 聊天」、「c. 就寢」。並且，「就寢」的部分又可再分為：「（1） 和敵對者同睡的條件」、「（2）和敵對者同睡的孩子」。而「7. 孩子發現敵對者的真面目」這個情節裡，又可分為：「a. 孩子提問」、「b. 敵對者的謊言」、「c. 孩子的要求」、「d. 敵對者的反應」、「e. 謊言被識破的原因」這些子項目。

接著故事進入「孩子逃走」的場面，此部分的項目如下：「1. 家中所發生的事件」、「2. 逃走的時間」、「3. 孩子逃出家門」、「4. 被察覺到藏身處後敵對者的行為」、「5. 孩子的反應」、「6. 孩子得到救援後，敵對者的反應」。

其中，「1. 家中所發生的事件」裡，又可分有子項目：

「a.孩子為了逃出家門所說的謊」、「b.敵對者的反應」、「c.孩子的行為」、「3.孩子逃出家門」裡，又可分：「a.孩子的行為」、「b.孩子躲藏的地方」、「c.敵對者發現孩子逃走的原因」、「d.藏身處被察覺」的小項。「5.孩子的反應」裡，又可分：「a.自己驅除敵對者」、「b.敵對者失敗後的反應」、「c.敵對者的反應」、「d.孩子對救援者提出請求」；並且在「a.自己驅除敵對者」裡，又可分為：「（1）撒謊」、「（2）敵對者的反應」。

在「救援者的介入」這個部份可分有以下的分析項目：「1.救援者的身分」、「2.救援者驅除敵對者」、「3.敵對者逃亡」、「4.救援者為騙敵對者所說的謊」、「5.敵對者的反應」。

最後，故事進入「結尾」的部分。這個部分又細分項目如下：「1.敵對者的下場」、「2.存活的孩子的下場」、「3.由來」。

藉由以上的分析項目，可看出在每一個細節上，是如何被講述，哪個細節是最常被如何講述，透過分析項目的整理，可以得出故事的核心敘述。

（二）核心敘述

所謂「核心敘述」，是德國學者艾伯華（1996：73）在研究亞洲民間故事時所使用的語彙。「核心敘述」，也就是最簡要、無裝飾的基本型態的構成。講述者將故事以這個基本型態不斷傳承下去。然而「核」（core）這個概念，不是指流傳的故事的最原始型態（urform），而是指被講述的故事的構成體（construct），也就是在某個地域社會裡，通用性最高的講述

要素組成。

下列兩篇文章是將兩地所收集到的故事，依照分析項目個別做分析之後，所整理出的〈虎姑婆〉與〈天道的金鎖鍊〉的核心敘述。文中括弧內的百分比為，該故事情節在收集到的全部的故事中所佔的比例。出現在核心敘述者，為當中出現最頻繁的比率，有的核心敘述中的百分比看似低，這是因為收集到的故事篇章裡，該細部情節的敘述方式出現多樣性。例如〈虎姑婆〉的核心敘述裡，母親出門的原因是「到娘家或到親戚家（39%）」。這是收集到 51 篇故事中，稱去娘家或去親戚家的居多，佔了 39%。其他有 20 篇提到娘家或去親戚家，其餘有的只說有事，或說要去廟裡，或說去買東西，或沒有說明理由，或者該則故事中根本落了這個情節。隨著講述者的不同，比下列核心敘述來得長或短的情況都有，但是從這個核心敘述裡，可以知道在台灣最常被講述的〈虎姑婆〉故事裡的要素是什麼。用這個核心敘述，和〈天道的金鎖鍊〉的核心敘述去相比較，可以比較容易看出兩者的異同點。

1.〈虎姑婆〉的核心敘述

從前有位母親（此敘述出現的頻率佔所有收集到的 51 篇故事的 67%）帶著兩個女兒（67%）。母親把孩子留在家裡，到娘家或親戚家去（39%）。出門前，她對孩子說注意不要開門讓不認識的人進來（57%）。

一位謊稱為姑婆的虎妖來訪（92%）。孩子們一點都不猶豫地開門，讓虎姑婆進屋（35%）。晚上睡覺時，虎姑婆將睡在一旁的孩子吃了（88%）。另一個孩子聽到虎姑婆吃東西的聲音，問虎姑婆在吃什麼？（84%）虎姑婆騙他說，在吃花生

（40%）。孩子央求虎姑婆也給他吃（60%），結果得到（60%）另一個孩子的手指（64%）。孩子告訴姑婆，他不得不去廁所（64%）。虎姑婆擔心孩子會逃跑，用繩子將孩子綁住（56%）。然而，孩子將繩子解開，套在別的東西上（47%），從家裡逃出，並爬上了樹（82%）。

虎姑婆因為孩子上廁所的時間太久而起疑心（43%），察覺到孩子逃走了。接著他尋找孩子、發現孩子（56%），並要孩子爬下樹（43%）。

孩子要求虎姑婆拿滾燙的油來（47%），並且要虎姑婆張開嘴巴（58%），虎姑婆以為孩子要跳到他嘴裡，但卻被滾燙的油倒入嘴中燙死（60%）。

2. 〈天道的金鎖鍊〉的核心敘述

有一位母親（占全體81%）帶著三個兒子（34%）。母親把孩子留在家裡，因為工作的關係（48%）出門（78%）。出門後，碰到（44%）山姥（32%），接著被山姥吃了（41%）。

變成母親（74%）的山姥來到家裡。孩子們因為來訪客的手（32%）和聲音（17%）與母親的不同，所以拒絕開門。山姥為了應付孩子們的疑問，利用其他東西騙過孩子進入家裡（29%）。

晚上睡覺前，山姥將睡在一旁的么兒吃了（58%）。聽到吃東西聲音的長子問山姥，你在吃什麼（47%）。於是山姥騙孩子說，他在吃醬菜（32%），然後給長子一根么兒的手指（32%）。沒被吃的兩個比較大的孩子因為感到危險，藉口要去廁所而逃跑（64%），並爬上水邊的（51%）樹（90%）。

過了一會兒，山姥出來找孩子，從水中的倒影（25%）找到孩子。接著，山姥問起孩子爬樹的方法（54%）。其中一個孩子告訴他錯誤方法（54%），使得山姥無法順利爬上樹。但是另外一個孩子卻不小心說出正確的爬樹方法（38%），讓山姥順利爬上樹，越來越逼近他們。

感到危險的孩子們，向上天（70%）祈禱，繩索從天而降，孩子們攀著繩索順利爬上天（77%）。山姥也仿照孩子，向上天祈禱（58%），但是從天上降下的卻是腐爛的繩索。攀著腐爛繩索的山姥，因繩索途中斷裂，墜入地面而亡（74%）。蕎麥田裡，因為山姥的血，蕎麥的莖變成紅色的（41%）。

從兩篇核心敘述裡，可以看到故事情節在前半段幾乎相同，但是到了後半段敵對者發現孩子藏身於樹上後，台日兩篇故事有了敘述上的分歧。以下將故事在敘述上異同點進行分析比較。

三、兩個故事的比較分析

（一）核心敘述的比較表

為了利於比較，將這兩篇核心敘述整理如下。表格由上而下是故事進行的順序，而灰色網底部分是兩故事共通的情節。

表 1　核心敘述的比較表

	〈虎姑婆〉	〈天道的金鎖鍊〉
起始部	母親外出	
展開部		門前的對話
	敵對者入屋	
	就寢	
	孩子聽到敵對者吃指頭的聲音	
	孩子了解到敵對者的真正面貌	
	孩子逃出寢室	
	孩子逃離家	
	孩子藏身於樹	
	孩子被發現	
	敵對者咬樹	敵對者問爬樹的方法
	孩子的謊言	
	敵對者按照孩子的話做	
		傻孩子的應對
		敵對者爬上樹
結尾部		從天而降的救援
		敵對者的模仿
	孩子獨自驅敵	上天的懲罰
	敵對者死亡	

　　〈虎姑婆〉和〈天道的金鎖鍊〉的故事鋪陳方式都是從「母親出門」開始，以「敵對者的死」結束。在〈天道的金鎖鍊〉的故事裡，孩子在讓敵對者進門前會質疑並質問敵對者；但在多數的〈虎姑婆〉的故事裡，孩子完全不懷疑敵對者並為他開門。台灣故事裡的敵對者所變成的角色是家裡頗有權威的姑婆，孩子因為對姑婆的敬畏，便不加懷疑地開門讓其入屋。〈虎姑婆〉和〈天道的金鎖鍊〉的核心敘述在敵對者進入家裡之後就幾乎一致。

　　接著故事進入「就寢」的場景，存活下來的孩子知道敵對者的真面目後，便開始想辦法逃跑。在就寢前，〈虎姑婆〉的幾個故事裡，虎姑婆為了要隱藏住自己的尾巴，有的會提到以甕代替椅子坐在上面。有的〈虎姑婆〉故事會提到讓孩子們去競爭，由競爭結果來決定怎麼睡的情節。和虎姑婆一起睡的孩子，年長的或者年幼的孩子的情況都有，並且和虎姑婆睡的孩子會被吃。有一些故事裡，會提到其中一個比較機伶的孩子因為發現虎姑婆不尋常的地方，因而故意在競爭中比輸，所以不必跟虎姑婆一起睡而存活下來。而在日本的故事裡，沒有競爭的這個畫面，並且被吃的經常都是年幼的孩子。

　　進入就寢的場景後，孩子因為聽到敵對者吃另外一個孩子的聲音，而問敵對者在吃什麼。大多數台灣的敵對者回答花生，而日本回答醬菜。花生與醬菜都是吃起來會發出脆響，擬似啃碎骨頭的聲音，從這個謊言的內容，可以窺探出兩地食物生活的不同。接著〈虎姑婆〉與〈天道的金鎖鍊〉兩個故事裡，存活的孩子都因為從敵對者那裡拿到手指，而知道另外一個孩子已被吃以及來訪者的真面目，並開始策劃逃跑。無論是〈虎姑婆〉或是〈天道的金鎖鍊〉的故事，孩子皆藉口去廁所

而從家裡順利逃出。大部分的〈虎姑婆〉故事裡，孩子因為虎姑婆不讓他去廁所，而主動提議以繫繩的方法博取信任逃離寢室，並且在逃出家前，將繩子解開與其他東西繫在一起，有些故事甚至提到了到廚房去燒熱油要對付虎姑婆的這個情節。而日本的故事並沒有這些細節，大部分的故事是敵對者對孩子的請求不疑有他，直接讓孩子去上廁所。

〈虎姑婆〉與〈天道的金鎖鍊〉的故事裡，孩子逃離家後都躲在樹上。日本的敵對者因為看到池水或者井水中孩子的倒影而發現了孩子；而〈虎姑婆〉的故事裡，並沒有特別交代是怎麼發現孩子的。在多數的故事裡，虎姑婆在發現孩子後的反應是啃樹來逼孩子下樹；而日本的山姥則是問孩子爬樹的方法。對於敵對者的反應，台灣故事中的孩子騙敵對者去拿熱油來，就會跳下去讓他吃；而在日本的故事裡，聰明的孩子騙敵對者用錯誤的方法上樹。並且兩個故事的妖怪都照做。

之後，台灣和日本的故事情節分歧，台灣的故事裡，馬上進到孩子從虎姑婆手中拿到熱油，驅除敵對者的情節；而日本的故事裡，爬上樹的兩個孩子裡較愚笨的孩子告訴敵對者真正爬樹的方法，致使敵對者順利爬上樹，兩個孩子陷入被吃的危機。之後〈天道的金鎖鍊〉故事中的孩子們向上天祈禱，攀著從天而降的繩索登天後，敵對者也仿效孩子求天，並也得到繩索。然而，當敵對者攀爬到一半時，繩索斷裂，致使墜地而亡。

以下依照這兩篇核心敘述內容，將故事中的人物等要素來做進一步比較探討。

（二）人物分析

1. 敵對者──虎姑婆與山姥

由核心敘述裡可以看到，〈虎姑婆〉的故事裡，出現最多的是虎姑婆，而〈天道的金鎖鍊〉裡面出現最多的是山姥。兩者都是山裡的吃人妖怪並帶著老嫗的形象。

虎姑婆和山姥看似不同的敵對者，但是虎姑婆原來的面貌是虎和山姥兩者同樣都是住在山裡的被人所敬畏的。〈土佐山姥〉（1986：8）裡提到，自古在土佐山裡流傳著被山姥依附的家會和樂幸福的說法。兩者也都有襲擊人、吃人的形象，具有人敬畏的善惡兩面兼具形象，並皆為架空虛構的人物。

敵對者化成老嫗，為何會幻化為老嫗，這可能是對女性的一種歧視，敵對者會幻化成女性，是因為女性對孩子充滿愛心，容易接近孩子，所以照顧孩子被視為是女性的工作。但是老嫗雖然富有慈愛心，卻因為年邁多皺紋、白髮、外觀上的變化，使得老嫗有被冠以恐怖的姿態來被描寫。至於敵對者為何是老嫗，有可能是人類對美醜的一種評價，對老嫗的一種偏見。

另外虎姑婆變成的這個姑婆的角色，是祖父的姊妹。在傳統的家庭裡，是帶有絕對的權利、對家族多所刁難、又令人敬畏的形象。也因此，在台灣的故事裡，若來訪者說是姑婆時，孩子們不會有所猜忌，直接讓敵對者進入家。另外在台灣，姑婆也有對未婚女性蔑稱的意思。傳統的社會裡，視結婚為必然，視未結婚的女性為異端。〈虎姑婆〉的故事裡，把虎姑婆的角色，和傳統社會裡令人敬畏的姑婆角色，以及對未婚的老

一輩的女性的輕蔑都重疊在一起。〈虎姑婆〉可以說是一種否定古代社會型態的口傳文學，將對姑婆的嘲笑和批判的態度從故事中傳承下來。

另一方面，在日本〈天道的金鎖鍊〉裡，敵對者以山姥居多，其他分別是鬼婆、鬼、狼、狸貓。他們全身覆蓋著厚厚的毛，是一個特徵。敵對者為山姥的說法廣泛遍布在日本本島各地，而鬼婆的說法則以日本東北居多，而鬼的說法分布在日本本島北端的東北地方及南部的九州及沖繩。狸貓與狼的說法則出現在近畿地方及東北地方。日本的故事只有兩篇的敵對者是鬼。鬼的情形為，鬼將母親的臉撕下取用、穿上母親的衣服，變成母親的模樣。無論是日本或台灣這一類型的故事，敵對者的共通形象是多毛、色深且長。

2. 孩子──兩姊妹與三兄弟

此故事類型裡，孩子的設定於在台灣方面，大多為兩個孩子，而在日本則多為三個孩子。艾伯華的《中國文化象徵辭典》（1990：232）提到，2 這個數字可以代表陰陽兩極。此類型的故事敘述裡，兩個孩子的狀況時，其中一個是聰明懂事的，另一個卻是愚笨的；並且其結果也是兩極的，聰明的孩子存活下來，而愚笨的孩子成為犧牲者。故事敘述上為三個孩子的情況時也是如此，三個孩子中年紀最小的孩子為犧牲者，而存活的兩個孩子的個性互為對比。關於這種對照的講述方式，小澤俊夫（1977：51）提到：「民間故事本身為一種口傳的文藝（…），若講述的內容無法使聽眾對於描繪的場面有深刻的印象的話，會減弱此文藝本身的魅力」，因此說故事的人在講述故事時，會使用到極端對比的敘述方式。除此之外，這種對

比的敘述方式，對於缺乏人生經驗的孩子來說，也有著區別事情好壞的教育功能。

另外，在台灣和日本此類型的故事裡，鮮少提到孩子的年齡。在所收集到的《日本昔話通觀》的故事裡，有幾篇提到被吃的孩子是個嬰兒，並只有 3 篇提到孩子的年齡。和歌山的故事裡，提到孩子的年齡為 12 或 13 歲；廣島的故事裡，最大的孩子 11 歲，第二個孩子 9 歲，最小的孩子是 2 歲。香川的故事裡，各是 9 歲、6 歲、3 歲。台灣也是一樣的狀況。可以推測大人在說這樣的故事給孩子聽時，為了讓孩子有親近感，並且讓孩子感覺到與年齡相仿的故事主角距離拉近，一同經歷故事中的情節，會將故事中的主角年紀設定在與聽故事的孩子差不多的年齡。除此之外，關於這些數字，小澤俊夫（1977：51）提到民間故事裡特別喜歡提 3 這個數字，例如三兄弟，三次考驗，其次是 7、9、12 這些數字，Max Luethi 也稱民間故事裡經常出現的數字 3 與 7，為民間故事裡的一種固定元素，[4]這些也說明了這些數字在民間故事裡，所呈現出的一種講述特質。

而不論日本或台灣的〈虎姑婆〉類型故事裡，孩子的名字幾乎不會被提到，只有少部分的故事中提到名字，而即使被提及，也是在口傳故事中慣常聽到的名字。例如，在台灣的故事裡有少數幾篇，提到孩子的名字為阿金、阿銀或阿玉； 並在《日本昔話通觀》中可以看到，日本的故事裡三兄弟有的名叫「一郎」「次郎」「三郎」（青森縣）、「太郎」「次郎」「三郎」（秋田縣）、「八兵衛」「七兵衛」（兵庫縣）。而

4　小澤俊夫（1977.10.1）《昔話入門》，ぎょうせい，p.51

在宮城縣與栃木縣〈天道的金鎖鏈〉的代表篇裡，三個孩子裡排行第二的孩子，是個女孩，名字為「花子」。關於這一點，柳田國男提出這樣的看法[5]，

> 刻意地省略固有名詞，這是一個貫穿古今一種很古老的一種表現手法，當然附上稱謂的話，對講述者或聽眾來說，會比較容易記憶並且印象深刻，所以有類似「桃太郎」「瓜子姬」等的名稱，但是他們的名字絕對不會被稱為是源氏、平氏、藤原氏之類的。（…）這是因為說故事的人在講述時，很清楚地知道，所講述的不是歷史。這是一種很純粹的文學藝術的意識，關於這一點，不論是任何民族的民間故事幾乎一致，這是民間文學裡很重要的一個特徵。（筆者譯）

以上這段話說明了，主角經常被省去名字，也是民間故事裡的一個特徵。

3. 母親

台灣的故事裡，母親幾乎不太會跟敵對者碰面；但是在日本的故事裡面，母親會碰到敵對者，並且被敵對者吃了。母親的遭遇的差異，與母親外出理由的設定有關。敵對者若想順利侵入孩子的家裡，必須是無他人在場的時候，吃孩子的詭計才不易被識破。在台灣的故事裡，母親外出的理由，幾乎是因為親戚的生日、助產之類的原因，造成當天回不了家，給敵對者

5　柳田國男〈口承文藝史考〉《柳田國男全集》，第 16 卷筑摩書房，1997.10（初版為中央公論社，昭和 22 年），p.88。

可以安心行動的機會；然而，在日本的故事裡，母親外出的原因設定是到田裡或山裡工作，因此當天就會回家，故敵對者為了順利入侵家裡，必須先將母親除掉。

另外，故事講述者在母親外出所作的設定，也與敵對者所變成的人物有所關聯。在日本的故事裡，母親因為只是到田裡或山裡工作，孩子知道母親當天會回到家，因此敵對者吃了母親並且變成母親；而在台灣的故事裡，母親因為出遠門，孩子知道母親當天不會回到家，因此敵對者若想騙過孩子順利進屋，就得變成其他人物。

故事中所敘述的人物的遭遇，也傳達著人物彼此間的上下關係，就如本段落下方所示，越左邊代表在故事裡面的所象徵的地位越高。〈虎姑婆〉的故事裡面，敵對者盡量不被母親碰到，即使碰到了，也是以其他的人物姿態出現，例如裝扮成老嫗的模樣以向母親騙取孩子的名字。敵對者不讓母親看到自己真實的面貌的這一點，可以看作是，在台灣的這個故事裡，敵對者是害怕母親的。因此，圖示中，敵對者的地位居母親之下。另外一方面，〈天道的金鎖鍊〉的故事裡，敵對者吃了母親，之後敵對者又被上天（天道）擊敗的這一點，可視敵對者居於上天與母親之間。

| 〈虎姑婆〉 | 母親＞敵對者＞孩子 |
| 〈天道的金鎖鍊〉 | 上天＞敵對者＞母親＞孩子 |

（三）其他敘述上的異同點

日本與台灣的〈虎姑婆〉類型的故事裡，大多會提到有孩

子逃離家後，藏身於樹上的這個情節。民間故事裡面，一般很少提到樹的種類，若提及的話，通常被提及的樹是帶有特別的功能，或這是在當地很常見的樹。

在〈天道的金鎖鍊〉裡有 10 篇故事提到了樹的種類，日本新潟縣的故事裡提到孩子爬上的是榊木，榊木一如其名，在日本被視為神木，其枝葉被供奉於神壇，用於法事，並可常見於神社。當孩子爬上這棵樹後，榊木為了保護孩子，將孩子隱身，使之不被敵對者看到；在這篇故事中，榊木帶有救助的功能。在其他日本的故事裡面，最常出現的是松樹有 4 篇，其他有 2 篇是柿樹，以及櫻花樹、椿樹、花梨樹各一篇，這些都是在日本常見的樹；而〈虎姑婆〉的故事裡，提到樹種類的有 2 篇，就是在台灣常見的榕樹。這些常見的樹木在故事中被講述，即使在故事裡不帶有特別的功能，卻給聽故事的人有了親近感。

另外，孩子在敵對者啃噬其他孩子的指頭時，詢問敵對者在吃什麼，這時，敵對者謊答在吃什麼食物的這個情節裡，〈虎姑婆〉的故事裡，敵對者的謊稱出現最多的是花生，51 篇裡有 17 篇；另外，回答說吃生薑的有 10 篇。比如在宜蘭的故事說吃花生，在雲林的說吃生薑，這跟兩地作物不同應有關聯，並且這些都是於台灣常見的東西。除了花生與生薑之外，也有少部分的故事裡提到了雞爪、麻花、甘蔗。還有一篇在台南的故事，一開始是說花生，之後又改說成生薑。

而在日本的故事裡，有 15 篇講述到孩子詢問敵對者在吃什麼，其中有 4 篇敵對者默不作聲；剩下的 11 篇，不論是敵對者是山姥、鬼婆、鬼、狼或是狸，都對孩子謊稱在吃醃製物。其中，鬼稱吃紅蘿蔔作成的醬菜，其餘故事裡的敵對者則

多為聲稱在吃白蘿蔔乾製成的醬菜。這些被選來當藉口的食物都是在啃食時，會發出脆響，讓人聯想到就如同骨頭被啃噬的聲音。

〈虎姑婆〉和〈天道的金鎖鍊〉中來訪的敵對者吃掉孩子的部分，和小紅帽的情節類似，但是敘述的手法不太相同。例如，敵對者吃掉孩子的這個部分，不同於格林童話中將孩子整個生吞，而是將孩子肢解地吃，這也暗示著被吃的孩子不會再像小紅帽一般會復活。只有一篇在日本山梨縣的故事提到，敵對者將孩子生吞，並當他爬上從天降下的繩索墜地而亡時，因腹裂，被吃的孩子從敵對者的腹中滾出再度復活。因此，敵對者如何吃孩子的描述方式，跟孩子是否會再度復活有所關聯。

〈虎姑婆〉與〈天道的金鎖鍊〉的故事裡，可以看到皆是以「敵對者的死亡」作為結局，並且大部分的〈天道的金鎖鍊〉故事末尾會與「蕎麥的顏色」或「兄弟星」的由來做連結。除此之外，在日本的鹿兒島及沖繩有死去的敵對者變成蟲的敘述，在福島和鹿兒島則有孩子變成月亮的敘述。台灣的這類型故事裡，結局又另與由來譚做連結的情況較少，在宜蘭、雲林有虎姑婆死後被燒成灰，其灰變成蟲的敘述，在台中也有一篇孩子變成月亮的敘述。

日本學者飯倉照平（1993：1-13）提到日本〈天道的金鎖鍊〉這一類的故事裡，孩子最後求助於天的情節發展與中國的故事不同，但是與韓國相同。因此飯倉推測，這個故事從中國經由韓國再傳到日本的可能性應該是極高。根據《日本昔話事典》的記載，日本這類型的故事分布於日本各地，並且其中過半分布於九州、西南諸島等地。然而，有一些九州與沖繩的故事的情節描述，卻與日本本島的故事不太相同。例如，在本島

大多述孩子的構成為三兄弟；但是在九州鹿兒島的故事裡為兩姐妹，與台灣普遍分布的型態相同。又例如前面段落提到在沖繩與台灣有敵對者變成蟲的這個描述；然而，在本研究裡所收集到的日本本島故事中，並沒有出現此描述。有此描述的篇數雖然不多，但從九州沖繩與台灣相近的地理位置上，吾人可以推測，這之間或許有故事傳播的可能性，因而在講述上會有相似的地方。至於何以會造成此種傳播現象，其原因生成則需要另一個研究來探討，本論因主要比較兩篇故事情節，便不再追述其傳播生成原因。

四、結　語

　　本民間故事比較研究以地理位置鄰近的日本和台灣的相類似故事〈虎姑婆〉和〈天道的金鎖鏈〉為例，先根據故事情節發展訂出細部分析項目，其次再整理出最常出現的核心敘述方式，進而比較分析兩者的敘述異同。

　　〈虎姑婆〉和〈天道的金鎖鏈〉雖情節類似，但可從核心敘述的故事發展的差異上，比較出兩地的講述者想要呈現給孩子的東西不同。例如，〈虎姑婆〉強調孩子如何以智退敵；而〈天道的金鎖鏈〉的故事裡，講述重點放在孩子如何逃脫敵對者所帶來的威脅。前者教導孩子如何運用自己的智慧存活下來；後者所強調的是逃走的情節，也因此〈天道的金鎖鏈〉這個故事在日本的故事類型分類中被納入〈克服困難〉的〈逃走譚〉的分類項目[6]。

---

[6] 參照《日本昔話名彙》中〈完形昔話〉裡的〈克服困難〉項目。林真美（1997）〈虎姑婆考〉《首屆台灣民間文學學術研究討論會論文集》。

〈虎姑婆〉類型的故事，在丁乃通的《民間故事類型索引》裡被歸為 AT333C，它可視為是亞洲的〈小紅帽〉的變形，或者稱為 AT123「大野狼與七隻小羊」與 AT333「小紅帽」的複合型。[7]〈虎姑婆〉〈天道的金鎖鏈〉的故事與〈小紅帽〉、〈狼與小羊〉彼此有相類似的地方，但是敘述的方式不同。例如，敵對者將小紅帽整個生吞，而台灣和日本的故事裡，成為犧牲者的孩子被支離分解吃掉。支離分解在此也表示孩子無法如同小紅帽般的復活。

本故事比較內容重點放在人物部分的比較，其他面向的比較分析[8]則予以割愛。人物分析中，〈天道的金鎖鏈〉的敵對者以山姥最多，其他分別為鬼婆、狼、貍，其共通點是手臂長有長毛。虎姑婆和山姥看似不同的敵人，但是虎姑婆原來的樣貌，也就是老虎，是和山姥一樣同樣住在山中，為人所敬畏的山神。存在著，自然界的一切都是神的所為的自然信仰。

台灣虎姑婆的故事，在原住民裡也有相類似的故事，但是敵對者不是虎姑婆，而是熊外婆。熊外婆的故事，有可能是從漢民族那裡聽過來的，並將敵對者與實際生活在山裡的熊的形象作結合。

故事中孩子的名字鮮少被提及，若被提及通常是口傳故事中常見的名字。並且孩子的性格經常是呈現對比，若提及外

7　參見：林真美（1997）〈虎姑婆考〉《首屆台灣民間文學學術研究討論會論文集》，p.126。
　　アラン・ダンダス編　（1996.6）《〈赤ずきん〉の秘密：民俗学的アプローチ》，p.32

8　可參見拙作《台湾と日本の昔話の比較研究──「虎婆さん」と「天道さん金の鎖」をめぐって》，除了人物比較之外，另有時間與空間，敘述情感表現比較分析研究。

民間文學與漢學研究

表，外表也會被作對比的描述。另外，三歲、三兄弟裡的三這個數字也是民間故事裡常出現的數字。這些都是民間故事裡的敘事特質，被認為是固有的口述文藝。

從台灣的〈虎姑婆〉與日本的〈天道的金鎖鍊〉的故事比較研究中可以看到，兩故事在敘述上存有共通的口述文藝特質，另一方面，因為地域性的不同，故事的發展與敘述上也呈現出差異性。

參考書目

一、中文

艾伯華（1999）《中國民間故事類型》，王燕生、周祖生訳商務印書館。

艾伯華著　陳建憲訳（1990.6）《中國文化象徵詞典》，湖南文藝出版社，p.232。

吳安清（2003）《虎姑婆故事研究》，東吳大學中國文學學科修士論文。

李嘉慧（2002）《台灣閩南語故事集研究》，台北市立師範學院修士論文。

金榮華（2000）《中國民間故事集成類型索引（一）》，中國口傳文學學會。

金榮華（2002）《中國民間故事集成類型索引（二）》，中國口傳文學學會。

金榮華（2000）《澎湖縣民間故事》，中國口傳文學學會。

金榮華（1998）《台東卑南族口承文學選》，中國口傳文學學會。

林真美（1997）〈虎姑婆考〉，《首屆台灣民間文學學術研究討論會

論文集》。

陳益源（1999）《台灣民間文學採錄》，里仁書局。

胡萬川等編（2001）《台南縣閩南語故事集（三）》，台南縣文化局。

胡萬川等編（2002）《台南縣閩南語故事集（五）》，台南縣文化局。

胡萬川等編（2000）《蘆竹鄉閩南語故事》，桃園縣立文化中心。

胡萬川等編（1998）《苗栗縣閩南語故事集》，苗栗縣立文化中心。

胡萬川等編（1999）《苗栗縣客語故事集（二）》，苗栗縣立文化中心。

胡萬川等編（1998）《大安鄉閩南語故事集（一）》，台中縣立文化中心。

胡萬川等編（1999）《大安鄉閩南語故事集（三）》，台中縣立文化中心。

胡萬川等編（1999）《東石鄉閩南語故事集（二）》，嘉義縣立文化中心。

胡萬川等編（1999）《雲林縣閩南語故事集（一）》，雲林縣文化局。

胡萬川等編（1995）《彰化縣民間文學集5故事篇（三）》，彰化縣立文化中心。

胡萬川等編（1995）《彰化縣民間文學集7故事篇（四）》，彰化縣立文化中心。

胡萬川等編（1996）《新社鄉閩南語故事集》，台中縣立文化中心。

婁子匡編（1987）《台灣民間故事（一）》，北京大學中國民俗學會民俗叢書，東方文化。

婁子匡編（1970）《中國民俗學會民俗叢書第十一冊》，國立北京大學，東方文化供應社。

婁子匡編（1970）《中山大學民俗專刊第一冊》，東方文化供應社。

陳慶浩、王秋桂（1989）《台灣民間故事全集》，遠流。

施翠峰（1988）《台灣民譚探源》，漢光文化事業股份有限公司。

施翠峰（1995）《台灣鄉土的神話與傳說》，彰化縣立文化中心。

楊照陽等編作（1999）《台中市大墩民間文學採錄集》，台中市立文化中心。

洪淑苓（2004.2.28）《民間文學的女性研究》，里仁。

洪惠冠總編（2000）《台灣民間故事》，新竹市政府出版。

段寶林（1982）〈狼外婆〉故事的比較初探〉，民間文學論壇第一期。

Mayaw Kilang、Roin J. Winkler（2002）《阿美族：巨人阿里嘎該》（原題："Alikakay the Giant Child Eater" *Alikakay the Giant Child Eater and Other Stories from the Amis Tribe*），新自然主義。

鹿憶鹿（2002.8）《中國民間文學》，里仁。

鹿憶鹿（2002）〈不能翻身的後母角色〉《2002 海峽兩岸民間文學學術研討會論文選》，中國口傳文學學會、南亞技術學院。

黃馨霈（2002）〈中國民間童話〈老虎外婆〉故事類型初探〉，《中國文學研究》，第十六期台灣大學中國文學研究所。

譚達先（1988）《中國民間童話研究》，台灣商務印書館。

譚達先（1992.7）《中國民間文學概論》，貫雅文化。

鍾敬文（1970）〈老虎與老婆兒故事考察〉《民間月刊》，2卷1号婁子匡《國立北京大學、中國民俗學會民俗叢書》第十八冊，東方文化供應社出版。

二、外文

小澤俊夫、稻田浩二（1988）《日本昔話通観》，第1-26卷，同朋舍。

小澤俊夫（1997.10）《昔話入門》，ぎょうせい。

大塚民俗学会（1972.2.15）《日本民俗事典》，弘文堂。

山下主一郎等譯（1988.7.1）《神話・伝承事典—失われた女神たち
　　の復権—》，大修館。

中野美代子（1983.7）《中国の妖怪》，岩波書店。

水田宗子、北田幸恵編（2002.3）《山姥たちの物語：女性の原型
　　と語りなおし》，學藝書林。

新村出編（2008.1.11）《広辞苑　第六版》，岩波書店。

池田敏雄（2002.11.30）〈女性と伝統〉《台湾の家庭生活》，大空社
　　（初出：1944、東都書籍台北支店）。

沢史生（2001.3.25）《鬼の大事典》，彩流社。

西川満、池田敏雄（1942.5）《華麗島民話集》，日孝山房。

長野晃子（1985.9.30）〈フランスの妖精と日本の山姥の比較試
　　論〉，法政大学人類学研究会。

松村裕子（2004.7）〈日本昔話における果物のイメージ〉《昔
　　話——研究と資料32号》，日本昔話学会。

林美容、三尾裕子（1998.3.26）《台湾民間信仰研究文献目録》，風
　　響社。

金澤昔ばなし研究會（2002.10.5）《天道さま金のくさり》。

斧原孝守（2004.7）《〈天道的金鎖錬〉—天体神話への遡源—〉
　　《昔話——研究と資料32号》，日本昔話学会。

柳田國男（1948.3.1）《日本昔話名彙》，日本放送出版協會。

柳田國男（1997.10）〈昔話覚書〉《柳田國男全集》第13巻，筑摩
　　書房（初出：三省堂　1952）。

柳田國男（1997.10）〈口承文芸史考〉《柳田國男全集》第16巻，
　　筑摩書房（初出は中央公論社，1947）。

香坂順一（1982.3.1）《現代中国語辞典》，光生館。

施翠峰（1977.1）《台灣の昔話》，世界民間文藝叢書；第5卷、東

京：三弥井書店。

神尾健一（1986）〈土佐の山姥〉《土佐民俗》第46，土佐民俗学会
　　　p.8。

桂井和雄（1973）《俗信と民俗》，民俗民芸双書第79，岩崎美術社
　　　pp.13-14。

馬場英子（2003.3）《民国期中国の昔話研究》（別書名：平成12年
　　　度～平成14年度科学研究費（基礎研究（C）（2）），研究成果
　　　報告書）。

剣持弘子（2000.3）〈呪的逃走モティーフの伝播と受容〉《昔話の
　　　成立と展開2》，昔話研究土曜会。

徐華竜著、鈴木博訳（1995.12）《中国の鬼》，青土社。

張良澤（1988）《太陽征伐：台灣の昔話》，小峰書店。

飯倉照平（1960.9.10）〈天からさがる繩─中国の〈老虎外婆〉と
　　　日本の〈天道的金鎖錬〉《柿の会月報》十一号，東京都立大
　　　学中国文学科。

飯倉照平（1993.3）〈中国の人を喰う妖怪と日本の山姥─逃走譚
　　　にみる両者の對応─〉《口承文藝研究》第16巻，日本口承文
　　　藝学会編，p.1-13。

飯倉照平（1987）〈中国の《三大童話》と日本〉、《民話と文学》
　　　十八号，p.128-131。

稲田浩二（1993.7.1）《日本昔話通観研究篇1　日本とモンゴロイ
　　　ド─昔話の比較記述─》，同朋舎。

稲田浩二（1993.7.1）〈比較記述Iむかし語り〉、《日本昔話通観研
　　　究篇1》、同朋舎，p402-408。

稲田浩二、大島建彦、川端豊彦、福田晃、三原幸久（1978.12.20）
　　　《日本昔話事典》，弘文堂。

アラン・ダンダス編、池上嘉彦，山崎和恕，三宮郁子訳（1996.6）
　　《〈赤ずきん〉の秘密：民俗学的アプローチ》，紀伊国屋書店。

アンティ・アールネ著　関敬吾訳（1969.5）《昔話の比較研究》
　　民俗民芸双書40，岩崎美術社。

Antti Aarne, Stith Thompson (1981) *The Types of the Folktale*, (FFCo-
　　munications N.184), Helsinki.

Luethi, Max著、野村泫訳（1974）《昔話の本質：むかしむかしあ
　　るところに》，福音館。

Nai-Tung Ting (1978) *A Type Index of Chinese Folktales* (FFC223), Hel-
　　sinki.

Wolfram Eberhard (1971) *Studies In Taiwanese Folktales*, Taipei: Orient
　　Cultural Service, p.30.

《鼠鬥龍爭》

浙崑《十五貫》改編歌仔戲探討

陳玟惠

國立台南護理專科學校兼任助理教授

中文摘要

　　歌仔戲乃發源於台灣的本土劇種，其演出內容含括歷史故事、民間文學、社會新聞、生活常識等題材。八〇年代以降，在各界重視本土色彩的趨勢下，歌仔戲一躍成為台灣本土傳統藝術的象徵，劇團紛紛進入現代劇場演出，表演呈現出迥異於傳統戲曲的風格特色，對於演出劇目的選擇多所用心，以求符合社會脈動。《十五貫》故事首見於宋朝《京本通俗小說·錯斬崔寧》，明馮夢龍《醒世恆言》易名為〈十五貫戲言成巧禍〉，而清代蘇州派作家朱素臣《十五貫》傳奇，將兩個互不相關的故事〈錯斬崔寧〉與《後漢書·李敬傳》的情節加以擴充發展，串連成一個雙線進行故事，後被改編為崑曲《十五貫》。1956 年浙江崑劇團改編崑曲《十五貫》，演出獲得社會廣大迴響共鳴，成為各地方戲曲改編演出的依據版本。河洛歌仔戲團有感於《十五貫》故事發展引人入勝，為「合乎情理之中，出乎意料之外」之佳作，且抽絲剝繭、查案偵辦之過程中，正邪較勁高潮迭起，有奇巧鬥智，亦寓現代推理精神，故將其改編為貼合民眾生活經驗的歌仔戲《鼠鬥龍爭》。從話本小說到戲曲展演，筆者擬探討其主題思想的呈現、人物形象的刻劃的轉變，及改編本的現代意義。

關鍵詞

　　歌仔戲、《十五貫》、《鼠鬥龍爭》

民間文學與漢學研究

"The Dragon Competes with the Mouse in Intelligence"

The Adaptation of "Fifteen Guan" into Taiwanese Opera

Chen, Wen Hui

Assistant Professor

National Tainan Institute of Nursing

Abstract

Taiwanese opera originates from Taiwan's native drama, whose performance content includes historical stories, folk literature, social news, daily general knowledge. After 80 ages, all walks of life begin to value the native culture. Taiwanese opera becomes symbol of the Taiwan native traditional art. The theatrical troupe enters the modern theater to perform one by one presenting different performance styles from the traditional play, with the new choice of scripts to correspond to the pulsation of the society. "Fifteen Guan" first appears in the Sung Dynasty "Jing Ben Tong Su Novel." Zhu Suchen, a Qing Dynasty writer expands and connects the plots, into a parallel-proceeding story, later adapted to the Kungu opera "Fifteen Guan." In 1956, the Zhejiang theatrical troupe adapts the Kunqu opera "Fifteen Guan." The performance obtains the social general sympathetic response and resonance, and becomes the edition performed by different places. "Fifteen Guan," the story is a fascinating, "reasonable, and surprising" good work, and in the process of investigation and detection, there are one climax after another, contests of wits, and spirits of modern deduction, so it is adapted to the Taiwanese opera, " The Dragon Conpetes with the Mouse in Intelligence," which is close to people's living experience. The author plans to discuss what its main idea wants to present, the transformation of the depiction of the characters' images, and the modern meaning of the adapted edition.

Keywords:

Taiwanese opera, "Fifteen Guan," "The Dragon Competes with the Mouse in Intelligence"

一、前　言

　　地方戲曲來自於民間的鄉土藝術，由方言曲詞和極具地方特色的歌舞，形成了踏謠式的歌舞小戲，當其由小戲發展為大戲，從鄉村踏入城市之際，汲取了其他表演技藝純熟劇種的唱腔、身段、音樂、劇目、妝扮等養分，漸漸壯大、蛻變成大戲。在發展過程中，除了充實劇團的軟、硬體設備，以及藝人努力提升自己的表演藝術外，劇本的好壞也佔有舉足輕重的地位。歌仔戲乃發源於台灣的本土劇種，演出內容含括歷史故事、民間文學、社會新聞、生活常識等題材。八〇年代以降，在各界重視本土色彩的趨勢下，歌仔戲一躍成為台灣本土傳統藝術的象徵，劇團紛紛進入現代劇場，表演呈現出迥異於傳統戲曲的風格特色，對於劇本的選擇多所用心，以求符合社會脈動。今日劇團登上現代劇場演出的數量，不僅有所遞增，類型亦趨向多元，劇團在演出劇本的選擇上，格外重視文學性、思想性及戲劇性，歷經現代劇場演出的淬煉，劇團各自發展出鮮明的藝術風格，活躍於現代劇場，對於開拓劇本的題材、深化劇本主題思想煞費心思。

　　現代劇場歌仔戲的劇本，著重、情節結構的安排、人物形象的刻劃、主題思想的創新顛覆，按其編撰來源分為：傳統戲曲劇本的整編、大陸戲曲劇本的修編、西洋文學劇目的改寫、新編劇本的創作四類。首開修編大陸劇本風氣且使用頻繁的劇團為「河洛歌仔戲團」，河洛歌仔戲團有感於《十五貫》[1]故

---

[1]　有關《十五貫》的相關研究可參閱韓昌雲：《《十五貫》在崑劇與京劇之探討》（台北：台大戲劇研究所碩論，1998 年 6 月）；黃思超：《浙崑改編戲研

事發展引人入勝，為合乎情理之中，出乎意料之外的佳作，且抽絲剝繭、查案偵辦之過程中，正邪較勁高潮迭起，有奇巧鬥智，亦寓現代推理精神，故將其改編為貼合民眾生活經驗的歌仔戲《鼠鬥龍爭》。

《十五貫》故事首見於宋朝《京本通俗小說·錯斬崔寧》，至明代馮夢龍編《醒世恆言》，易〈錯斬崔寧〉為〈十五貫戲言成巧禍〉，自此開啟了一系列以「十五貫」為主題的故事及戲曲。中國戲曲舞台上演出的《十五貫》故事，其實源自於清代蘇州派作家朱素臣所著的傳奇《雙熊夢》，歷來評論者多引用《曲海總目提要》的說法，[2] 認為《雙熊夢》雙線發展的情節，淵源於話本小說〈錯斬崔寧〉與《後漢書·李敬傳》。1956 年，浙江崑蘇劇團整理朱素臣《雙熊夢》傳奇，改編為崑曲《十五貫》，演出後經由周恩來的公開讚揚，獲得廣大迴響，使漸趨沒落的古老劇種崑劇萌發生機，全國爭相演出《十五貫》。

河洛歌仔戲團《鼠鬥龍爭》2004 年 2 月 13 日於高雄市立中正文化中心至德堂首演。從話本小說到戲曲展演，筆者擬以

究——以《十五貫》、《風箏誤》、《西園記》為主要研究對象》（中央中文研究所碩論，2004 年 7 月 15 日）。

2　《曲海總目提要》卷四十六《雙熊夢》：「《雙熊夢》一名《十五貫》，聞係時人撰。清朱素臣撰，或云亦尤侗筆也。……友蘭事則小說中有〈錯斬崔寧〉一段。……相傳宋時即有此小說。則或當有其事也。……蕙蘭因鄰女失環及鈔，含冤受屈，後於鼠穴中蹤跡得知，乃釋罪成婚。則借用李敬事。（頁2079-2080）」（歷代學人撰著：《筆記小說大觀二十五編》第十冊，台北：新興書局有限公司，1979 年 1 月，頁 6305-6306）《後漢書·李敬傳》裡記下了家庭婆媳間產生誤會的一件生活瑣事，並未點明主題。歷來研究《十五貫》的學者皆根據《曲海總目提要》所言，認為朱素臣《雙熊夢》第二條情節線，取材自《後漢書·李敬傳》，但根據筆者翻找原典發現，《後漢書》並沒有〈李敬傳〉篇目，故第二條情節線的來歷成謎。

劉鐘元團長提供 2004 年演出的巡演版劇本探討其情節結構的安排、主題思想的呈現、人物形象的刻劃，及原劇本與改編本的異同。

二、情節結構的安排

清代李漁〈結構第一〉裡說：「填詞首重音律，而予獨先結構者，以音律有書可考，其理彰明較著……至於結構二字，則在引商刻羽之先，拈韻抽毫之始。如造物之賦形。當其精血初凝，胞胎未就，先為制定全形，使點血而具五官百骸之勢。」[3] 故分析情節結構是把握劇本的重要步驟。情節被喻為戲劇的軀幹，而主題則被視為它的靈魂。一般而言，大多數的戲劇都含有某些衝突的力量，譬如個人與個人之間，人與社會之間，人與超自然現象之間，或是個人與自身之間……等的衝突，而戲劇也正是端賴這些衝突力量，來推動、牽引情節。因此，劇作家如何處理情節的演變，以及如何引申出主題，即成為劇作的關鍵所在。[4]

任何戲劇情節和矛盾衝突的發展變化，總有其結構的頭、中、尾，及開端、發展、高潮和結局（也有把它分為「起、承、轉、合」）。西方戲劇理論十分重視情節結構的分析。十九世紀法國劇作家尤金‧史克利甫（Eugène Scribe）以及其學生薩杜（Victorien Sardou），先後將「佳構劇」[5] 整理出一套完

---

[3] 參見清‧李漁：《閒情偶寄》，中國戲曲研究院編輯《中國古典戲曲論著集成》第七集，北京：中國戲曲出版社，1959 年，頁 10。

[4] 參見趙景勃：《戲曲角色創造教程》，北京：文化藝術出版社，2004 年 11 月第 1 版，頁 63。

[5] Edward A. Wright 原著，石光生譯《現代劇場藝術》：「情節結構當中有許多

整的規則。[6]薩杜（Victorien Sardou）的戲劇理論與中國戲曲理論，大致都將情節結構分為「開端、[7]發展、[8]高潮、結局[9]」四個階段。故此，本文中劇本的情節結構，將先羅列出情節結構分解表，再進行討論分析。通過情節結構的分析，可以清楚的掌握劇本的情節發展及主題思想。

基本要素，它們是：情感、戲劇動作、發現與轉變。這些要素應該自故事、衝突、意外、危機、轉捩點與高潮之中衍生出來。所謂的「佳構劇」即是依照前面的原則，具有嚴謹的秩序，不許遺漏每一細節。（頁 112-117）」李朴園《戲劇原論・李曼瑰教授「編劇綱要」》裡，李曼瑰教授雖沒有明白說出「佳構劇」，卻對「完善的劇情」下了一個總括的定義：「最好的劇情是一種完整的，統一的衝突鬥爭，具有充分的曲折與懸疑，波浪式的起伏，和層進高潮的節拍，引人入勝，而激發起緊張的情緒。（頁 268）」。而近代戲曲劇作家陳亞先，在《戲曲編劇淺談》中提到：「『佳構』即最佳結構的意思。也就是說劇本情節編得滴溜溜圓，來龍去脈前因後果十分清楚，並且調動很多常用的戲劇手段，不厭其煩地使用誤會、巧合、發現等辦法大因果套著小因果巧中巧，錯中錯，最後歸到一個結局上，讓故事情節變得嚴絲合縫，針插不進，水撥不進。（頁 30-31）」不論是中國戲曲編劇家，抑或西方戲劇理論家，對於「佳構劇」的定義，可統整為「使用常用的戲劇手段，如衝突、意外、危機、高潮、巧合等，具有嚴謹秩序，能激發緊張的情緒，且具有完整的劇情的作品。」

6　相關的戲劇理論，主要參考 Edward A. Wright 原著，石光生譯《現代劇場藝術》，頁 67-124。

7　說明（exposition）、激勵的階段（inciting moment）：「說明」通常出現於一戲劇的開端部分。

8　上升動作（Rising Action）、轉捩點（turning point）：隨後出現的是「上升動作」。在這個部分裡，觀眾看到各種不同的衝突力量，每一種力量都拚死命的為達到自己的目標而奮戰。這種混戰的局面一直延續到其中某種力量能突破重圍，獲得最後勝利之時才告終止；而此一時刻也正是所謂的「轉捩點」；下降動作（falling action）：「下降動作」能繼續延伸「轉捩點」的方向，如果此時加入新的因素，即可將整個戲劇動作導向「高潮」。

9　高潮與結局（climax and denouement）：「高潮」是指劇中發生的事件、動作……等的尖峰狀態，它能集合各種事件與動作而塑造出扣人心弦的場面，因此有時候是「結局」的一部分，但也可能出現於「結局」之前。

　　《鼠鬥龍爭》共十場戲，由表：《鼠鬥龍爭》情節結構分解可以清楚看出本劇的情節摘要、結構層次及衝突性質。

表：《鼠鬥龍爭》情節結構分解

場序	情節摘要	結構	情節說明	衝突性質
一夜訪	借錢 開玩笑	說明	戲言、勾勒尤葫蘆愛開玩笑的個性（招禍之由）	自身矛盾衝突
二鼠禍	1. 戲弄女兒 2 誤信出逃 3 偷錢害命 4 緝凶報案	激勵階段	戲言生禍，惠娟出逃。婁阿鼠有可乘之機，錯手殺人。（留下賭具、銅錢、屠刀埋伏筆） 鄰居推理案情，報官緝凶。	事件引發的衝突
三受嫌	1 問路同行 2 中途攔阻 3 錢數相同 4 送官法辦		男女同行，跡象可疑。 男子身上恰巧十五貫錢。 婁阿鼠順水推舟嫁禍他人。	
四被冤	1 報案陳情 2 刑堂逼供 3 主觀斷案	上升動作	過于執憑鄰居供詞、男女同行、錢數相同等等表象，未經查證，即主觀論斷。 不重客觀實證，以刑威逼。	主觀主義自身矛盾衝突（習慣）
五判斬	1 介紹況鐘 2 決定鳴冤		透過獄卒之口，引出青天況鐘。 翻案有望。	
六判審	1 刑犯喊冤 2 停刑請命	轉捩點	況鐘重視百姓及國家律法，不願冤斬人民，重客觀事實。	客觀主義自身矛盾衝突
七見都	1 夜官、中軍阻見 2 蓄意為難 3 以聖旨力爭 4 限期查清	下降動作	對抗積習已久的官僚作風	個體與群體（官僚體系）的衝突

場序	情節摘要	結構	情節說明	衝突性質
八疑鼠	1 現場勘查 2 阿鼠心虛 3 過于執嘲諷 4 發現疑點 5 直指兇手		現場勘查發現賭具、銅錢，瞭解尤家經濟，對比友蘭身上十五貫分文不少，輔以推理，發現凶案端倪。	性格衝突
九訪鼠	1 接受測字 2 直指要害，取得信任 3 承認自測 4 請君入甕	高潮 結局	況鐘、婁阿鼠鬥智 況鐘連哄帶騙，誘使阿鼠承認犯案。	事件引發的衝突
十審鼠	1 罪犯招供 2 冤者得雪		綜合人證、物證、口供平反冤案。 況鐘命運留下懸念。	

第一場〈夜訪〉為說明階段，勾勒尤葫蘆愛開玩笑的個性，這是尤葫蘆招來殺身之禍的原因。第二場〈鼠禍〉、第三場〈受嫌〉為激勵階段，尤葫蘆戲弄蘇惠娟，惠娟夜奔姨母，才使婁阿鼠有可乘之機，錯手殺死尤葫蘆，而惠娟奔逃途中，問路於青年熊友蘭，豈料友蘭身上恰有十五貫錢，使婁阿鼠得以順水推舟，嫁禍於二人。第四場〈被冤〉、第五場〈判斬〉為上升動作，無錫縣令過于執主觀論斷案情，判斬友蘭、惠娟，友蘭喊冤，獄卒提到監斬官況鐘是愛民如子的好官，友蘭感到申冤似乎有望，於是決定行刑當日喊冤。第六場〈判審〉、第七場〈見都〉是轉捩點，事情似乎有所轉圜，況鐘重視律法、百姓，不願冤斬良民，內心幾經掙扎，決定停刑，為民請命。誰知都督周忱熟諳為官之道，但求自保，不願答應況鐘停刑重審，逼得況鐘以聖詔力爭，才取得令牌，重審案件。

第八場〈疑鼠〉是下降動作，況鐘實地勘查凶案現場，收集證據，過于執一路冷嘲熱諷，認為無實地查證必要，經由仔細的搜查，發現凶案的端倪，線索指向婁阿鼠。第九場〈訪鼠〉為全劇的高潮處，為查明案情，況鐘假扮算命先生，與婁阿鼠展開一場心理戰，誘使阿鼠承認犯案。第十場〈審鼠〉為結局，阿鼠見人贓俱獲，不得不俯首認罪。經由《鼠鬥龍爭》情節結構層次的分解，理出情節發展的脈絡，接著能進一步分析戲劇衝突的設置。

任何一個劇本都有矛盾衝突，它是戲劇情節的基礎。一般講戲曲衝突，就是劇中人物之間的矛盾衝突或鬥爭。戲劇衝突可分為以下六類。[10]一、事件引發的衝突：由某一事件引發的衝突，就是說，一件事情發生了，每個人處理的方式不同，於是產生了矛盾。這樣的戲往往難免抓住最初發生的事件不放，一直發展下去，直至這件事的終了，因此事件成了劇中主線。二、性格衝突：性格構成的衝突一般不會糾纏於某一「中心事件」，它的事件是人物性格所派生出來的細節。有時候人物之

10　姚一葦《戲劇原理》將衝突分為：自身的、社會的、自然的三種：一、自身衝突：所謂自身衝突，乃是自己與自己衝突，這種衝突又可分為三種形式。(一)生理的：是說人如何克服生理的障礙或生理上的殘缺。(二)心理的：心理的衝突是戲劇中最常見的一種形式。(三)習慣的：習慣的衝突，一般而言是來自於後天的某一種嗜好或習性。以上所舉的都是自覺的意志，一個人要克服他生理的障礙需要堅強的意志。二、社會的衝突：所謂社會的衝突，就是人與社會環境的衝突，那就不外乎與個別的人衝突，或是與一個集團衝突，當然也可以與人為制度衝突。(一)個人的：個人的衝突如甲和乙衝突，或乙與丙衝突，這當然是戲劇中最常見的形式。(二)集團的：個人與集團的衝突。(三)人為的：任何一個社會都有其一定的制度與規範來約束這個社會的成員，比如法律、政治、風俗、習慣之類均屬之。三、自然的衝突：自然的衝突就是人與自然環境的衝突。分為自然的、神秘的、科學的三種。(頁63-67)

間的衝突讓人說不清楚究竟是為了什麼事。因為衝突的核心是
人物性格，事件被化整為零，成為了細節。三、人物自身矛盾
的衝突：人物自身矛盾的衝突構成的戲，往往沒有通常的「對
立面」，而主要是人物自己戰勝自己的抗爭。四、聲東擊西的
衝突：這一類的衝突通常有些狡黠的意味。也就是說，你表面
看，甲方與乙方勢不兩立，而實際上作用力卻落在丙身上。
五、個體與群體的衝突：在這一類衝突中對立面顯得不太分
明。因為在這裡，主人公所面對的是一個群體，有時甚至還包
括他自己。六、文化層面的衝突：文化層面的衝突很像個體與
群體的矛盾，但它在衝突重點在於文化思考[11]。

《鼠鬥龍爭》設置的衝突類型分為人物自身矛盾衝突、事
件引發的衝突、個體與群體衝突、性格衝突四類。

人物自身矛盾的衝突主要表現在人物行事的習慣及觀念想
法上。尤葫蘆、過于執、況鐘都產生此類衝突。尤葫蘆喜歡喝
酒、開玩笑，喝酒使他用掉殺豬、作買賣的本錢，好不容易從
大姨子家借到錢後，心情輕鬆，又有了開玩笑的心情，一邊喝
酒，一邊捉弄老鄰居秦古意。第一場鋪墊尤葫蘆喜歡喝酒、愛
開玩笑的個性，這是尤葫蘆的習慣、嗜好，他明知道做事要正
經，喝酒會誤事，但總是無法克制自己，這是屬於人物自身矛
盾的衝突。因為尤葫蘆喜歡喝酒、開玩笑的個性，第二場裡，
他騙惠娟十五貫是賣身錢，惠娟信以為真，黃夜出走，只剩尤
葫蘆一人在家，而尤葫蘆又喝醉酒，行動不敏捷、步履蹣跚，
才會在與妻阿鼠爭執的過程中被殺死。尤葫蘆的死該歸咎於他
喜歡開玩笑、愛喝酒的習慣。

11　參見陳亞先：《戲曲編劇淺談》（台北：文津出版社有限公司，1999 年 8
　　月），頁 78-84。

　　過于執是無錫縣的縣令，他剛上場時，如此介紹自己：
「本縣過于執，無錫父母官，執法嚴明英明果斷，明察秋毫金
匾高懸，名揚百里名不虛傳。（頁 15）」過于執自認執法嚴
明、英明果斷，故判斷案情時，容易流於主觀論斷。當他審理
尤葫蘆命案時，按照以往審理案情的常識，只注意事情的表
現，不重視客觀的查證，直覺認定熊友蘭、蘇惠娟是通姦殺
父、謀財害命，並動用刑罰屈打成招，自認胸有宏才，斷案清
楚；況鐘重審案件，實地勘查尤葫蘆家時，過于執仍然堅持己
見，對況鐘冷嘲熱諷，任何蛛絲馬跡，都有一套想當然爾的答
案。由過于執自報家門的內容判斷，他並非貪贓枉法的官吏，
也不是不關心百姓，只是性格上太過自以為是，凡事但憑主觀
亂斷，因此容易被表象所蒙蔽，造成冤案。

　　第五場〈判斬〉透過獄卒之口，說出況鐘在百姓心目中的
形象。既然況鐘如同包公再世，那熊友蘭想翻案就有希望了，
因此他決定被斬當日高聲喊冤。第六場況鐘上場時自報家門：
「青天包拯效平生，德威並行執法嚴明，為民掌印體民情，盡
忠職守效朝廷。況鐘今奉上台命，連夜斬犯要執行，此人犯，
滅人性，謀財害命毒心胸。（頁 23）」可見況鐘是抱持「效忠
朝廷體民情」的原則治理地方。當友蘭、惠娟當庭喊冤時，況
鐘先是責備二人強詞奪理，認為二人滿口胡言，因為案件經三
堂會審，被冤屈的可能性極低，況鐘當然要盡職監斬，直至友
蘭、惠娟疾呼，不由況鐘思考再三，「朱筆一落死兩人」，人命
關天，他看二人不似作奸犯科之人，最終決定為民請命、停刑
重審。這是一段內心掙扎的艱苦過程，之所以造成況鐘心理衝
突矛盾，在於他的性格特質及對自己的期許。

　　事件發生的衝突在第二場〈鼠禍〉：整個劇情的推展關鍵

在於發生尤葫蘆命案。尤葫蘆戲言生禍，導致蘇惠娟出逃，婁阿鼠有可乘之機，錯手殺死尤葫蘆。這起錯手殺人事件，引出後續情節。第九場況鐘到東獄廟內找尋婁阿鼠，展開一場龍鼠鬥智，這也是事件引發的衝突。況鐘決定重審尤葫蘆命案，現場勘查結果，線索直指兇手為婁阿鼠，為了查清事實真相，況鐘才改扮算命先生，進入廟裡，誘使婁阿鼠認罪。

個體與群體的衝突則表現在第七場〈見都〉。況鐘夜見都督周忱，請求周忱給予令箭重審案情，周忱熟諳為官之道，部文已下，若翻案重審，豈不獲罪？此外，他也不願得罪同僚，若答應重審，不就代表不信任無錫縣與常州府的判決？身處官場，多一事不如少一事，周忱所表現出來的態度，正是大部分官員面對事情時的處事原則。表面上看起來，這是況鐘與周忱的衝突，實際上，這是況鐘個人與群體的衝突，他所對抗的人，從無錫縣過于執、常州府尹、都督周忱，乃至於整個官僚體系。

第八場〈疑鼠〉呈現的是過于執與況鐘的性格衝突。過于執審案重視主觀論斷，以刑威逼；況鐘斷案重視現場勘查，講求真憑實證，透過二人性格對比，凸顯人們面對事情時截然不同的處世態度。

尤葫蘆喜歡開玩笑、愛喝酒的習慣為自己帶來殺身之禍，他明知這樣的習慣不是很好，應該適度修正，卻也難以更改：過于執性格上太過自以為是，凡事但憑主觀亂斷，因此容易被表象所蒙蔽，造成冤案；況鐘抱持「效忠朝廷體民情」的原則治理地方，當他發現熊友蘭案件可能是冤案時，最終決定為民請命、停刑重審。這是一段內心掙扎的艱苦過程，之所以造成況鐘心理衝突矛盾，在於他的性格特質及對自己的期許，此為

人物自身矛盾的衝突。尤葫蘆為婺阿鼠所殺是事件所引發的衝突；況鐘與周忱的對立是個體與官僚體系（群體）的衝突，而他與過于執不同的斷案態度則是性格的衝突。這四類衝突的設置，不僅有推展劇情的功用，更重要的是能深入勾勒人物形象特徵，進而凸顯劇作主題思想。

三、主題思想的呈現

主題思想是劇本的靈魂，劇中衝突的鋪排、人物的設置都是為體現主題思想而存在。[12]現代劇場歌仔戲的主題思想突破單一的教條、是非對立的二元價值觀，劇作家試圖以宏觀的視野、多元的角度深入討論人物性格的複雜面向、內心的思維轉變、人生的哲理，配合時代脈動，運用以古諷今的手法，描繪一幅社會生活的百態圖像。

司法正義、政治清明是人民由衷的希冀，歌仔戲演出之公案劇往往借古諷今，以俚俗詼諧的言語，批判公理正義、官場政治，體現官場仕途的波瀾衝突，或揭露官場貪污賄賂之風，或呈現官官相護、明哲保身之弊，或凸顯青天斷案之難得，對官場文化進行諷刺評判，以照映社會政局之晦暗詭譎。如河洛歌仔戲團《鳳凰蛋》、《新鳳凰蛋》藉由獻蛋、換斧的情節結構，嘲弄官場欺上瞞下的弊病，以及人性貪婪卑微的缺點；葉青歌仔戲團陳永明《冉冉紅塵》勾勒了初登仕途，處於詭譎官場的矛盾掙扎與無奈，凸顯官場貪污納賄的弊病。《鼠鬥龍爭》即為典型的公案劇，從其劇情分析，可歸結出「以民為本

---

12 參見趙景勃：《戲曲角色創造教程》（北京：文化藝術出版社，2004 年 11 月），頁 60-63。

「體民情」、「客觀實證理自明」及「謹言慎行禍遠身」的主題思想。

（一）以民為本體民情

蘇州知府況鐘，在百姓心目中的形象是「愛民如子」、「包公再世」，他以包公為效法對象，廟堂之上是「盡忠職守效朝廷」，升堂審案則為「執法嚴明體民情」，秉持「以民為本」的理念治理地方。尤葫蘆命案三審定讞，況鐘認定熊友蘭、蘇惠娟乃「通姦殺父、謀財害命」之徒，認為二人之罪，按照律典就該受斬刑，足見況鐘執法嚴明，毫不寬貸。然當熊友蘭二人喊冤時，況鐘雖認為罪證確鑿不致錯判，卻又因二人喊冤聲而內心猶豫，提筆難下。況鐘自詡「為民掌印體民情」，罪犯當堂喊冤，他觀察二人言行、相貌，認為其不可能犯下如此重大罪行，了解案情的前因後果，且派人查證後，況鐘大致肯定此案件實乃冤案，但三審問案，部文已下，不由他猶豫再三。基於「為民請命」的職責所在，況鐘決定重審命案，並連夜趕往行轅求見都督周忱，請其給與時間查明真相，誰知周忱擺官架子，認為部文已下，且不願得罪同僚，不准重審案件。況鐘以為「民貴君輕」，在朝為官就該「安邦護民」，怎可草菅人命？周忱卻以「節外生枝出是非，自作自端逆常規，部文已下難更改，五更斬犯誰敢違」（頁 29）[13] 回答況鐘，要他不要多事。周忱代表的是整個「官僚體系」，官場之中官官相護，凡事講求明哲保身，熟諳為官之道的周忱怎肯為了百姓得罪同僚呢？

---

13 陳永明編：《鼠鬥龍爭》（巡演版，台北：河洛歌仔劇團，2004 年），頁 29。
本章引用的劇本文字皆出自此本，故下文僅於引用文字之後標注頁碼，不再另立註解。

　　況鐘以個體的力量，企圖對抗整個官僚體系，自然遭遇頗多阻礙、挫折，但為了貫徹自己「效朝廷、體民情」的為官理念，他仍義無反顧的為民請命。況鐘的作為體現了「以民為本」的思想。

（二）客觀實證理自明

　　無錫縣令過于執、蘇州知府況鐘、都督周忱三個官員處理案件的態度、性格的矛盾衝突，凸顯「重視客觀實證，反對主觀臆測及官僚主義」的主題思想。過于執處事剛愎自用，斷案但憑主觀臆測，先有結論後推理，喜歡動用刑罰逼供，即使熊友蘭言明可至客棧查證，過于執仍未派人前往求證，動用夾棍，屈打成招，還自認為「胸有宏才」，足見其固執、愚昧。當況鐘勘查命案現場時，過于執還在一旁反覆重申覆勘無用，卻不知自己對證物主觀臆測的解釋漏洞百出，不願認錯。周忱則求保住官位與榮華，不願捲入案件的是非之中，他不希望節外生枝，故百般阻撓況鐘重審案件。如若重審案件，證明此案為冤案，豈不表示三審問案的官員，及周忱本人都查案不清、斷案不明。周忱當然不可能讓況鐘重審案件，一則顧及自己顏面，另一方面不願得罪同僚，直至況鐘以律典、聖書催逼，周忱才給予令箭。

　　劇中，過于執、周忱二人對尤葫蘆命案的辦案態度，反襯況鐘客觀、冷靜思考審理案情的為官原則。況鐘在都督行轅詢問周忱：「老大人既經朝審，可曾查證熊友蘭是不是確是客商陶復朱的夥計？案發之時伊身在何處？十五貫銅錢來源何處？而伊家住淮安，蘇惠娟家住無錫，兩人如何相識？如何私通？又有何證據証明伊兩人殺害尤葫蘆的兇手？」（頁 28）只要況

鐘提出的問題獲得解決，案情也就明朗了。故此，況鐘派人赴悅來客棧，取得循環簿及客棧小二等人證、物證，了解熊友蘭十五貫來源，接著與過于執親自勘查命案現場，發現遺落在現場的半貫銅錢、灌鉛的骰子，線索直指婁阿鼠為殺人兇手。況鐘派人追查婁阿鼠下落後，改扮算命先生，親赴虎穴探查事情真相，取得婁阿鼠犯罪的口供，設下計策擒得婁阿鼠，最後洗刷熊友蘭、蘇惠娟冤情。

　　況鐘冷靜思考案情破綻，積極探勘命案現場、派人查訪證據，親自至東嶽廟與婁阿鼠鬥智，在罪證確鑿的情況下，將婁阿鼠治罪。況鐘解決案件的脈絡，在於尋訪客觀實證，冷靜判斷嫌犯的言行舉動，掌握嫌犯心理取得口供。由此可見，處理事情只要能夠掌握證據，冷靜思考判斷，真理不言而明。

（三）謹言慎行禍遠身

　　本劇藉尤葫蘆戲言惹禍，凸顯「謹言慎行禍遠身」的主題思想。尤葫蘆喜歡喝酒、開玩笑，他一出場就清楚說明自己的嗜好為喝酒，因心情高興，前往拜訪鄰居秦古意時，先是裝女聲敲門戲弄，後又不正經的拿出十五貫錢炫耀，接著又在秦古意勸他戒酒時，語出雙關說：「酒喔！『戒』不好。」（頁3）劇中連續三次鋪墊尤葫蘆喜歡開玩笑的性格。因尤葫蘆喜歡開玩笑，常常口無遮攔，完全沒有考慮話出口後的嚴重性，當他回到家後，心情愉快，自然也對女兒開起玩笑。尤葫蘆告訴惠娟十五貫是她的賣身錢，開完玩笑後，看到蘇惠娟哭泣奔入房裡，心想隔天再向女兒說明真相，誰知錯失了解釋的時機，蘇惠娟在無計可施的情況下，連夜離家，投奔姨母，才引發婁阿鼠進屋偷盜、失手殺人的兇殺案件。

這起偷盜殺人的案件，歸根究柢，還在於尤葫蘆喜歡開玩笑的個性。戲言遭致禍殃，從話本、清傳奇到浙崑、河洛歌仔戲改編本，始終隱含「戲言釀禍」的主旨，雖然冤獄的形成，關鍵在於官員的判案態度，但若尤葫蘆不跟蘇惠娟開玩笑，又或者當下立即將事情解釋清楚，就不會有後續惠娟黃夜出逃、阿鼠偷盜殺人的事件發生，自然也不會有冤獄的產生，可見劇中寓含「謹言慎行禍遠身」的主題思想。

四、人物形象的刻劃

戲曲通過劇情反映社會生活；反映社會生活，說穿了是反映人。人物形象是戲曲的中心，事件、衝突圍繞著人物而存在以塑造人物形象的；劇本的主題思想，則須通過人物形象塑造強化出來。要理解、討論劇本，就要分析劇中人物，人物須具有鮮明的性格特徵，而人物的性格特徵則通過人物的行為表現。所以要分析劇中的人物，就要了解人物的行動，掌握其性格[14]。

人物個性和戲劇情節相輔相成，個性總是伴隨時空環境的進展凸顯、深化。個性發展的外部條件是人物的客觀境遇，內部原因為人物的意志力量，從其所處的客觀環境、人物的內在意識，個性將逐漸受到影響，產生變化。再者，劇作者塑造人物時往往採用「對比法」搭配不同性格，它把兩個具有尖銳差異的對象，以鮮明對立的方式同時呈現，以凸顯其形象與品質的特點。而戲曲中，人物在特定情境中的意志、願望和情感等

14　參見逯興才主編：《戲曲導演教程》（北京：文化藝術出版社，2005 年 1 月），頁 468-471。

內心活動，體現著他的思想性格。況鐘假扮算命先生上場，準備查探婁阿鼠虛實。偽裝是展現人物深層性格的一種表演手法，就是將人物的情感、動機與事件的真相隱藏起來，並以虛偽的態度示人，隱藏的內容包含：情感、意圖、動機、事情真相、人際關係與人格特質等。人物之所以必須偽裝，肯定有難言之隱或情勢上之不得不為，偽裝者同時呈現真與假兩種心情與面貌，內與外兩種截然不同的情緒轉化，不但適合表演者安排複雜的表演程式動作，也可藉由複雜的心理轉變，經營情節，凸顯戲劇效果。分析人物形象、捕捉性格特徵，要釐清人物在事件中思想發展變化的內外原因，了解他們對劇中所發生的事件的態度和所採取的行動，以及人物間的相互關係，本節主要分析劇本中三個官員，及命案兇手婁阿鼠的性格、形象。

（一）況鐘

依據《明史、況鐘傳》，歷史上況鐘是真有其人。《明史·況鐘傳》評價況鐘：「鐘剛正廉潔，孜孜愛民，前後守蘇者莫能及。」[15] 戲劇裡的況鐘是經由禁卒之口介紹出來的：「我們況太爺是出名的愛民如子，絕對不會冤枉好人，大家都稱讚是包公再世。」（頁 24）第六場〈判審〉況鐘一出場，自報家門，說明為官之道在「效朝廷、體民情」。在「效忠朝廷」的前提下，他認為依照律典，熊有蘭、蘇慧娟本該接受斬刑，但判案講求客觀實證，故此，當熊、蘇二人齊口喊冤，況鐘氣怒責問：「若冤枉，哪來人證物證？若冤枉，哪來條條口供？」（頁 24）可見其重視的是人證物證，既然證據確鑿，冤從何

---

[15] 清傅維鱗撰：《明書》卷 118，列傳 4，名臣傳 3〈況鐘傳〉（台北：華正書局，1974 年），頁 5204。

來？但當他要下令行刑時，聽到二人聲聲喊冤，況鐘本著「愛民如子」的觀念，不願冤屈良民，且殺頭大罪不容輕忽，既然罪犯當堂喊冤，況鐘自然再問犯人有何申辯之辭。

過于執審問熊友蘭時，熊友蘭已經提出人證，過于執沒有派人查證即定罪，況鐘與過于執不同，他馬上派師爺前往查證，接著仔細翻查案卷，更覺案情有蹊蹺之處。後，師爺帶回人證，證明友蘭所言不虛，不由況鐘猶豫再三，最終不願草菅人命，決定停刑為民請命，回應第五場〈判斬〉裡禁卒的評論。

況鐘至都督府請示，都督周忱再三推託，不願況鐘重審命案，況鐘提出：「君輕民貴」的觀念，再次強調真憑實證對理清案情的重要性，然而周忱始終不願意答應重審，況鐘百般周旋，終於取得令箭，得以重審尤葫蘆命案。第八場〈疑鼠〉，況鐘親至命案現場勘查，線索直指兇手為婁阿鼠，況鐘馬上命人尋找婁阿鼠蹤跡。第九場〈訪鼠〉，況鐘假扮算命先生，採用心理戰術，逼使婁阿鼠承認殺害尤葫蘆，命案真相終於大白，可見況鐘有膽，敢於獨身深入虎穴；有智，善於抓住婁阿鼠想要預卜前程，又怕流露出真情的矛盾心理，進而設下計策，擒拿罪犯到案。

況鐘言行處處顯露其冷靜思考、重證據、重調查研究、先有事實後結論的性格特徵，在劇中被塑造為有膽有智，為了百姓福祉，以個人之力面對整個官僚體系，秉持「效朝廷、體民情」原則的清官形象。

（二）周忱

根據史傳記載，周忱「才識通敏，不拘繩墨，事苟利國便

民，不嫌破格行之。」[16] 周忱乃明朝宣德年間江南巡撫，他以愛民濟世為己任，具愛國憂民情操。為了塑造戲劇衝突，凸顯主題思想，劇作家塑造人物時，可以不受歷史事實的束縛，故史實裡的周忱與劇本中的周忱形象迥然不同。劇本裡的周忱是個熟諳為官之道，不顧百姓福祉、官官相護的官吏。周忱只出現在第七場〈見都〉。這一場戲寫況鐘得知冤案後，連夜趕往行轅見都督周忱，先是受到夜官、中軍阻見，周忱又良久不出，見面後也不理冤情，直待況鐘拿出皇上所賜聖書，事情才有轉機。

況鐘久候周忱不出，可見周忱擺足官架子，莫怪乎況鐘會發出「見大官如此艱難」（頁 27）的感嘆，愈是寫況鐘急切的心態，愈能反襯出周忱的官僚心態。周忱面帶不悅接見況鐘，再三責備況鐘不在場監斬，反而夜闖行轅，實是不該，並言道尤葫蘆命案三審定讞，要況鐘別多事。言下之意，怪罪況鐘多事，且案件已然經周忱自己審理，如果翻案，不就代表周忱判案不清，也會得罪其他官場同僚，故而不願節外生枝，阻撓況鐘重審命案。況鐘提出「安邦護黎民」、「民貴君輕」思想，企圖勸服周忱，周忱又以「事關重大，本院難以作主」（頁 29）推諉責任，直至況鐘搬出律典條文及聖書，周忱才願意取出令箭，答應況鐘重審案件，二人的衝突也愈趨尖銳。

周忱代表「官僚主義」，從政態度「以官為本」，不重視百姓福祉，熟諳官場文化，重視明哲保身，官官相護，是典型的「本位主義」者，與況鐘「以民為本」的思想恰成鮮明對比。

16　清傅維鱗撰：《明書》卷 121，列傳 4，名臣傳 6〈周忱傳〉（台北：華正書局，1974 年），頁 5350-5357。

（三）過于執

　　相較於況鐘、周忱二位官員，無錫縣縣令過于執的性格，正與其姓名相呼應——過於固執。過于執是一個主觀武斷的官吏典型，他並非那種「衙門自古向南開，有理無錢莫進來」的貪官，也非冷漠嚴苛的酷吏，但囿於性格，雖沒有徇私枉法，卻也成為冤獄的製造者。

　　過于執認為自己執法嚴明、明察秋毫，審完尤葫蘆命案時，又自詡「胸中有宏才」，足見其驕矜自滿的態度。當眾鄰居扭送熊友蘭、蘇惠娟上公堂時，過于執要求原告稟明案情。當他聽到蘇、熊二人同行，且熊友蘭身上恰巧十五貫錢，心中就已經斷言此樁為「通姦殺父、謀財害命」的命案了，接著傳喚二人上堂。過于執基於主觀經驗法則，臆測案情的發展，看到蘇惠娟美貌，就認定其與熊友蘭必有私情；因尤葫蘆為蘇之繼父，所以蘇惠娟不服管教而懷恨在心更是人之常情，且基於「抓賊在贓、抓姦在雙」的心態，二人同行被捕，就是通姦的具體實證，即使蘇惠娟詳細說明二人同行經過，熊友蘭更提出客棧有人證，可證明所言不虛，過于執仍不以為然，動用大刑逼供，二人被屈打成招。

　　第八場〈疑鼠〉，過于執與況鐘一起勘查命案現場時，過于執對於況鐘所發現的線索，無論其如何質疑，總是依自己的主觀想法一一辯駁。由此可知，十五貫錢的巧合縱然造成過于執的誤判，其主觀臆測、固執己見，不肯實地探勘、用心細審，才是冤案發生的主因。對比於況鐘重視客觀實證，過于執重臆測、重刑罰、先有結論後推理，凸顯其主觀自負，固執己見的性格特色。

（四）婁阿鼠

　　婁阿鼠出現在第二場〈鼠禍〉，他一出場時，自報家門，當他發現尤葫蘆家裡燈火通明、大門未關時，以為尤葫蘆還在殺豬，決定進去賒豬肉，豈料發現尤葫蘆以錢當枕，起心動念之間，一步步踏上不歸路。他並未泯滅天良，雖然是偷錢，總還唸著賭贏後再來還錢，誰知失手殺死尤葫蘆，驚慌中遺落了骰子與半貫錢，倉皇回家，遺落的物品成了日後破案的線索。隔日，為打探消息，婁阿鼠裝成無事一般，混在鄰居之中，發現蘇惠娟不見時，決定將命案罪嫌推至蘇惠娟身上。眾鄰居追趕蘇惠娟，半路攔阻到蘇惠娟與熊友蘭時，婁阿鼠捉住機會，在旁搧風點火，引發眾鄰居對熊、蘇二人的懷疑，三言兩語，將殺人罪責推至他人身上，可見婁阿鼠人如其名，性格如老鼠般多疑狡詐。

　　公堂上，過于執審案時，婁阿鼠也是從旁強化過于執主觀臆斷的心理，並適時給予讚語，將殺人重罪推得一乾二淨。假若況鐘不重審案件，婁阿鼠自能高枕無憂，誰知況鐘不僅重審案情，還實地勘查命案現場，婁阿鼠心虛懼怕，只得潛逃，加上命案現場遺落灌鉛賭具，引起況鐘疑竇，派人查訪阿鼠蹤跡，將其列為頭號嫌疑犯。東獄廟裡，況鐘步步進逼，要查明事情真相；婁阿鼠處處小心，唯恐掉入官兵陷阱，二人展開一場鬥智。看到況鐘出現時，婁阿鼠提高警戒，擔心掉入陷阱，可又希望能知道自己是否能度過此難關，況鐘捉住阿鼠這層心理，設下誘餌，一步步引蛇出洞，請君入甕。況鐘解釋合情合理，又鐵口直斷，使婁阿鼠又驚又疑，但仍無法放下心防，完全相信況鐘。婁阿鼠本性多疑又狡詐，自然不會輕易相信他

人，更何況正值敏感時期，對陌生人總是多份戒心，加上況鐘出現的時機太湊巧，不免引起婁阿鼠的猜疑，因此出言試探況鐘。況鐘胸有成竹，一番答辯合理入情，再動用點威嚇的技巧，使得阿鼠承認官司乃為自己而測。況鐘掌握婁阿鼠害怕、心虛，求神問卜的心理，順利使阿鼠承認犯案，婁阿鼠再多疑狡詐，終因身犯殺人重罪，心情忐忑懼怕，而掉入況鐘所設之陷阱，尤葫蘆命案終告偵破。婁阿鼠在劇中被塑造為無大奸大惡、心性卻是多疑狡詐、好吃懶做、賭不離身的市井無賴，但他再狡猾，罪證確鑿之下，也只得認罪伏誅。

人物的個性由其出身、職業、地位、家庭、生活閱歷多種因素形成，每個人都獨特的思維模式、行為方式，劇本塑造生動鮮明的人物形象，經由人物性格產生矛盾衝突、製造舞台行動，藉以凸顯劇本的主題思想。

五、《鼠鬥龍爭》與《十五貫》的異同

宋話本〈錯斬崔寧〉圍繞「錯」字著筆，把冤獄的形成作為描寫重點，除了因「錯言」、「誤會」，加上問官不察所引起的悲劇，還可以看到「因果報應」及「輿論殺人」的意涵，彰顯「謹言慎行」的主題。清傳奇《雙熊夢》的主題思想在歌頌清官為民請命，實事求是的精神、揭發封建官場的黑暗面，並宣揚天人感應及因果報應等思想；而浙崑本《十五貫》緊縮劇情，將傳奇雙線結構變成單線結構，原作情節離奇的冤案主題成為次要情節，主題已與《雙熊夢》不同，轉為「批判主觀主義，崇尚客觀主義」、「凸顯階級的對立」主題思想，這是受到

當時國家政策的影響。[17]

歌仔戲《鼠鬥龍爭》即承續宋話本、清傳奇「歌頌為民請命、實事求是精神」、改編本「批判主觀主義，崇尚客觀主義」等主題思想，揚棄天人感應、因果報應等陰陽讖緯觀念。本劇的主題思想大抵承襲浙崑本，主要更動在於修改熊友蘭在浙崑本裡凸顯階級對立的唱詞，[18]將其從埋怨老闆的奴僕形象，改為以助人為樂、有志求上進的青年，修改情節後，呈現符合現代社會鼓勵年輕人積極進取的觀念。全劇以尤葫蘆命案引發的事件，以及三位官員審案的迥異態度呈現主題人想、突出人物性格，透過情節進展、心理刻劃以及人物自身的性格發展、與其他人物的對比勾勒、凸顯人物的形象。

歌仔戲喜歡使用人名的雙關修辭暗指角色性格，尤以河洛歌仔戲團為最。本劇運用雙關的修辭手法，通過人物姓名暗寓人物個性特色，如況鐘、過于執、尤葫蘆、秦古意使用諧音雙關的修辭：「況鐘」雙關「抗爭」[19]的閩南語發音，意即況鐘

---

[17] 1949 年大陸戲改後，戲劇作品的內容被要求符合政策方針，因此這個時期出現大量以「批判傳統封建思想」為主題的作品，故浙崑《十五貫》產生於這樣的時代背景，主題思想已與原作不同。

[18] 浙崑改編本許多地方都可以看到這樣的暗示，如熊友蘭上場唱：「【粉孩兒】家貧寒，少衣食，難養雙親，靠為人幫傭，苦度光陰。主人經商家豪富，我為他，受盡苦辛，終日裡，買貨賣貨，為主人，賺取金銀，走遍了蘇杭湖廣皖贛閩，販遍了綾羅藥草海味山珍。」挑起了主、僕及貧、富的對立。參見黃思超：《浙崑改編戲研究——以《十五貫》、《風箏誤》、《西園記》為主要研究對象》（中央中文研究所碩論，2004 年 7 月 15 日），頁 67。而《鼠鬥龍爭》熊友蘭上場時卻是唱「旭日東昇豪情萬千，歸心似箭攀山巖，湖光春色浮眼前，滿心喜悅快步前行。少年得志一字勤，有朝一日人上人，買貨欲往草橋鎮，小心隨身買貨錢。」可知熊友蘭的身分以及做事態度，他認為「少年得志一字勤」，是位勤奮的有為青年。趕路途中，遇蘇惠娟問路，他認為「助人為樂」，因此帶領蘇惠娟前往草橋鎮，卻惹禍上身。

[19] 浙崑《十五貫》劇本裡，況鐘閩南語念法雙關「抗爭」，故歌仔戲劇本藉由

勇於為百姓向整個官僚體系抗爭;「過于執」意指其性格過於固執、堅持己見;「尤葫蘆」雙關「油葫蘆」,「尤」指其喜開玩笑,個性油猾,至於「葫蘆」可裝酒,意指油葫蘆喜歡喝酒的癖好;「秦古意」諧音雙關「真古意」,說明秦古意人如其名,個性老實。婁阿鼠之名,使用諧義雙關的修辭手法,婁阿鼠個性如鼠,性格狡詐、猜忌多疑。此外,《鼠鬥龍爭》改編後,以大段唱曲對白勾勒人物內心思維,運用合乎閩南語語法的詞彙、恰當使用俗諺語,強化戲詞的機趣,使人物形象愈見鮮明。

六、結　語

　　現代劇場歌仔戲的演出越來越重視人物形象的刻劃與塑造,劇團不約而同的透過各種技法凸顯人物的形象:藉著時空環境的進展,使人物在行動中凸顯其個性,運用對比映襯的手法,讓人物自身個性的發展、與其他人物之間個性的對照,凸顯人物形象,經由人物心理情緒的激盪,體現其思想感情、個性特徵。況鐘言行處處顯露其冷靜思考、先有事實後結論的個性特徵;周忱代表「官僚主義」,熟諳官場文化,重視明哲保身,是典型的「本位主義」者;過于執則重臆測、重刑罰、先有結論後推理,凸顯其主觀自負,固執己見的特色,其他如蘇惠娟、熊友蘭、秦古意及眾鄰居則是為凸顯主要人物個性而設置的腳色。

　　綜合觀之,整編自傳統戲曲或修編大陸戲曲的劇本,主要

熊友蘭、獄卒之口彰顯抗爭之意;「秦古意」名為「秦古心」,劇本改為「秦古意」以雙關閩南語「真古意」。

的更動在於捨棄不合時宜的觀念，全劇藉尤葫蘆命案的審理過程，掌握況鐘的個性；經由三位官員的個性對比，呈現全劇主題思想。劇本除強化話本「謹言慎行」、浙崑本「以民為本」、「重視客觀實證」的主題思想外，還改動浙崑本裡隨處可見的「階級對立」暗示，鼓勵年輕人勤勉求上進，使其符合現代意義，亦較能取得觀眾的共鳴。

參考書目

一、中文專書

清・傅維鱗撰（1974）《明書》。台北：華正書局。

歷代學人（1979）《筆記小說大觀二十五編・曲海總目提要》第十冊，卷四十六《雙熊夢》。台北：新興書局有限公司。

鄭宜峰（1997）《河洛劇團歌仔戲舞台演出本之研究》（碩論）。台北：文化大學藝術研究所碩論。

王良友（2002）《「河洛歌仔戲團」劇本語言之研究》（碩論）。彰化：彰化師大國文研究所。

河洛歌仔戲團（2004）《鼠鬥龍爭》節目冊。台北：河洛歌仔戲團。

陳永明編（2004）《鼠鬥龍爭》巡演版。台北：河洛歌仔劇團。

陳靜（1987）〈崑劇十五貫劇本改編的構思和探索〉，收錄於《戲曲研究》第 23 輯，1987 年 9 月，文化藝術出版社，頁 228-246。

黃思超（2004）《浙崑改編戲研究──以《十五貫》、《風箏誤》、《西園記》為主要研究對象》。台北：中央大學中文研究所。

趙景勃（2004）《戲曲角色創造教程》。北京：文化藝術出版社。

逯興才主編（2005）《戲曲導演教程》。北京：文化藝術出版社。

韓昌雲（!1998）《《十五貫》在崑劇與京劇之探討》（碩論）。台
　　北：台灣大學戲劇研究所。

二、中文論文

黃源（1995）〈崑曲《十五貫》編演始末〉，《新文化史科》，第 1
　　期，頁 10-11。

澎湖普唵派造橋儀式中之【逐水流】曲調及其運用

馬上雲

國立台灣師範大學音樂系博士候選人

中文摘要

　　造橋是法教儀式裡使普通橋型物或長椅條轉換成一座平安橋（亦稱陰陽橋）的儀式，當此橋完成後，再讓住民們步過這座橋，接受法師施行法術，以消災解厄、求取平安。在澎湖，此項儀式主要是由隸屬各聚落宮廟的法師及小法師們執行，法師派別在澎湖則以普唵派最為普遍。造橋儀式舉行的時機主要是在元宵節、神明聖誕、宮廟入火等各種場合。

　　造橋的細節內容在澎湖各聚落宮廟間略有出入，但大致包括：奉請神祇、召五營造橋、拜請觀音、開路關……等等，每個節次具有不同的目的與文詞。聚焦於儀式裡的法師唱腔，可以發現各段節次裡的唱詞，主要是以不同的曲調呈現，不過其中卻有部分曲調被運用於不同目的與內容的節次裡，例如本文討論之【逐水流】，而【逐水流】曲調在南管音樂、戲曲系統裡，則常用於演唱與拜佛情節或和尚、尼姑等相關的唱詞。

　　本論文以筆者觀察於澎湖縣馬公市案山里北極殿舉行的造橋儀式為例，討論南管曲調【逐水流】如何被法師運用於不同的儀式節次裡，同時討論單一曲調承載不同內容的唱詞，其背後的思考模式與運作概念，以及初探法師運用南管曲調於造橋儀式裡的原由。

關鍵詞

　　儀式音樂、造橋儀式、法師、普唵、澎湖

民間文學與漢學研究

The Application of the Tune *Chui- Shui-Liu* in the Ritual *"Building the Bridge"* by *Pu-An* Ritual Masters in Penghu

Ma, Shang-Yun

Ph.D. Candidate, Department of Music at

National Taiwan Normal University

Abstract

The ritual "Building the Bridge" is one of the rituals held in the birthday of the village temple deity, and other situations by *Pu-An* ritual masters. Through the process of the ritual, one wooden bridge or a long bench can be transferred into a sacred "bridge". People will get blessing by the ritual master after walking through the "bridge".

The process of the ritual includes the inviting of the deities, the calling out five legions of the spiritual armies to build the bridge, the attending of *Kuan-Yin* Buddha, and so on. The invocations of the different procedures are basically chanted with different melodies. However, there are several invocations which are constructed on the same melody, *Chui-Shui-Liu,* which is originally one tune of the *Nan- Kuan.* In *Nan- Kuan* drama, *Chui-Shui-Liu* is usually used to express the plots about Buddha and the priests.

This paper is based on the data collected at village temples in Penghu (Pescadores). The purpose of the paper is then to discuss how the melody *Chui- Shui-Liu* used in the ritual, why different invocations have to be chanted with the same melody, and to explore the intention of applying the melodies of traditional music in the rituals.

Keywords:

ritual music, the ritual "Building the Bridge", ritual master, Pu-An sect, Penghu (Pescadores)

一、前　言

　　澎湖住民的傳統信仰是以各聚落宮廟之神祇為中心，住民們迄今仍積極而熱烈地以各種方式參與聚落宮廟的活動。在慶賀神明聖誕、元宵節、宮廟入火等各種場合，常常舉行的儀式之一便是造橋，儀式由隸屬宮廟的法師團體執行，法師在此儀式裡施行各項手續，使原本木條長椅或橋型物，轉換成一座平安橋（陰陽橋），在信士步過平安橋後，再由法師對其施行法術以為住民消災解厄。參與造橋儀式宣行者，除了法師成員及乩童外，往往還有嗩吶樂者、鑼鼓隊員，有些宮廟還會加上其他樂器的演奏者。

　　法師的派別在澎湖主要有普唵派與呂山派，前者奉普唵教主、後者奉呂山法主為祖師，目前澎湖各宮廟法師以隸屬普唵派的人數較多。各宮廟法師團體主要包括法師長、年幼的小法師，以及若干其他年齡層的各屆法師成員。

　　造橋儀式的細節內容，在澎湖各聚落宮廟之間亦簡繁不一、略有出入，但大致包括：奉請神祇、召五營造橋、拜請觀音、開路關……等等，每個儀式節次具有不同的目的與唱詞。以筆者觀察於澎湖縣馬公市案山北極殿舉行的造橋儀式為例，該場儀式是由宮廟法師長蔡榮旺先生指導的小法師群執行，法師派別屬於普唵派，舉行日期在 2006 年 11 月 4 日，是為該宮廟入火系列活動裡的一項。[1]整場造橋儀式包括：鬧台、開

---

[1]　該宮廟在入火期間裡安排的項目包括：退神、入神開光、開鼓、打船醮、龍柱開龍眼、安天公爐、放營、巡查五營增添兵馬、赴友廟（石泉朱王廟）參香致謝、入火隊伍遊行、寶艦駛航、入火、安座、開啟天公爐、陞聖旨牌詰

壇、請神、召五營前來造橋、和尚尼姑段落、宣告此橋的用途、觀音降臨（又可細分成奉請觀音、觀音出場、道童勸善、掃白虎、頌讚觀音、觀音退場）、度十二生宮、元帥開路關、宣告過橋用處，接著銜接過限。

聚焦於觀察儀式各個段落裡的唱腔，可以發現各節次裡的唱詞，主要是以不同的曲調呈現，不過其中卻有部分曲調被運用於不同的節次裡，例如本文討論之【逐水流】曲調，它被用來演唱調召五營前來造橋、和尚尼姑段落，以及觀音降臨、頌讚觀音等不同目的與內容的段落裡。

【逐水流】亦可在南管體系裡發現，在戲曲裡它主要演唱於與拜佛情節或和尚尼姑等相關的唱段，這樣的唱詞可在南管戲（梨園戲）與交加戲（高甲戲）[2] 裡的《尼姑下山》（《下山》）劇目裡發現。此外在南管曲（散曲）裡，亦可發現一組【長逐水流】、【逐水流】、【逐水流疊】，它們是建立於不同拍法的同一滾門曲調，其中亦有【逐水流】被套入與和尚等相關之唱詞的例子，並以「南嘸阿彌陀佛」作結。

究竟此般一則常被用於南管戲及音樂裡演唱與佛事內容相關的曲調，它被運用在澎湖法師主持的造橋儀式，而且又被使用於不同目的節次裡，其背後的運作概念為何？同一曲調在呈現不同唱詞內容時，又作了哪些內容的改變？而選用一則亦見於傳統戲曲、音樂裡的曲調來表現造橋儀式裡的唱詞，其可能

賞、安廟、透嶽、進三界、退三界、操營結界、造橋、起鼓做醮、豎燈篙、法師踏頭坪。感謝國立台南大學臺灣文化研究所研究生周舜瑾小姐惠賜筆者這部分的資料。

在這些儀式之後，接著就由廟方禮聘的靈寶派道士團主持醮典。

2 有關交加戲與高甲戲，以及南管戲與梨園戲戲名之又稱，參見（呂錘寬，2005：150-151）。

的原由為何？

二、造橋儀式的內容與【逐水流】曲調的運用

　　以下即以澎湖大案山北極殿的造橋儀式為例，[3]輔以其他宮廟普唵派法師主持之造橋儀式，說明整個造橋儀式的流程與內容。

（一）澎湖大案山北極殿及其法師傳承

　　首先簡述本文主要記錄對象——大案山北極殿的歷史發展及法師傳統，此宮廟建於清朝乾隆初年，日治時期因為宮廟原在地被劃入海軍禁區，所以於 1919 年將宮廟遷移到現址。歷經多年風雨摧蝕後，宮廟在 1964 年改築新基，並於同年完工。[4]再歷約四十年歲月宮廟再次重建，而於 2006 年完竣並舉行各項入火系列儀式，本文所述之造橋儀式，主要即是來自此次入火活動裡的一項。

　　大案山北極殿的法師傳統屬於普唵派，就採訪結果只能探得法師是傳自本宮廟的前輩法師，而就目前所知自 1919 年起的歷任法師長依序為：歐治國（任期不詳）；薛荼（接任年代不詳，但任期迄 1935 年）；蔡主進（任期為 1935-1951 年）；鄭永助（任期為 1951-1968 年）；蔡興發（任期為 1968-1985

3　選擇此宮廟法師主持的儀式，作為本文主要觀察例的原因有三：一、筆者對該場儀式有完整的錄影記錄；二、宮廟法師長蔡榮旺先生熱心提供完整的咒語抄本，並予以詳細解說；三、蔡法師另外範唱儀式裡的唱腔供作錄音。在此特別感謝大案山北極殿蔡榮旺法師長及眾法師成員給予筆者的協助。

4　資料引自蔡榮旺提供之咒語抄本內頁所述內容。

年）；而現任法師長蔡榮旺先生（1941-），在 1985 年起接任法師長職務迄今，其法事乃師承自該廟前輩法師蔡主進與鄭永助等人。[5]

（二）儀式過程及以【逐水流】曲調演唱的部分

在造橋儀式開始前要進行現場的布置，首先法師們合力將一木製橋型物安置於壇場中央，並恭迎宮廟主神像置於木橋上方的高架，接著法師們在橋的四周貼上黑底白字的符咒。根據蔡法師長的說明，這種黑底白字的符咒寫法，表示此處是陰間。橋面上放置一條藍布，法師在其上以白色粉筆畫符，然後在橋頭安置橋頭將軍之紙紮神像，在橋尾安置土地公紙紮神像，並放上十二疊圓形方孔的古銅錢及白米於橋上，整場儀式流程如下：

1. **鬧台**：後場奏以若干鑼鼓段。

2. **開壇**：小法持法索在各方位開鞭，兩名小法對橋噀水、打指法作洗淨。末了，小法向壇外行禮，並向主壇桌行禮。

3. **請神**：奉請觀音菩薩、臨水夫人、湄州娘媽、唐宮太乙君[6]。兩名小法，手上各持捲成兔耳狀的古仔紙，依歌唱旋律及節奏作出各式肢體動作，以曲調【福馬】唱各請神咒，後場噯仔吹出與唱腔相同的旋律，作為伴奏。

4. **召營**：以【逐水流】演唱調召五營前來造橋的唱詞，噯

---

5 歷任法師訊息抄錄自該宮廟所傳抄本及筆者對法師長蔡榮旺的訪談，該抄本乃 1996 年由蔡榮旺編輯、鄭聰德抄錄。訪談日期：2007 年 4 月 18 日。訪談地點：馬公市案山北極殿。

6 咒語抄本上在〔唐宮太乙君〕與〔湄州娘媽〕之間尚抄錄了〔鄞氏仙姑〕與〔行罡正法陳夫人〕之請神咒，但儀式當日未唱。

仔吹奏與唱腔相同的骨幹曲調作伴奏。[7]在歌唱聲的進行中，兩名小法手持法索並隨著歌詞的意思來作出各式肢體動作，接著再依相同的方式依次調召南營、西營、北營、中營前來建造橋樑。召請東營前來造橋的部分，其曲調採譜如下：[8]

〔譜例1〕【一聲龍鞭・逐水流】[9]

---

7 噯仔吹奏的調高乃根據現場法師演唱的調高為依據，理想的方式是法師先唱出歌聲後，後場樂師隨即以符合該人聲調高的調吹奏，亦即以「開嘴管」的方式伴和人聲。

　　有關噯仔伴奏人聲歌唱的方式，來自澎湖樂師蔡文合先生的說明。訪談日期：2007年4月19日，訪談地點：馬公市鐵線里清水宮。

8 雖然【逐水流】在南管散曲裡是以四孔管（四空管）的管門記錄，但是由於澎湖法師演唱時主要是以首調唱名的概念演唱，後場噯仔樂師則根據唱者的調高吹奏與人聲相符的調高。再者，為便於文後與其他曲譜資料作比對，這裡乃採首調記譜。

　　樂譜上有關樂曲分析所標註的各記號，參見後文說明。譜例2,3亦同。

9 唱曲之名稱，前四字「一聲龍鞭」乃取自召請東營的唱詞開始之四字，圓點後之【逐水流】則是曲調名稱。在蔡榮旺法師長的抄本目錄裡，則記錄此唱曲名稱為「造橋一聲龍鞭」。

5. **和尚、尼姑段落**：這是一段以和尚、尼姑為主要人物的段落，但是唱詞內容又與莊嚴的佛教儀式無關。儀式裡兩名小法師雙手各執古仔紙，邊唱邊作出各式動作，[10]這段歌詞亦以【逐水流】唱出，唱詞及曲調內容如下：

〔譜例 2〕〈東傍出日・逐水流〉

10　在澎湖縣西嶼鄉外垵村的溫王宮，則由兩名小法師裝扮成和尚、尼姑，來進行這個段落的演出。

6. **宣告此橋的用途**：兩名小法站於橋邊作出對答的動作，但實際對話內容則由站於旁邊的兩名法師代勞，藉由一問一答的方式，道出此橋的功用。

7. **觀音降臨**

此段落又可細分成以下各小段落：

（1）**奉請觀音**：兩名小法遶著橋轉，以【觀音調】唱奉請觀音的請神咒。

（2）**觀音出場**：首先由飾演善才、龍女的小法出場，後場演唱【淡淡青天‧仙調】，接著觀音佛祖出場，並口唸出場詩。

（3）**道童勸善**：接著觀音命令道童出場，飾演道童的小法師站於壇桌前，作出唸歌的動作並演唱【道童歌】。

（4）**掃白虎**：觀音下令進行掃白虎的動作，眾法師成員演唱【南海座上・逐水流】。

（5）**頌讚觀音**：掃完白虎後，演唱頌讚觀音的【五雲彩色・逐水流】，之後再唱【乙清我明・逐水流】及帶有勸世內容的【急急修・逐水流】。[11]這些皆是在觀音出場的段落裡所唱的曲，且皆以【逐水流】演唱。限於篇幅，茲擇取【五雲彩色・逐水流】為例，呈現曲譜如下：

〔譜例3〕【五雲彩色・逐水流】

11　這段唱詞的名稱，法師習以前三字稱呼。

（6）**觀音退場**：觀音唸退場詩，然後退場。[12]

從這段儀式內容來看，觀音菩薩在造橋儀式裡佔有重要的地位，這可能又與民間流傳的觀音造橋神話有關。

8. **度十二生宮**：兩名小法站於橋旁，同樣以對嘴模擬對答的動作，由另兩名法師在旁代唸對答內容。從十二生肖的第一生宮鼠開始，依據生宮鼠的特質與神話傳說作對答，之後插入一段唱腔，接著再依序對答及演唱其他生肖。

9. **元帥開路關**：奉請元帥出場作開路關。飾演元帥之小法出場耍弄金鎗，後場吹奏牌子伴奏。奏畢，元帥唸開場詩，接著命令黑白四大將出場，一起進行開路關。元帥等開路關時，眾法師演唱【大路通通・烏煙讚】，內容為獻紙錢、開路關等。

10. **宣告過橋的功用**：兩名小法藉由對答來宣告過橋的目的與用處。造橋儀式至此告一段落。

以上是大案山北極殿的造橋儀式之大概，接著即銜接過限：先由鄉老捧持宮廟裡的眾神神像過橋，然後居民們排隊依序過橋，居民步過陰陽橋後，再由法師對該信士在陰府裡的元神施行法術，於是在陽界的信士本人得以消災解厄，完成後即由法師在居民的衣服蓋上宮廟神明的印章。[13]

(三)【逐水流】曲調之運用

整理上述造橋儀式各段落裡的唱腔曲調與唱詞內容如下：

---

12 觀音菩薩在造橋儀式裡佔有重要的地位，可能與民間觀音造橋的神話傳說有關。

13 有些宮廟的法師（例如：馬公市烏崁靖海宮）此時會再針對有需求的住民，進行割鬮的法事。

表 1　儀式段落及其唱腔

儀式段落	唱腔曲調	唱詞及唸詞
1 鬧台	無	
2 開壇	無	
3 請神	【福馬】	奉請觀音菩薩 奉請福州臨水夫人 奉請唐宮太乙君 奉請湄州媽祖
4 召五營：依序調 召五營前來造橋 （一）召東營 （二）召南營 （三）召西營 （四）召北營 （五）召中營	【逐水流】	一聲龍鞭鎮東營，東營軍馬九萬人， 人人頭戴身帶甲，手執淨鞭來造橋， 令車嘈嘈軍馬走，走馬排兵來造橋， 亦有銅錢做橋板，亦有白米做欄杆， 金鎖銀鎖銀鎖牽，金鎖銀鎖倚欄桿， 鑼雙鈕雙鈕鑼雙，鈕雙鑼雙鈕鑼雙， 神兵火急如律令，神兵火急如律令。
5 和尚、尼姑段落	【逐水流】	東傍出日西邊烏，和尚擇傘掩尼姑， 尼姑本是和尚某，和尚本是尼姑奴， 郎君本是風流子，看見橋上一尼姑， 郎君看見拔落馬，和尚看見脫袈裟， 食人半斤還八兩，冤冤相報無時休， 南無阿彌陀佛，稽首阿稽首南無阿彌陀 佛，阿彌陀佛
6 宣告此橋的用途	無	
7 觀音降臨		
（1）奉請觀音	【觀音調】	觀音咒
（2）觀音出場	【仙調】	淡淡青天，…… 出場詩
（3）道童勸善	曲調名不詳	道童歌

儀式段落	唱腔曲調	唱詞及唸詞
(4) 掃白虎	【逐水流】	南海座上蓮花開，善才玉女兩邊隨， 獨瓶收盡江河海，鸚歌一塞上天臺， 龍王回頭深深拜，土地公公出門來。 南無阿彌陀佛，唸彌陀， 稽首南無阿彌陀佛，阿彌陀阿彌陀佛。
(5) 頌讚觀音	【逐水流】	五雲彩色照世間，救苦慈悲降道場， 凡間弟子全安樂，附念產難永無災， 南無阿彌陀佛，唸彌陀， 稽首南無阿彌陀佛，阿彌陀阿彌陀佛。
	【逐水流】	乙清我明永變無騰，拘邪縛鬼保命護身， 智慧靈靜心安寧，南無阿彌陀佛， 南無阿彌陀佛，唸彌陀， 稽首南無阿彌陀佛，阿彌陀阿彌陀佛。
	【逐水流】	急急修來急急修，勸人莫得結冤仇， 食人半斤還八兩，冤冤相報無時休， 南無阿彌陀佛，唸彌陀，稽首南無阿彌陀 佛，阿彌陀，阿彌陀佛。
(6) 觀音退場	無	退場詩
8 度十二生宮：由法師與小法對答並歌唱	曲調名不詳	
9 元帥開路關：元帥出場，耍金鎗	無	出場詩
	【烏煙讚】	大路通通透陰府，小路通通透陰城，……
10 宣告過橋的功用	無	

　　從上表中可以發現，在造橋儀式裡【福馬】【仙調】【烏煙讚】皆被運用於各單一段落，惟有【逐水流】曲調被演唱於不同的儀式節次裡，包括：在調召五營前來造橋的段落，演唱【一聲龍鞭‧逐水流】，其主要是調召各營兵馬前來造橋，唱詞

裡並敘述各營兵馬的數量、代表數字、顏色、裝備、前來壇場的情景等；在和尚、尼姑的段落裡，演唱【東傍出日‧逐水流】；[14] 而在觀音佛祖段落裡，包括表演觀音的駕臨、頌讚觀音、觀音退場等情節時，則唱【南海座上‧逐水流】、【五雲彩色‧逐水流】、【急急修‧逐水流】。

所以從儀式內容及小法們演唱的歌詞內容，我們可以發現【逐水流】被用來演唱調召五營兵馬、和尚尼姑段落以及觀音佛祖段落，亦即這些內容迥然不同的歌詞，在同一個儀式脈絡裡竟都用同一曲調來表現，呈現一曲多用的情形。

三、儀式裡使用【逐水流】曲調之原因初探

在南管曲裡，單一曲調被套以不同歌詞的一曲多用手法是一種常見的曲調運用方式（呂錘寬，2005：98，102），不過細察造橋儀式展演裡曲調【逐水流】與唱詞內容之間的關係，可以發現在同一儀式過程裡，它被有選擇性地運用於不同目的、對象與時機裡的唱詞，所以在單純的一曲多用手法之外，從儀式脈絡及運用規則來看，還可發現其他原因。

前文所述套用【逐水流】的眾段落，若依其性質則可劃分成兩大類，第一類是與佛等有關的情節；第二類則是調召五營的段落，以下就從這兩大類著手，對諸段唱詞運用【逐水流】的原因進行探究。

---

14 不過由於歌詞所述情節露骨，近來被某些宮廟減省其部分唱詞。但是筆者仍於西嶼鄉外垵蒐集到較長篇幅的歌詞，比對結果發現內容大略同於《泉州弦管（南管）指譜彙編》（下篇）（呂錘寬，1987：192－194）所輯錄之散曲中以【長逐水】所唱的唱詞。

民間文學與漢學研究

（一）與佛相關的唱詞

　　造橋儀式裡與佛相關的唱詞，包括佛事人員和尚尼姑的段落，以及觀音佛祖降臨、眾人頌讚觀音佛祖的段落，這些唱詞在造橋儀式裡皆以【逐水流】演唱，而在探討這些唱詞運用南管曲調【逐水流】之前，首先探尋【逐水流】在南管裡的普遍用法，【逐水流】見於南管戲的唱腔以及南管的散曲，在南管戲系統中的南管戲（梨園戲）與交加戲（高甲戲）皆可找到運用【逐水流】演唱的劇詞。[15]有關南管戲裡的【逐水流】，根據《梨園戲・唱腔音樂曲牌》一書裡的記譜如下（泉州地方戲曲研究社，2000：288）：

〔譜例4〕【南無觀音・逐水流】[16]

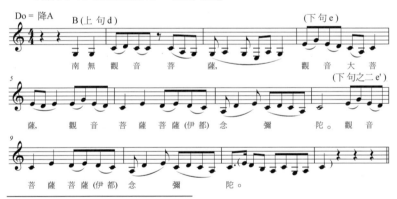

15　究竟【逐水流】是南管系統的曲調被法師引用，亦或其原本即是法師的唱腔而被南管吸收？還是其乃來自佛教儀式音樂？要解決此問題勢必需要更多歷史文獻與研究資料的比對與爬梳。然而此議題並非本短文之主旨，在此僅指出法師儀式與南管唱腔裡有著若干共享的音樂曲調，其中曲調【逐水流】在法師儀式與南管樂種裡有著類似的唱詞內容與表現時機。

16　〔譜例4〕曲譜資料上的分析符號則為筆者所加。為便於說明曲調組成上的關係，〔譜例4〕及下文〔譜例5〕的分析符號皆延用〔譜例1〕～〔譜例3〕的分析依據。

　　另在交加戲唱腔裡，亦可發現【逐水流】主要用於拜佛情景的唱段，根據中國學者曾學文對交加戲的研究指出，交加戲唱腔具有粗獷、樸素的特質，但其唱腔深受梨園戲影響，30年代是交加戲最興盛的時期，廣受村民歡迎，在閩南地區甚至取代梨園戲（曾學文，1996：56、58）。茲將該所記錄交加戲裡所唱的【逐水流】曲譜轉引於下（廈門市台灣藝術研究所，2006：71）：

〔譜例 5〕【南嘸阿・逐水流（慢頭起）】

連同前文〔譜例 2〕、〔譜例 3〕法師用【逐水流】所唱的內容，以及〔譜例 4〕、〔譜例 5〕蒐錄自南管戲、交加戲的曲譜，可以發現皆有相同的曲調素材（即各譜例中所標註之樂句 a、b、c、d 等），茲將各譜之曲調組成呈現如下：

表 2　【東傍出日‧逐水流】之曲調組成

樂段	A1	A'1	A'2	A'3	A'4	B
樂句組織	上句 a – 下句 b	上句 c- 下句 b	上句 c- 下句 b	上句 c- 下句 b	上句 c- 下句 b	上句 d- 下句 e- 下句之二 e'

表 3　【五雲彩色‧逐水流】之曲調組成

樂段	A1	A'1	B
樂句組織	上句 a – 下句 b	上句 c- 下句 b	上句 d - 下句 e- 下句之二 e'

表 4　南管戲（梨園戲）【南無觀音‧逐水流】之曲調組成

樂段	B
樂句組織	上句 d - 下句 e- 下句之二 e'

表 5　交加戲（高甲戲）唱腔〈南嘸呵〉【逐水流‧慢頭起】之曲調組成

樂段	B	A1	A'1
樂句組織	上句 d- 下句 e- 下句之二 e'	上句 a – 下句 b	上句 c- 下句 b- 下句之二 b

　　從〔譜例 2〕至〔譜例 5〕的樂譜資料以及〔表 2〕至〔表 5〕的分析資料，樂段 A 與樂段 A' 的差異在於開頭上句的不同，即 A 經過換頭後變化成 A'，之後則主要在樂段 A' 上作重複。另可發現唱詞為「南無阿彌陀佛」或「南無觀音菩薩」等的佛尾，演唱時皆建立在曲調素材 B。

　　在南管戲裡，以【逐水流】演唱的曲詞，可發現其內容通常是與拜佛或和尚有關的主題，而且由於【逐水流】多用在戲劇中和尚出場的場合敘述，故甚至於又有【和尚調】的另名，例如南管樂人卓聖翔、林素梅在《南管曲牌大全》書中即提及：「【逐水流】多用在戲劇中的淨、末、丑角，尤其是出和尚幾乎皆用此調，故又稱【和尚調】。」（卓聖翔、林素梅，1999：60）

　　【逐水流】亦被演唱於南管（絃管）裡的曲（散曲），在南管散曲裡，【逐水流】的管門為四孔管，拍法為一撩拍，以呂錘寬教授選錄於《泉州絃管（南管）指譜叢論》（下編）的曲例來看，該曲例【逐水流‧我是野花】錄自南聲社的曲簿，唱詞內容亦提及和尚，並以「喃嘸阿彌陀佛」作結。此外書中並輯錄了不同拍法的【長逐水流】與【逐水流疊】（呂錘寬，1987：192-194; 241-242;308）。另根據王櫻芬教授對【逐水流】的研究指出，南管曲裡惟一具有以「南無阿彌陀佛」等文句組成之佛尾者，即是【逐水流】和【逐水流疊】（王櫻芬，2001：208）。

　　所以不論是從曲牌集成裡的資料或是來自藝人及學者的說法，我們可以發現【逐水流】在南管曲及南管戲、交加戲裡顯著的用法之一，就是可用於演唱與佛、和尚尼姑等相關的內容，不過當南管曲被運用到南管戲、交加戲時，其演唱、宮

調、合樂方式已與原散曲不同（呂錘寬，1987：27），所以南管曲與交加戲等唱腔的風格彼此間有所差異。就這一點來看，法師儀式裡套入儀式唱詞並以閩南語演唱的【逐水流】，其風格就較趨近交加戲之類的唱腔唱法，而不同於南管曲細膩、講求頓挫的演唱韻味。[17]

而這樣一則曲調為何亦在法師儀式裡演唱？根據目前初步推論，這或許是法師眾儀式操作手法裡的一種，即經由此般戲劇化的宣行手法，以及沿用戲曲裡習用的曲調，來表達儀式段落裡的情節與內容，借以傳達儀式意義予信士，如此將有助於說服參與造橋儀式之信士們瞭解並融入這樣的儀式氛圍裡，而當這座原本平凡的橋型物，已被所有參與的人們認為是一座聯結陽、陰的陰陽橋後，法師所行之相關消災解厄法術，就會增加其在信士觀念中的力量。[18]

（二）調召五營段落運用【逐水流】之原因

在討論以【逐水流】演唱召營之唱詞前，首先回顧有關法師儀式裡調召五營前來咒語所用的曲調。在法師其他具有法術意義的儀式段落，例如犒軍儀式裡的召營時所唱的咒語，其實並不是用【逐水流】而是用請神咒裡的【觀音調】曲調來衍變（馬上雲，2006a）。觀音雖源起自印度，但卻普遍奉祀於漢人，並是一位經過相當程度漢化了的神明，漢人信仰裡的觀音

17　限於篇幅及為避免使本文論點過於繁雜，有關【逐水流】在南管曲與法師儀式唱腔裡的比對，以及曲調細節的變化、唱腔詮釋風格等比較，暫不於本文探討。

18　某些俗信認為，陽界人士在陰府各有其元神，而該元神之良窳將左右陽界人士之運途，藉由法師對其元神施行消災解厄術，將使陽界人士得以避禍趨吉。

菩薩，在民間除了是救苦救難的慈悲形象，另一重要的神力，則是以「面然」之變身來鎮服陰間野鬼，即觀音亦具有鎮伏陰鬼的神力（馬上雲，2007：41-42）。當一則曲調被定義成【觀音調】後，法師藉由此調變化來鋪唱調召五營的咒語，事實上具有「透過觀音的曲調，來鎮伏這些由幽魂降伏的陰兵，同時保護自己」的想法與企圖，因此在犒軍儀式的召營，這些具有法術目的與意義的〈召營咒〉，以及其他與五營相關的犒賞、命令結界等皆是藉【觀音調】來變化演唱（馬上雲，2006b）。

依循這樣的規則，因此在表演段落裡，調召五營兵馬前來的曲調，便運用此儀式表演段落裡觀音降臨時所用的曲調來演唱，因此【逐水流】也就被用來演唱調召五營兵馬前來造橋的歌詞了（參見前文〔譜例 1〕）。召營用的曲調同樣是〔譜例2〕～〔譜例5〕裡的曲調素材 A，曲調內容之組成如〔表6〕：

表6 〈一聲龍鞭・逐水流〉之曲調組成

樂段	A1	A'1	A'2	A'3	A2	A'4	A'5
樂句組織	上句a-下句b	上句c-下句b	上句c-下句b	上句c-下句b	上句a-下句b	上句c-下句b	上句c-下句b

全曲開始於樂段 A，經過換頭後成為樂段 A'，然後在 A'上作循環重複；不過在曲中插入 A，之後再回到樂段 A' 重複至結束。特殊的是由於歌詞中並無「南無阿彌陀佛」之類的句子，因此曲中就沒有用到曲調素材 B，所以可以看到法師唱腔引用傳統戲曲唱腔的曲調時，也是有所取捨的。

四、結　語

　　要探討【逐水流】為何被澎湖宮廟法師選用於造橋儀式，當地的傳統戲曲與音樂之背景，是一個不可忽略的部分。澎湖當地流傳的傳統音樂與戲曲活動，向來以南管為主，包括館閣式的南管音樂以及南管系統戲曲，此外尚有以器樂演奏為主的鑼鼓、牌子等。由於樂種之間的曲目交流中，人才是一重要的因素，人才的交流往往將某樂種的曲目帶入另一樂種，[19]因此當儀式裡要呈現某類音樂時，延聘或請教當地傳統樂師是一重要的實際途徑，而當地樂種曲目也就順勢進入儀式裡，甚至於有時法師本身即通曉該種傳統音樂，自是將其知悉的音樂曲目帶入儀式有需要的段落裡。而更重要的因素是，這套當地流傳的音樂，乃為法師、住民們共通、共享的音樂語言，於是【逐水流】就連同其他【福馬】、【北青陽】、【將水令】、【短相思】、【水車】等曲調，皆被運用到法師儀式裡。

　　而由於【逐水流】在原南管裡所配的歌詞，常常就是與拜佛情節、和尚尼姑等相關，曲詞裡並常以佛尾「南無阿彌陀佛」作結，所以法師運用此曲調來演唱儀式裡與觀音、和尚尼姑等相關之文詞，除了造橋儀式外，在其他諸如獻供儀式一開始的奉請觀音，亦習用此曲調演唱，而且不同宮廟普唵派法師主持的造橋，亦發現相同的曲調運用。所以【逐水流】在法師造橋等儀式裡使用於演唱奉請觀音以及和尚、尼姑等相關情節，已形成一種習慣而非孤例，因為曲調的此般特質與用法，

---

[19]　這種人才交流引致戲種間音樂曲調交流的現象，尤其泛見於交加戲、歌仔戲等。

已被法師團體以及聚落住民定位在其觀念裡了。

諸如【逐水流】等其他南管曲調被運用在法師儀式裡，以及小法們裝扮成觀音、善才、龍女……各角色，並有出場詩、動作、對白和道具布置等，從中可以看出法師藉由種種具有戲劇性的手法，來展現儀式情節與內容的企圖，因為戲劇方式仍是最容易使信士瞭解內容的途徑，而音樂則是其中不可或缺的一部分。不過這些過程或許不應僅被視為單純娛樂性質的戲劇表演，而是法師藉由模仿手法來傳達予信士儀式的意義，並說服信士融入此般的儀式氛圍裡，進而使這座橋型造物在所有參與的信士心目中，產生了不同於尋常的特殊意義與功能，增強信士對後續過限儀式的信服。

至於造橋儀式裡調召五營前來的部分亦用【逐水流】演唱，則可說是沿用法師運用固有唱腔曲調時的邏輯，在法師固有曲調系統裡，與五營兵馬相關的曲調，包括召喚五營、犒賞五營及命令五營執行結界的咒語，這些與五營相關但又有不同目的的咒語皆是沿用【觀音調】的曲調來衍變，由於五營兵馬具有陰兵性質，而且五營兵卒等之前身乃轉換自無祀的孤魂野鬼，因此當一奉請觀音的請神咒之曲調被定義成【觀音調】後，法師藉由此調之變化來鋪唱調召五營的咒語，初步推論應具有透過觀音的曲調，來鎮伏這些陰兵，同時保護法師自己的想法與企圖。所以參照這樣的曲調運作模式，造橋裡調召五營前來的咒語使用【逐水流】來歌唱，乃是因其奉請觀音、觀音駕臨的部分，就是唱以【逐水流】之因。不過由於調召五營前來造橋的歌詞裡，沒有出現「南嘸阿彌陀佛」等字句，因此曲調上就沒有【逐水流】演唱佛尾時的曲調素材。

澎湖普唵派法師處理的儀式，包括了聚落宮廟、群體住民

的公共事務，以及私人、家宅的種種問題，然而由於其秘傳的本質以及儀式過程裡的若干禁忌，使得一般住民對於法師的儀式內容，其實並不全然瞭解，加以法師在儀式的進行裡往往面對的是凶神惡煞或調度五營陰兵，因此不管是法師執行宮廟公共事務亦或解決私人問題，信士們通常僅在法師的指導下、應各儀節所需而配合以法師囑咐的動作而已。即使自年幼開始學習法事的小法師們，通常也只是在法師長的指導下，遵循各類儀式的作法，並照法師長所傳授的曲調來演唱各則咒語。然而細察澎湖法師在各儀式的執行過程，可以發現這些代代相傳的儀式，其實蘊涵許多規則並攙加許多音樂要素，其中若干儀式內容的安排以及音樂的運用，更是來自法師與住民們共同的概念、思維與音樂經驗。

澎湖住民們傳統的神鬼觀支持著儀式的舉行，共同的觀念則強化了儀式的意義與說服力，而儀式的重複施行則又加深住民們神明佑我的信念，這樣的信念就成為澎湖住民在面對艱困生活環境及世間不測風雲時，心中那股執著力量的源頭。

參考資料

王櫻芬（2001）〈南管嗹咀尾及其曲目初探——以囉哩嗹及佛尾為主要探討對象〉，《民俗曲藝》，第 131 期，頁 203-238。

呂錘寬（1987）《泉州絃管（南管）指譜叢編》。台北市：行政院文化建設委員會。

——（2005）《台灣傳統音樂概論・歌樂篇》。台北市：五南。

泉州地方戲曲研究社編（2000）《梨園戲音樂曲牌》。中國北京：中國戲劇。

曾學文（1996）《廈門戲曲》。中國廈門：鷺江。

卓聖翔、林素梅（1999）《南管曲牌大全》（下集）。高雄市：串門
　　南樂團。

馬上雲（2006a）〈法教咒語曲調之運用：以澎湖普唵派法事為
　　例〉，未刊，發表於 2006 年閩台傳統音樂學術研討會。中國福
　　州市，2006 年 4 月 2-5 日。

——（2006b）"The Role of Music in Ritual of *Hua-Su*: Discussing the
　　Melody of Invocation about "Five-Camp" in Taiwan"，未刊，
　　該文發表於美國民族音樂學會（the Society for Ethnomusi-
　　cology）第 51 屆年會，夏威夷檀香山，2006 年 11 月 16-
　　19 日。

——（2007）〈澎湖普唵派法師之召營咒及其曲調〉，《臺灣音樂研
　　究》，第 5 期，頁 19-46。

「七字仔」台灣福佬歌謠[1]的程式套語[2]運用及其意義

以林清月的《歌謠集粹》為例

黃文車

屏東教育大學中國語文學系助理教授

中文摘要

　　林清月（1883－1960），筆名為怒濤、不老、訴心難等。台南人，是台灣總督府醫學院第四屆的畢業生。曾擔任「台北市醫師公會」首任理事長，是台灣醫界甚為推崇的前輩人物之一。林清月行醫之餘雅好整理與創作台灣歌謠，亦曾出任過「臺灣歌協會」理事。就醫界來看，他是杏林前輩；從歌謠而言，他是采集創作的熱衷者。他曾說過自己「學歌五十有餘年，趣味歌謠別有天」；前省文獻委員會主任委員李騰嶽亦曾稱讚他是「醫生做來真出名，也會唸歌分人聽」。

1　按：本文主要討論的「台灣福佬歌謠」乃以七言四句為基本形式之「七字仔」為主，文中此二名將互相指稱，歷來與七字仔台灣福佬歌謠相關之名如「民歌」、「褒歌」、「閒歌」、「閒仔歌」、「相褒歌」、「採茶歌」、「四句聯」、「駁歌」、「博歌」、「相罵歌」、「情歌」、「歌仔」等等，然其形式要以七言四句為主，而內容則是台灣福佬族群用以傳達生活情感、人情風俗以及勸善易俗等等理念。

2　所謂「程式套語」，其中「程式是在相同步格條件下，常常用來表達一個基本觀念的詞組。它與其說是為了聽眾，不如說是為了歌手使它可以在現場表演壓力之下，快速、流暢地敘事。在不同的語言系統中，程式可能具有完全不同的構造。」參考美•約翰邁爾斯弗里著，朝戈金譯：《口頭詩學：帕理——洛德理論》（北京：社會科學文獻出版社，2000/8），頁 30。可見程式套語的使用主要乃在使講唱者便於記憶，記住既定的程式起句，當面對不同聽眾觀眾時候可以流暢順利的敘述，這也是講唱者的要訣之一。

民間文學與漢學研究

　　林清月整理台灣福佬歌謠的成果大致可分成兩大類：其一是其整理的台灣福佬歌謠「七字仔」，其二則是其創作的白話流行歌詞。本論文擬從林清月整理的七字仔來觀察日治時期至戰後初期台灣福佬歌謠的傳統性與本土性。林清月所整理的這些台灣福佬歌謠多收錄於日治時期的《風月報》、《南方》雜誌及戰後其自費出版的《歌謠集粹》一書，約莫有八百多首。本文擬從這些台灣福佬歌謠進行文本比較，分析這些歌謠的程式套語運用原則和結構，及其延伸的歌謠文意與情境想像；進而觀察這些台灣福佬歌謠敘述結構中的傳統詞彙與歷史記憶，並探討時空遷變後，《歌謠集粹》中台灣福佬歌謠發展所呈現的時代意義。

關鍵詞

　　七字仔、台灣福佬歌謠、程式套語、林清月、歌謠集粹、引韻

Utilizing Formula Language and It's Significance of Taiwanese Fúlǎo Folksongs "Qi Zì Zǎi":

Using Lín Qin-Yuè's "Ge Yíao Jí Cúe" for Example

Huang, Wen-Chu

Assistant Professor Department of Chinese Language and Literature

National PingTung University of Education

Abstract

Lín Qin-Yuè（林清月，1883~1960）had used the following pen-names such as NùTao（怒濤）、BùLǎo（不老） and SùXinNán（訴心難），etc. He was born in Taiwan, but grew up in DàDàoCháng（大稻埕） of Taipei. He was the fourth session of graduate from the college of medicine of Taiwan Governor Government House. Lín Qin-Yuè was the president of Taipei Medical Association. He is not only one of the most reputable doctors but also a positive folksongs-collector.

Lín Qin-Yuè categorized Taiwanese Fúlǎo Folksongs into two kinds, one of them is "Qi Zì Zǎi"（七字仔），and the other one is vernacular popular lyrics. We will focus this thesis on analyzing the text of Taiwanese Fúlǎo Folksongs, and research the structure and utilizing rules of Formula Language（程式套語）. By observing these traditional vocabularies and historical memory of the folksongs, we can find out more about time value and the historical significance of "Ge Yíao Jí Cúe"（歌謠集粹）.

Keywords:

Qi Zì Zǎi, Taiwanese Fúlǎo folksongs, Formula Language, Lín Qin-Yuè, Ge Yíao Jí Cúe, direct rhyme

一、前　言

　　林清月（1883-1960），筆名為怒濤、不老、訴心難、老椰子、探花郎、樂不蜀、月下老、棄婦等。[3] 生於清光緒 9 年（1883）1 月 19 日，卒於民國 49 年（1960）1 月 23 日，享年78 歲。林清月本是台南人，後過繼給姑丈林汝聘，是台灣總督府醫學院第四屆的畢業生，曾擔任「台北市醫師公會」首任理事長，亦曾出任過「台灣歌協會」理事。就醫界來看，他是杏林前輩；從歌謠而言，他是采集創作的熱衷者。前省文獻委員會主任委員李騰嶽曾稱讚他是「醫生做來真出名，也會唸歌分人聽」。

　　目前可見林清月的出版著作共計有《地球上阿片之想像》、《仿詞體之流行歌》和《歌謠集粹》，[4] 前者乃其從醫學角度探討清代以來的鴉片問題及禁煙狀況、鴉片之吸食史與國際問題、鴉片之濫用及末路記等等；[5] 後二者則是林清月整理

---

[3] 將《風月》、《風月報》、《南方》中以「探花郎」、「樂不蜀」、「月下老」、「棄婦」等為筆名發表的歌謠作品與林清月《仿詞體之流行歌》（1951）、《歌謠集粹》（1954）二書中相同、近似主題歌曲之內容進行比較，我們發現「探花郎」、「樂不蜀」、「月下老」、「棄婦」都應是林清月之筆名，如《風月報》第 111 期探花郎發表的〈玫瑰〉同見於林清月《仿詞體之流行歌》中第 58 首；又如《風月報》第 106 期樂不蜀發表的〈思夫十首〉同見於《仿詞體之流行歌》中第 59 首等等，請參考拙論：〈談林清月《仿詞體之流行歌》之相關台灣歌謠創作——從七字仔到白話流行歌曲的過渡〉「附錄二」（花蓮教育大學：《民間文學研究通訊》第 2 期，2006/7，頁 1-34）。

[4] 林清月：《地球上阿片之想像》（上海：商務印書館，1923）；《仿詞體之流行歌》（林清月自費出版，大東南印刷廠印刷，1952/2/16）；《歌謠集粹》（林清月自費出版，中國醫藥出版社，1954/12）。

[5] 日治時期，日人在台的鴉片政策採取專賣制度，台灣人受鴉片毒害不小。林

與仿作台灣福佬歌謠之成果。其中《歌謠集粹》所記所錄乃以
七字仔台灣福佬歌謠為主,其在「著者自序」提及出版與創作
歌謠動機:「余從小對台灣的民謠,別有興趣,凡聽即記,有
聞必錄時時歌唱以自娛。至年邁因承各界賢達之鼓勵與推薦,
囑我纂集小冊付梓,以供同好。」[6]《歌謠集粹》乃其第二本
成果,第一本即是以創作歌謠為主的《仿詞體之流行歌》。由
是可見,林清月出版《歌謠集粹》乃因其特愛台灣福佬歌謠可
涵養性情之效,他曾說歌謠乃「觸於心發於聲,天籟也」,且
多是「天真爛漫,佳者不遜於詩,至善至美」,[7]所以他認為俗
歌並不俚鄙,更有清絕之辭之佳唱,甚至「歌意風雅,別開生
面,性靈傳神」。[8]因此林清月認為台灣福佬歌謠最大功用乃可
以娛樂,可以陶情寄意,並振作精神,修養心性,更甚者是能
感時諷政,針砭世俗,以達勸善之效。例如《歌謠集粹》中所
舉之例:

> 千里路途無嫌遠,見面親像蜜攪糖。
>
> 若不時鐘行倒返,好話未講天先光。
>
> 娘仔生美我見慣,天天對相情難傳。
>
> 若欲情意再美滿,六十甲子算倒翻。

清月苦心觀察數百位鴉片癮患者,然後將研究所得寫成一篇數萬字論文在
《台灣醫學會》雜誌第 65 號發表。此外,林清月醫師並獨創劑方,混合
「海洛因」與「那可汀」二劑而成「海那散」,做為戒治鴉片癮者的藥物,
其治療成果幾近九成。他還回中國考察鴉片吸食情況,並寫了一本《地球上
阿片之命運》,參考莊永明:〈稻江歌謠醫師:林清月先生〉,文章收錄於氏
著:《台北市文化人物傳略》(台北:台北市文獻委員會,1998),頁 41-42。

6　參考林清月:《歌謠集粹》「著者自序」,同註4。

7　參考林清月:《歌謠集粹》「概論」,同註4,頁 1。

8　參考怒濤:〈歌謠拾遺〉,《風月報》107 期,1940/4/15,頁 8-9。

思卜金磚起大厝，思卜白玉來做廚。

金屋藏嬌我做主，允食允睏心免茹。

講卜金磚起大厝，講卜白玉來做廚。

這款好額無人有，阿君明明凸風龜。

如是歌謠出口成章，衝人肺腑，林清月所以幾乎荒怠其醫業而鎮日搜集采錄台灣福佬歌謠，就台灣民間文學的保存上來看，我們不得不去肯定其整理與創作之功勞。至於《歌謠集粹》中八百多首台灣福佬歌謠的主題內容與形式方面有何特別？本文擬從這些的台灣福佬歌謠進行文本比較，觀察與分析其中程式套語運用原則和結構，再回頭審視此程式套語和其延伸的歌謠文意與情境想像是否有其扣合之處？最後探討這些台灣福佬歌謠敘述結構中的傳統詞彙與歷史記憶在時空變遷後呈現出何種現代與本土意義呢？

二、《歌謠集粹》之歌謠文本分析

林清月的《歌謠集粹》乃是集結其自日治至戰後采集整理的台灣福佬歌謠，其中收錄 111 題歌謠，符合七字仔形式者共有八百多首。這些歌謠多以男女情愛為基調，內容包括情思愛戀、婚姻家庭、菜店人生、節令季節、地域風情、呼應國策、其他主題等七類。書中歌謠多采集自民間，唯節令季節、地域風情、呼應國策等主題乃以林清月仿作為主。這些台灣福佬歌謠傳唱出不同社會階層的心理情緒和聲音，反映當時台灣社會

與人民生活的面貌。[9] 不過，群眾利用七字仔唱著這些情緒和風情，若從歌謠形式來觀察，我們又可以發現什麼特殊之處呢？張炫文指出「七字調」在台灣土生土長，順著福佬語言聲調去配合音樂旋律和語言旋律，是一種具有濃郁台灣鄉土色彩的曲調，加上其結合當時台灣各地的山歌、小調，以及被後來的說唱及歌仔戲吸收而傳播全台，於是便迅速地觸動農業時代廣大基層民眾的心弦。[10] 這些曲調配合著七字仔形式本來自民間，更是實在地與台灣福佬族群生活語言結合，自然易為民間說唱者運用。

此外，這些七字仔更可向上承接渡海來台的「歌仔」（kua-á）、「歌仔冊」（kua-á-tsheh，或稱「歌仔簿」，kua-á-phō，或是「歌簿仔」），這些歌仔冊是清道光初年流行於閩南地區的福佬民間歌謠小冊子，其內容包括敘述歷史故事的長篇敘事詩，或與當時社會風俗有關的勸世歌文，以及戲謔小唱等等。這些「歌仔」隨著閩南移民移入台灣，因來自同樣語言的

9　參考拙論：〈醫生作來真出名，也會唸歌分人聽——林清月及其《歌謠集粹》初探〉（屏東：美和技術學院主辦之「2006 南台灣通識教育研討會」論文），頁 70-93。

10　參考張炫文：〈「七字調」在台灣民間歌謠中的地位〉，《民俗曲藝》54 期，1988/7，頁 78-79、95。這些「七字調」即是加上曲調的七字仔，按其演唱速度快慢又可分成「緊板七字調」、「中板七字調」、「慢板七字調」及「七字仔哭」等等。其中「緊板七字調」常被使用在劇情緊張、緊急或人物生氣的情節；「中板七字調」常被使用在游班續數或劇情的鋪陳；「慢板七字調」常被使用在抒情或感傷時候；至於「七字仔哭」則較常被運用在人物極度悲傷之時，屬於「哭調（仔）」的一種。但是「七字調」並不好唱，因為其沒有固定譜式，旋律亦隨歌詞轉變，所以同一曲牌的七字調可以唱出不同的歌詞，甚或是同樣的歌詞，不過因為唱者不同，旋律不同，唱法也會略有不同，「附錄一」引出一首慢板的七字調及其樂譜，可參酌視之。按：本論文重點因在探討林清月《歌謠集粹》中七字仔台灣福佬歌謠程式套語運用及其發展，故七字調及其演唱、樂譜等「音樂」部分暫不論之，俟後補之。

閩南原鄉，因此很快便能融入台灣這個新移民社會，並被台灣多數群眾接受。唸唱過程中許多長篇歌仔逐漸縮短並融合客家山歌等元素，最後形成所謂七字仔的台灣福佬歌謠。

（一）歌謠類型及起句運用

黃得時在〈台灣歌謠之型態〉一文中認為台灣福佬歌謠句與句之間可以分成下列四種類型：

1. 四句全情：這種情形在一般的山歌中較少見，多用於勸戒歌謠或故事歌謠，例如這首「兄哥心肝有意愛，因何即久那無來？害娘割吊心肝呆，在通乎我分東西。」

2. 一句景，三句情：如此首「火傳駛到滬尾港，親娘不可嫁別人。二人相好相痛疼，有頭有尾才是人。」

3. 二句景，二句情：如此首「風蔥開花白波波，八仙過海隨時無。真名正姓共哥報，免得害哥去尋無。」

4. 三句景一句情：這類型的山歌大多是一、二、四句寫景，第三句寫情，很少有前三句景，後一句情的情況，例如這首「韮菜開花直溜溜，松柏點火較光油。自己歹妻罔承受，破船過海較贏泅。」[11]

由這四種類型來看，台灣福佬歌謠中四句全情或三句景一句情的類型較為少見，一般而言乃以第二、三種的一句景三句情和二句景二句情此二類型較多。台灣福佬歌謠多為四句一首，不過若將四句當成一組，反覆的疊沓詠唱，那麼「七字仔」就會變成長歌，而歌仔冊中的內容多是如此。如〈五更鼓〉以 4 句詠一更，故全歌共有 20 句，最長者如歌仔冊《三

---

11 黃得時：〈台灣歌謠之型態〉，《台灣文獻》3：1，1952/5/27，頁 4-6。

伯英台》長達五千多組，亦即有一萬九千三百餘句，不可不謂
內容體製龐大。

　　至於台灣福佬歌謠的「起句」方式，我們可從鍾敬文為謝
雲聲的《台灣情歌集》寫的序中看到：「山歌多喜用顯比，隱
比及雙關等表現法……首句常喜用『起興』之法……。」[12]
鍾敬文的序應是發現台灣福佬歌謠中的起句似乎頗有起興之
妙。關於這部分，黃得時乃將台灣福佬歌謠中的起句類型作了
三類分析：（1）比喻，（2）起興，（3）引韻。[13] 當然最讓黃
氏得意的是他提出「引韻」之說作為台灣福佬歌謠起句的技
巧，原因是台灣福佬歌謠中有些第一或前二句起句的內容和下
文沒有任何關係，若用比喻或起興來解釋，似乎是強為說解，
這樣的起句情形在台灣福佬歌謠中甚為常見，尤其是固定以
「□□開花□□□」或「一□□□是□□」等近似的文句結構
起句的情況最多。

　　其實黃得時所說的「引韻」手法，即是講唱民間文學時常
常被使用的「程式套語」模式。黃得時所言的「引韻」概念或
緣於顧頡剛、鍾敬文等人的「論興」說。[14] 其言之「協韻」
和黃得時所謂的「引韻」極為類似，或許黃氏乃引用顧、鍾等
人的看法也不一定。無論如何，程式套語、引韻或興等手法所

12　鍾敬文：〈序〉，收入謝雲聲的《台灣情歌集》（廣州：中山大學中國民俗叢
　　書 4，1928。此書後來由婁子匡等人編纂，於 1969 年由台北福祿圖書公司
　　複印再版），頁 7。

13　黃得時：〈台灣歌謠之型態〉，同註 11，頁 6-7。

14　見顧頡剛：〈起興〉，《吳歌甲集》「附錄一、寫歌雜記」，「國立北京大學中國
　　民俗學會叢書‧第一輯」，1925。此書於 1971 年春季由婁子匡編校重印（台
　　北：東方文化書局復刻本）。或參考鍾敬文：〈談談興詩〉，收於《古史辨》
　　第 3 冊（台北：藍燈文化事業，1987/11），頁 681。

民間文學與漢學研究

套用之「他物」只是引起所欲詠的「詞」，至於「他物」和「詞」是否有絕對的關係或相關性，則在於閱讀者的自我意會。這或許有點類似美國斯坦利‧費什（Stanley E. Fish）在其《自我消受的制品：十七世紀文學閱讀經驗》書中所重申的讀者的閱讀經驗，而不是「文本本身」理所當然地成為分析的客體，並產生意義，因此其之結論是：「讀者製造了他在文本中所看到的一切。」[15] 因為「意義既不是確定的以及穩定的文本的特徵，也不是不受約束的或者獨立的讀者所具有的屬性，而是解釋團體所共有的特徵。」所以不同讀者就必然會對同一文本製造出不同的意義，因為這全和這些讀者所屬的「解釋團體」相關。當我們在進行文本閱讀時候，屬於一種歷史的、特定的闡釋就會加入你的理解，這並不是說你要把自己看成歷史進入這個團體，而是你已經和這個團體融為一體，你沒有反應就這樣做了。[16]

簡單而言，台灣福佬歌謠中常用的起句手法有比喻、起興和引韻，不過最多時候最特別的形式乃是「引韻」，亦即是「程式套語」的運用，而這情形很多時候是講唱／演唱者為了可以在最短的時間快速流暢地唱出聽眾想要的內容，藉以完成講唱或是娛樂的目的。然而就在這習以為常的引韻之下，這些程式套語究竟可帶出多少歌謠文本所蘊藏的意義及內涵呢？

---

15 引自美‧斯坦利‧費什著，文楚安譯：《讀者反應批評：理論與實踐》（北京：中國社會科學出版社，1998/2），頁4。

16 所謂「解釋團體」，實際上是一個具有社會化的公眾理解系統，在這一系統範圍內，讀者對文本的理解會受到制約；但它也適應讀者，向讀者提供理解範疇，而讀者反過來使其理解範疇同其個人面對的客體（文本）相適應。參考王逢振：《今日西方文學批評理論》（廣西：漓江出版社，1988），頁30。

（二）歌謠文本分析

直接進入《歌謠集粹》文本去觀察林清月所整理之台灣福佬歌謠的型態及起句運用情況，我們發現黃得時所歸納的四個歌謠類型中，非二、三類者幾乎沒有程式套語的使用，例如：

> 千里路途無嫌遠，見面親像蜜攪糖。
> 若不時鐘行倒返，好話未講天先光。
> 貴妃洗浴華清池，明皇看到嘴嘻嘻。
> 侍兒扶起勿坐椅，明皇緊去扶插伊。
> 娘心親像月光暝，君心親像黑暗天。
> 娘用真心對待你，君像蜘蛛吐毒絲。
> 猛虎住在房間內，半暝展威無人知。
> 阿君驚道心肝歹，含眠不時喝虎來。

歌謠文句並無景物摹寫，有的也是運用比喻手法呈現唸唱者的心情，如「見面親像蜜攪糖」、「娘心親像月光暝，君心親像黑暗天」，又或如第二首全首以唐明皇、楊貴妃為比擬對象，描述戀人之間的親暱情態，再如第四首以猛虎比喻家中妻子等等。從這類型的台灣福佬歌謠中，我們可以發現歌謠唸唱者似乎不會全然單純言情，即便是四句全情，當中也會加入比喻、對比等技巧使歌詞更具曲折意義；此外，用典也是特色之一，如用唐明皇與楊貴妃的愛情故事比喻戀人情愛，猛虎之比喻更有「河東獅吼」的意味存在，於是傳統中國故事意象便在台灣福佬歌謠當中重生。除了一、四類外，下文將從另外二種類型去分析探討程式套語的運用情況：

1. 一句景三句情

一景三情類型的台灣福佬歌謠，顧名思義即在七言四句歌詞中起句運用了程式套語手法，第一句和後三句未必有直接關係可言，我們可以下表觀察之：

表1

起句	後三句	引用之人事物
老鼠不敢食貓乳	老人着用大百錢。又告給娘鉎歡喜，阮厝老某罔維持。	老鼠
茉莉開花白絲絲	愛纏阿君賢趁錢。趁錢相珤看影戲，倒返石堂飲咖啡。	茉莉
滴麻油濁在狗頭	看有食無是憖猴。無點又卜冥冥到，阿君生做無緣投。	麻油、狗
甘蔗有時双頭甜	赤人總齣長無錢。做人着愛有志氣，圓人會扁扁會圓。	甘蔗
芙蓉開花會結子	願共兄哥結百年。誰人梟心雷拍死，先梟出世去做豬。	芙蓉
鳳仙開花真大蕊	少年無妻真克虧。明日掛吊喘大氣，好魚好肉食袂肥。	鳳仙
一頂笠仔百百空	一枝嘴水賢拐人。早前是哥你戲弄，半途而廢汝敢可。	笠仔
日葵開花向東旁	哥仔近來真無閑。早早若知就莫應，費了心神真不明。	日葵
紅竹出世紅又紅	聞名娘仔有錢人。向望娘仔相痛疼，痛疼哥身出外人。	紅竹
塗豆好食粒粒香	迎新棄舊三八人。向望兄哥相痛疼，痛疼我身姿娘人。	塗豆（花生）

起句	後三句	引用之人事物
朱蘭開花能合蕊	傢伙開了真客虧。二蕊目睭烏蕊蕊，一個胸前成樓梯。	朱蘭
玉蘭開花真清香	生美兄仔害死人。心肝若好有所望，錢銀來填無採工。	玉蘭
芋茫開花較直筆	問哥講話有確實。心肝若好一粒一，甘願艱苦度過日。	芋茫
六月甘蔗食袂甜	自己褒獎不值錢。愛被別人看有起，假賢難得出頭天。	甘蔗
茉莉塊塊蚊帳內	香入心肝無人知。小娘映望脫苦海，不曾撞着救星來。	茉莉
含笑開花芎蕉香	鑽入鼻孔心茫茫。掛心大志幾仔項，頭項思歌來做夫。	含笑
牡丹開花艷艷紅	親像思春娘子人。看花的人滿街巷，要選何人來做夫。	牡丹
菊花開花各色明	看着目睭真無閑。思要全部提來種，暝日顧花無工情。	菊花
桃花開花紅白清	看著桃花亂神經。阿娘原來桃花性，無採與汝許盡情。	桃花
霜雪許大洄過港	世界盡取汝一人。熱血滿身不驚凍，將來娘的搭心夫。	霜雪、港

　　從表 1 我們可以發現約莫有 20 首屬於一景三情的歌謠，而這些歌謠起句和後三句大多沒有太大關聯。經過整理歸納，我們發現歌謠中最常使用的程式套語是「□□開花□□□」，共有 11 首，佔半數以上；其他運用茉莉、甘蔗、塗豆、紅竹等植物起句者有 5 首，餘者則是天氣物品和動物，共有 4 首。數據顯示這 20 首歌謠的起句大半是以植物意象開頭，剩下的才是氣候物品及動物，這是否表示台灣福佬歌謠習慣以「□□開

花□□□」的程式套語帶出歌謠內容呢？

當然，我們可以發現後幾首歌謠起句未必全和後三句無關，如「含笑開花芎蕉香──鑽入鼻孔心茫茫」，講的是含笑和芎蕉的香鑽入主角鼻孔和心窩；「牡丹開花艷艷紅──親像思春娘子人」，則將思春女子比喻成開花牡丹紅豔四射；至於「桃花開花紅白清──看著桃花亂神經，阿娘原來桃花性」更可看出唱者將阿娘當成桃花性格，胡亂招引採花蜂，害男子浪費時間與之交陪。如此情況是否說明黃得時所謂「引韻」的起句其實未必真的可和「比興」斷然區分，因為我們可以發現雖然唸唱者以程式套語唱出歌謠，但起句卻多少也能帶出後三句的意涵或情感，如這首「鳥鼠走入牛角內，允死無活我真知。是娘亂交愛做呆，哥今知影無要求。」起句「鳥鼠走入牛角內」比喻男子愛上女子是允死無活，如同鳥鼠走入牛角內一樣，絕無逃脫的可能。又如這首「人心不足蛇吞象，傷過貪心無尾留。錢銀用趁莫用搶，買賣公平心清幽。」第一句引用「人心不足蛇吞象」成語來暗喻太過貪心的人最後恐怕會沒有好下場，於是起句兼具比喻及用典功能，而成語的運用則是民間歌者從歌仔冊橫向移入中國文化的絕佳證明。

2. 二句景二句情

在林清月《歌謠集粹》八百多首台灣福佬歌謠中，運用二句景二句情之程式套語起句者最多，我們先以下表來觀察：

表2

起二句	後二句	引用之人事物
桂花細蕊真清香 胡椒粒粒會辛人	不可對錢看過重 若有才情是好尪	桂花、胡椒
桂花細蕊真賢香 胡椒粒粒會辛人	好額阿君無映望 若有才情是好夫	桂花、胡椒
桂花細蕊真清香 胡椒粒粒會辛人	好額阿哥無映望 要嫁賣菜也擔葱	桂花、胡椒
鹹草開花雙頭尖 海水曝乾會變鹽	我身生做斷點艷 可惜吊燈較犯嫌	鹹草、海
海水打岸白絲絲 海邊石頭發青苔	阿君心黑無情義 有身即來喝不纏	海、石頭、青苔
海水潑岸白絲絲 海邊石頭像青苔	阿君心黑無情義 有身即來喝不纏	海、石頭、青苔
海水打岸白絲絲 海邊石頭發青苔	別人好着熱熾熾 阿君好無一對時	海、石頭、青苔
火車卜行哮三聲 福州再去透京城	即久無看娘一影 腳酸手酸也罔行	火車、福州、京城
鳳梨成熟真好味 甘蔗新出攏沒甜	找無一箇好經紀 死做活食會哮咻	鳳梨、甘蔗
鳳梨成熟真好味 甘蔗新出食沒甜	查某美醜無比止 若是中意就值錢	鳳梨、甘蔗
香花茉莉甲黃梔 好食龍眼甲荔枝	查某上美就是你 無娘作伴心虛微	茉莉、黃梔、龍眼、荔枝
含笑過午芎蕉味 桃花過度落胭脂	我娘有心君無意 害娘艱苦二三年	含笑、芎蕉、桃花、胭脂
含笑過午芎蕉味 桃花過度落胭脂	父母寬寬無主意 老娘卜嫁等何時	含笑、芎蕉、桃花、胭脂

起二句	後二句	引用之人事物
含笑過午芎蕉味 桃花過度落胭脂	問君今年十三四 鐵樹開花等何時	含笑、芎蕉、桃花、胭脂
含笑過午芎蕉味 夜合值香月光暝	阿君有心娘無意 害我相思病全年	含笑、芎蕉、夜合、月光
水錦開花白波波 樹梅開花人看無	暗中總有一步好 美娘串愛老豬哥	水錦、樹梅
水錦開花白波波 樹梅開花人看無	博學謙遜人荷老 莫展威風做大哥	水錦、樹梅
水錦開花白波波 樹梅開花人看無	暗中總有一步好 阿娘串愛老豬哥	水錦、樹梅
水錦開花白波波 含笑開花芳過河	阿娘真心與我好 我總不敢看汝無	水錦、含笑
水錦開花白纏纏 艋舺落來大稻埕	嫂嫂說話若無影 敢無誤哥去空行	水錦、艋舺、大稻埕
水錦開花白絲絲 牡丹開花快過時	當蠅當蚊袂好勢 愛要講話驚人疑	水錦、牡丹
水錦開花白絲絲 大屯山尾向天邊	阿君看娘看愜意 想要娶來做細姨	水錦、大屯山
水錦開花枝搖搖 溪藤出世尾鵑鵑	兄哥落難娘免笑 留目看娘亦能着	水錦、溪藤
龍眼好食核烏烏 荔枝好食皮粗粗	對娘騙講你無某 二乃三乃歸床鋪	龍眼、荔枝
松柏生成葉尖尖 海水飲着各嘴鹹	講着錢銀就走閃 無長頭尾可好蟾	松柏、海
松柏生成葉尖尖 海水飲着各嘴鹹	可惜阿君少經驗 僥娘去給別人奄	松柏、海
松柏生成葉葉尖 海水飲着各嘴鹹	大錢要趁有風險 到時艱苦不可嫌	松柏、海

起二句	後二句	引用之人事物
龍眼好食粒粒甜 李子好食酸枝枝	是我憨氣塊愛你 不時笑我薏大豬	龍眼、李子
芎蕉好人人愛 初三初四月光眉	偷來暗去一半擺 卜行久長人會知	芎蕉、月光
那拔好食枝尾霧 菱角好食水中浮	麗人綉樓三層厝 阿君無學掩身符	那拔、菱角
桃花開花美甲紅 茉莉開花白甲香	阿娘目神許活動 目箭免弓射死人	桃花、茉莉
灶空不離番仔火 花矸不離插美花	恨君恨到入骨髓 好無三日四過飛	灶空、番仔火、花矸、美花
竹筍離土目目枯 土豆開花訂土砂	身邊無娘可倚偎 放哥離娘袂快活	竹筍、土豆
一隻船仔四枝篙 駛去外海去佚陶	一陣南風四面報 險險尋無好心哥	船、篙、海
黃菊開花疊疊黃 溪尾過了是新莊	欲去娘厝路有遠 鐵打腳骨行會酸	黃菊、溪、新莊
內山出有相思叢 玉桂無葉枝也芳	阿君生做偌跳弄 盤哥袂着不做人	相思叢、玉桂
獵鴟出世覓雞栽 無雞引進貓快來	為娘掛吊心肝呆 哥身若死娘不知	獵鴟、雞
獵鴟敲風半天飛 紅柑好食十二月	嫂嫂會走哥會逮 任汝做鳥亦難飛	獵鴟、紅柑
春仔開花是暑天 甲苞落水能捲璉	娘仔烘爐茶鈷便 煎茶請歌亦該然	春仔、甲苞
頭前一叢玫瑰樹 後面一叢金榭榴	阿娘生美白甲幼 親像白紙包紅綢	玫瑰樹、金榭榴
烏蠅戴着龍眼壳 狗頭滴着蔴油毒	教着新人舊放離 護娘會好天無目	烏繩、龍眼殼、狗、蔴油

起二句	後二句	引用之人事物
金柑開花六葉献 泉州出有金線蓮	別人較美無欣羨 竟愛娘仔合哥緣	金柑、葉、泉州、金線蓮
天頂若烏雨就到 甘蔗栽尾無栽頭	未三兩月就流走 對人講卜久長包	天烏、雨、甘蔗
東平籬邊菊花美 西平籬邊桂花肥	阿娘怎樣大心氣 為着何事心袂開	籬、菊花、桂花
北投礦水燒鳳鳳 圓山樹木真通風	若有秘密當面講 免用電話來相通	北投、礦水、樹、圓山、風
地下透風起土粉 天頂落雨起風雲	倩着歹人厝內滾 頭擺用搶尾用吞	土粉、雨、風雲
花謝落地片片紅 雪蓋山頭白葱葱	因何春宵隻冷淡 厝內親像尼姑庵	花、雪、山

　　表 2 所列舉之 47 首台灣福佬歌謠中，我們發現程式套語所用者除了自然景物、動物、植物外，還加上器用物和地名。其中自然景物共出現海、石頭、風、月光、雪、天烏、雨、土粉、礦水、大屯山等 10 種；動物則有烏繩、狗、獵鳶、雞等 4 種；最多的莫過於植物的引用，此又可細分為：（1）花草：「花」的種類甚多，例如有桂花（玉桂）、茉莉、黃梔、含笑、桃花、夜合、水錦、樹梅、牡丹、黃菊（菊花）、春仔花、玫瑰等 12 種；「草」的部分則有鹹草、青苔、溪藤、甲苞、金線蓮等 5 種。（2）果樹：其中「果」的部分如胡椒、甘蔗、鳳梨、龍眼、荔枝、李子、芎蕉、那拔、菱角、紅柑、金榭榴、金柑等 12 種；至於「樹」則有松柏、相思叢、玫瑰樹等 3 種。此植物類若加上竹筍、土豆，則共計有 34 種類的花草果樹，其中多可在台灣本土見到，可見唸唱者多是取材於日常生活中所見所聞之物。

　　另外，較一句三情類型增加的是器用物及地名的引用，器用物部分有火車、胭脂、灶空、番仔火、花矸、船、篙、麻油、籬等 8 種；至於地名的套用則有福州、京城、艋舺、大稻埕、新莊、泉州、北投、圓山等 8 種。從這兩項套用語詞來觀察，我們可以發現，器用物多是生活可見之物，如麻油、花矸、胭脂等等，其中的灶空、番仔火更可嗅出台灣在地風味；至於地名的套用部分除了福州、京城、泉州之外，諸如艋舺、大稻埕、新莊、北投、圓山等全是台灣本土地名，可見日治時期這些台灣福佬歌謠唸唱者已多將這些本土城市納入歌中，而這些城市想必是當時人口薈萃或工商發達之地；仔細觀察這些城市全在台北地區，如是現象除了說明林清月采集歌謠處應多集中在台北地區之外，另一方面也可看出清代大城如艋舺、大稻埕，以及日治新興城市如北投、新莊、圓山等地之發跡崛起。

　　至於福州、京城、泉州常在日治時期的台灣福佬歌謠采集作品中出現，例如平澤丁東在《台灣的歌謠與著名故事》（《台灣の歌謠と名著故事》）中便整理了「水錦開花白波波，菜籃挑水不如無。阮嫂生做有即好，親像福州許茶婆。」、「仙丹開花朱朱紅，泉州李五放山東。講人無影罪掛重，天理昭昭快報人。」[17]另外李獻璋亦輯錄幾首如下：「火車欲行吼三聲，福州上去是京城。偌久無見娘一影，腳骨陰瘐也罔行。」、「福州鉸刀假有眼，無錢阿哥真寒酸。一擺提錢一擺緩，緩欲鐵樹開牡丹。」[18] 等等，可見福州、京城、泉州仍是唸唱者願意套

---

[17]　參考平澤丁東：《台灣的歌謠與著名故事》（台北：晃文館，1917/2/5），頁 37、62。

[18]　參考李獻璋：《台灣民間文學集》（台中：台灣新文學社，1936。後由台北：

用且是聽眾熟悉的地方，這個情況恐怕是當時福州、泉州與台灣仍可交通往來有關；另者，唱唸這些歌謠者或是原籍福州、泉州等地之人，其祖先傳唱下來的歌謠，自然繼續在他們的口中唱下去。不過，和台灣艋舺、大稻埕、北投等地名相較，某些中國地域概念如「京城」等則慢慢轉變成概念性的指稱詞彙，例如「第一伶俐就是娘，不高不低好生張。無人伮娘相親像，較美京城皇帝娘。」[19] 所唱者，京城一詞多用以比喻繁華富庶等不可及之處，在庶民大眾的口頭傳唱中反倒成為一種想像能指（singnifier）。

三、《歌謠集粹》中程式套語的運用意義

《歌謠集粹》中二句景二句情類型的台灣福佬歌謠共有 47 首，其所套用引韻的人事物景共有自然景物、動物、植物、器用物和地名等五類，我們發現其具有以下幾項特徵：其一，多常見於日常生活當中，方便引用與引起共鳴；其二，出現富有台灣本土色彩的詞彙及地名，可見唸唱者及聽眾多識其地其物；其三，多以花果為起句的程式套語，如上述以花果引韻者即有 24 種之多，佔此類型半數以上，而這情況亦多可在日治時期台灣福佬歌謠采集作品集中發現，如《台灣的歌謠與著名故事》、《台灣民間文學集》之外，最著名的便是片岡巖的《台灣風俗誌》所輯錄的 66 首台灣福佬歌謠當中，有 58 首都是以「□□開花□□□」程式套語起句，除去大樹、紅花、好花等籠統名詞外，統計這些歌謠中提及的植物果實和花名共有蓮

龍文出版社重印，1989/2），頁 67、134。

[19] 參考李獻璋：《台灣民間文學集》，同上註，頁 135。

子、金橘、香揚、佛手、旺萊、風蔥、菜荳、稻仔、楊桃、枇杷、楊梅、芭蕉、韭菜、綠竹、木槿、木棉、水筆、橄欖、鷹爪、日葵、柳煙、黃菊、紅菊、五爪、牽牛、茉莉、馬茶、水仙、芙蓉、玉蘭、牡丹、苦苓、芍藥、梅花、赤菊、含笑、月桂、黃茶、赤鬚、月香、禪朴、金鳳、鳳仙、四英、黃枝、木香、春仔、雞冠、金錢、夜香、朱蘭、管蘭、桂花、指甲、壇薇等 55 種,[20] 其中或有同物異名的可能,但如是多的植物花朵所呈現的意涵是:這些植物花名多為台灣所見,亦是日常生活周邊可觸及的植物花朵,傳唱者藉之引韻或比興,讓這些七字仔更具台灣本土民間色彩。至於這些以花果為引韻的歌謠,仔細觀察其內容或勸誡世人知足謙卑,如「博學謙遜人荷老,莫展威風做大哥」;或規勸男女真誠相待,如「查某上美就是你,無娘作伴心虛微」或「好額阿君無映望,若有才情是好夫」等等,要而言之多在警世易俗理念傳遞。

如是以花果引韻的程式套語後來有人集結成《百花相褒歌》,[21]此歌計有 76 首七字仔,一共 2128 字。歌謠開宗明義地唱著:「歌仔好呆在人作,我念兮歌勸人好。列位不信聽我報,第一改勸朋友哥。有人念歌真肴噴,我做个歌勸世文。斟酌皆聽即有準,榮話不免廣歸墩。」從此來看,歌謠「勸人好」、「勸世文」的理念確實符合台灣福佬歌謠的勸世精神。

更進一步觀察,《百花相褒歌》中計有 73 首以「□□開花□□□」的程式套語呈現,各首所用之花皆不相同,然而仔細閱讀後可以發現這些歌謠多整理自日治以來文人志士輯錄的作

---

20 參考片岡巖著,陳金田譯:《台灣風俗誌》「八、博歌」(台北:眾文圖書,1990/11,二版二刷),頁 266-279。

21 參考竹林書局:《百花相褒歌》(新竹:竹林書局,1990/8,第 9 版)。

民間文學與漢學研究

品，例如「水仙開花好排場，兄妹二人相對看。那下二人全心肝，恰好青山冷水泉」、「芙蓉開花會結子，甘願共兄結百年。誰人僥心雷打死，代先僥心路傍屍。」或「蓮子開花一點紅，全望娘仔相痛疼。相害娘子總不通，代念君身出外人。」等等，這些台灣福佬歌謠在《台灣的歌謠與著名故事》、《台灣風俗誌》、《台灣情歌集》或《台灣民間文學集》等書中皆可發現。另外，《百花相褒歌》內容所倡仍舊以規勸世間男女需誠意相待，切勿僥心辜負，如此才可「相好結合永傳流」（頁4）。

再藉此《百花相褒歌》，我們可進一步觀察此 73 首台灣福佬歌謠二句情二句景的使用和《歌謠集粹》差異最大之處當是第二句「景」的引用，茲整理如下表：

表 3

起句	第二句	引用之人事時地物
赤鬖開透鬖何何	哪吒出陣提金箍	哪吒
月香開花香透天	王允用計獻貂蟬	王允、貂蟬
鹿蔥開花白波波	八仙過海藍采和	八仙、藍采和
玉蘭開花白波波	武松殺嫂手夯刀	武松、其嫂（潘金蓮）
蜜陀開花有一欉	盤古開天汝一人	盤古
四英開花園盡有	丁蘭有孝害死母	丁蘭、其母
山藥開花在山巔	文廣困在柳州城	文廣、柳州城
白瓊開花在上天	三國一將是孫堅	三國、孫堅
枯祥開花葉恰小	蔡端去造洛陽橋	蔡端、洛陽（橋）
荷藁開花成防風	第一猛將是關公	關公

從表 3 我們可以發現《百花相褒歌》二句景二句情類型的台灣福佬歌謠中，起句以「□□開花□□□」之後，第二句景所引用者有不少是中國古典小說或神話傳說中的人事物例，如八仙過海、哪吒出陣、盤古開天、三國故事、水滸故事、楊家將故事等等，而將這些中國古典小說或神話傳說入歌用以引韻，想必是這些神話傳說或故事流傳於人民的日常生活當中，是唸唱者與聽眾隨處可聽可聞者。庶民大眾雖多不識字，然藉由鄉野間說唱，或是民間戲曲如歌仔戲、布袋戲等之推波助瀾，那些忠孝節義故事或神話傳說典故，其實很容易就植入廣大的平民百姓心坎裡。這樣的情況我們亦可在《台灣民間文學集》等書中發現，如陳三五娘，如三伯英台，如王莽篡漢，如吳王西施，或如程咬金，或如包文拯等。這些易被套用的典故不是出自雅正的經史子集，而是來自通俗的古典小說或民間戲曲，其來自民間，又轉被民間說唱藝人運用，再唱成台灣福佬歌謠，成為中國文化橫向移植的絕佳證明。

當然，林清月《歌謠集粹》中也能見到類似的典故運用，如「西施本成有面水，免妝也嬒輸貴妃。怯勢查某愈愛美，胭脂水粉抹歸堆。」、「蒙正本是乞食底，中了狀元續遊街。小娘歹子若欲做，願心做牛驚無犁。」、「阿娘生做像西施，當今即美足稀奇。被伊邪着憩神氣，頻看敢會病相思？」等歌，當中套用了西施、楊貴妃、呂蒙正等歷史故事人物，亦可見到中國文化的橫向輸入。不過綜觀《歌謠集粹》中帶有中國古典小說或神話傳說人事物的台灣福佬歌謠不算太多，這個情況有二種解釋的可能：其一，林清月《歌謠集粹》中的台灣福佬歌謠有一半以上是林氏的仿作，從文人角度入筆，民間流傳的故事或人物未必皆能入歌；其二，林清月采集的歌謠受限於台北、台

中部分地區，以至輯錄之歌謠或未能顧及全面。

　　雖然這樣的情況影響民間文學的真實性，但我們卻發現日治時期至戰後台灣福佬歌謠發展的新契機，亦即歌謠的唸唱者及傳承者由最初的民間藝人轉變成文人士子或此道同好，而這樣的發展除了讓台灣福佬歌謠文字化之外，民間歌謠的口傳性特色也逐漸受到挑戰，甚至轉趨淡薄，最後變成由文人整理、潤飾、進而仿作，這情形可從《三六九小報》中蕭永東仿作的〈迎春小唱〉、〈消夏小唱〉、〈迎秋小唱〉、〈消寒小唱〉（1931/8~1934/8），或是懺紅、倚紅生、邱穆、挂劍客的〈黛山樵唱〉（1930/9~1933/4），或是歌趣、盛進生的〈稻江春唱〉（1932/2~4）等；以及《風月報》系統中以林清月為主連載的〈流行歌與詞比較〉（1935/5/16~1938/5/15）、〈歌謠拾遺〉（1940/4/15~1941/8/1），或王連喜的〈民間歌謠〉（1941/1/19~1941/2/15）等為代表。就此來觀察，台灣福佬歌謠的發展逐漸從民間口傳進入文字書寫，這雖不意味民間藝人的說唱就此消失，但是什麼文人什麼階級或是什麼團體決定什麼樣的台灣福佬歌謠發展，卻成為觀察日治中晚期至戰後台灣福佬歌謠「變形」不可忽略的關鍵所在。

　　當台灣福佬歌謠以口傳方式流傳於民間說唱藝人或聽眾口語間之際，程式套語呈現的是民間文學發展的集體性與口傳性特色，民間藝人藉程式套語起句引韻，採用的是其與聽眾日常生活當中所見所聞熟悉的人事時地物例，包括動植物、自然景物、器用物或地名。其中可以發現有橫向移植輸入如中國古典小說或神話傳說故事的文化因子，以及在地生成的台灣本土風味，這些原是台灣福佬歌謠的道地本色。然而 1930 年代台灣民間文學采集風氣興盛之後，台灣有志之士開始整理台灣民間

文學，如李獻璋、林清月等人皆是如此。從林清月整理並仿作台灣福佬歌謠的動機來看，一來為了娛樂身心，二來也冀望藉著歌謠傳達勸世易俗之理念，而在文人視野的角度觀照下，台灣福佬歌謠的原型開始產生變化，例如「微吟淺酌唱新歌，清酒飲完又葡萄。棹上盤飧無特種，清脾渴想啖仙桃。」（〈新春〉之二）、「我欲提尊進舊醅，歌朋皆說莫傾杯。飲茶助氣精神爽，乘興狂歌以遣懷。」（〈喜春〉之四）等林氏仿作歌謠，可以清楚發現文人之筆的雅正痕跡，這是台灣福佬歌謠的「形式變形」，幾乎看不見程式套語的運用。

進入皇民化時期，許多呼應國策的皇民文學應運而生，《風月報》轉成《南方》（133 期，1941/7/1）之後陸續刊載了蕉翁（林荊南）的〈大詔降下〉（149 期，1942/3/15）、〈破除迷信歌（一）～（四）〉（180~184 期，1943/8/15~1943/10/15）、簡安都的〈大東亞戰爭歌（一）～（三）〉（183~185 期，1943/9/15~1943/11/1），以及〈風俗改良歌〉（185 期，1943/11/1）等等，同樣未見程式套語的運用，內容則多為呼應國策設計，至此台灣福佬歌謠又有了一次大的「內容變形」。這樣的內容變形從皇民化時期延續至戰後的官方政策，我們可以《歌謠集粹》中的〈散步歌〉為例來觀察，此歌本是林清月在《南方》135 號擬作的〈運動歌〉精簡版，從此歌謠內容觀察，可以發現終戰時期的國策影響，以及戰後的擬官方思考。

歌謠所唱：「運動實在真正好，鍛鍊身體心平和。工課也著認真做，息睏行徙袂過勞。……此款生活著改良，悽慘過日足可傷。著有運動即會勇，身軀若勇國會強。」運動可以強身，更可使心情平和；社會大眾若能運動，身軀自能勇健；身體勇健，自然少病，國家也才能富強。林清月在歌後結語處提

到：「際此非常時，國民體育一綱目，宜深為注意。運動鍛鍊身體，使體力向上，乃我國民當為之義務也。」[22] 這樣的呼籲表面雖有宣揚國策之用，但我們也可從另一方面理解：林清月從其專業醫學知識出發，強調運動強身的好處，但此並非無暝無日的操勞，所求者即是「簡單生活」。[23] 所以此歌也希望百姓能夠改正「過勞」的觀念，例如：「永過查某無上算，透年關到卜黃酸。古早查某真歹命，袂使出來街路行。」、「好額有心可遊賞，第一可憐粗作娘。飼雞飼豬塗裡醬，一年一擺映迎春。」、「好歹總是無塊比，赤人不可專為錢。做人衛生著思起，到時破病就無醫。」等歌即是，所以林清月強力建議台灣大眾在勞苦之餘，也要注意衛生和運動，如歌謠所唱：「錢銀著趁也著用，做人總愛有衛生。食穿會省盡可省，無人運動無精英。……散步運動若慣勢，病鬼相尋尋無時。」歌謠要宣揚的是不論有錢沒錢，心清心煩都要散步運動，那麼病根自然少之又少。從表面看來，時常運動→國民體健→國家強盛的概念雖自〈運動歌〉中透顯國策，不過更深刻思考卻可發現林清月從醫學專業角度的呼籲，就此而言，或許也能提供我們更進一步省思日治晚期台灣知識份子所謂「呼應國策」與否的簡單二元判定。

22　參考林清月：〈歌謠拾遺〉，《南方》135 號，1941/8/1。

23　此理念也可在林清月另書《仿詞體之流行歌》中的〈父母勞碌歌〉之序文看到：「邇來文明日進，度日之術日艱，必須研究簡易生活之道，以減少人生日常之勞苦。……」又見於同書〈祝壽〉歌謠後之「跋」：「大凡吾人日常與外物角逐，勞過於動，動過於靜，夫如是，豈能保吾人之身體健且壽乎？……」，同註 4，頁 26、37。按：雖然運動歌有呼應國策之目的，但我們推想林清月亦可能藉歌謠的勸世功能呼籲台灣民眾運動健身，但非過度操勞，但求「簡單生活」，以達「長壽」之道！

時過境遷之後，林清月將此歌收入《歌謠集粹》當中，並易名為〈散步歌〉，歌後亦附有結語，但已非於《南方》135號中所言者。何以易名為〈散步歌〉？林清月以為：

> 家庭是棲身之處，社會之娛樂設備乃吾人共有之公園，盡可任人移步行遊也，男女既同受教育，皆有活動之社會之責……況賽會禱祭熱鬧之日，男女共此娛樂之情，世界陶情寄意之場，謂僅男子專享其利，而必禁閉女子於寂寞愁慘之中，豈非事之至不平者也。至於外出之有無流弊，則視乎教育之效果如何？社會之風規如何？其責任亦當由男子負之，此吾所以因散步說起而書及之。[24]

就當時的社會環境來看林清月的主張，其實是相當合理但確具挑戰性的。其主張男女均應運動散步，此乃合理之訴求，一來可以強身健體，二來強調保健衛生。比較《南方》的〈運動歌〉以及《歌謠集粹》的〈散步歌〉之內容，發現前者共有144句，然至後者則僅留84句，亦即此歌最後被刪減了60句，被刪去的這一大段唱的是日治會社燒炭烏煙四起的污染現象，如「塗炭燃著吐烏煙，銃著銅鐵會生銑。銃著白衫黃遍遍，傢私銃著袂新煙。……家家毒煙每日放，袂輸會社大煙筒。十枝來做一枝算……無錢的煙大力吞，腹內全是烏煙坌。入去五臟亂亂滾，積傷受病烏嘴唇。」[25] 這些毒煙對人體動植物均有所害，自然需要禁除。以運動強身為主題的〈運動

---

24 參考林清月：〈散步歌〉結語，收於氏著：《歌謠集粹》，同註4，頁64。

25 參考林清月：〈歌謠拾遺〉，《南方》135號，1941/8/1。

歌〉強調運動健身報國之宗旨，因此呼籲島民杜絕燃放黑炭，家中禁毒煙；[26] 要求人人運動，走出戶外的理念實際上也頗符合南方國策；不過若是《南方》時期的〈運動歌〉要「適切」地擔負起建設新東亞的任務，那麼跨過二戰後的〈散步歌〉，林清月將燒黑炭、燃生石炭造成空氣污染的歌謠內容刪去，是否也和當時國民政府「犧牲農業，發展工業」以反共之政策有關呢？[27] 抑或是作者個人本身因素，我們暫仍存疑！

從〈運動歌〉至〈散步歌〉的發展來看，七字仔台灣福佬歌謠在時代環境、國家政策甚至文人巧筆潤飾之下逐漸產生變形，就內容而言，從三〇年代的煙花情愛唱至終戰及戰後的政策呼應；以形式來看，從多用程式套語來起韻的手法轉變成通篇陳述概念的直述手法，這是其變異之處。而其不變者，就內容來看，乃是歌謠傳達勸世易俗之觀點；從形式而言，則是台灣福佬歌謠七言四句的基本型態。因此，時空背景及政治國策的變遷勢必對文人或民間文學造成衝擊，然而文人仿作台灣福佬歌謠的變異雖可看出時代環境作手的影響，但不可否認的是

26　按：林清月在 135 期的〈歌謠拾遺〉結尾有言：「當時北部島民家庭多用生石炭，十餘年前由島民之自覺，改用熟炭。」歌中所言「家家毒煙每日放」所說應是指此燃燒生石炭而排出黑煙。

27　1949 年國民黨政府搬遷來台，帶來大量軍民，形成台灣極大的人口壓力，為了解決糧食問題，又須準備反攻聖戰，於是李連春在擔任台灣糧食局局長任內，採取肥料換穀、貸放生產基金、改良栽培技術、推動機械化收割、防治病蟲害等策略，用以增加稻作生產量，加強農業外銷，增加國民所得，以達發展工業之目標。農民權益便在「犧牲農業、發展工業」的政策下被犧牲。參考張炎憲：〈卷頭語〉，《台灣風物》51：4（台北：台灣風物雜誌社，2001/12），又可參考魏正岳：〈以農養工時期的台灣糧政（上）〉，《台灣風物》51：4，頁 143。按：是否因為國家政策主要以農輔工，卻著重發展工業之目標讓作者刪去關於工業空氣污染之歌謠內容，我們做有此理由之猜測，但未必俱全，故仍存疑！

台灣福佬歌謠面貌變形和整理者或仿作者仍有絕大關係。至於這些時空氛圍影響下的台灣福佬歌謠之改編和仿作並非全無價值可言？相反的，在時局不安、國策當前的環境下，這些歌謠作品替後世保存了珍貴的民間文學（偽民間文學）素材，即便是那真正用以呼應國策的作品亦見證了改編者和日人的處心積慮，正因為這些作品的存在，我們才能發現環境變遷下台灣福佬歌謠內容及形式異同之變化與時代意義。

四、結　語

林清月的《歌謠集粹》共收錄八百多首的台灣福佬歌謠，這些七字仔歌謠內容包括情思愛戀、婚姻家庭、菜店人生、節令季節、地域風情、呼應國策、其他主題等七類，此些歌謠傳唱出不同社會階層的心理情緒和聲音，反映當時台灣社會與人民生活的面貌。本文試著從林清月《歌謠集粹》整理之台灣福佬歌謠的程式套語運用來觀察這些歌謠文意延伸及情境想像，並藉以探討時代環境變遷後中台灣福佬歌謠的傳統與本土意義。

從上文列表分析後我們可以發現，《歌謠集粹》中運用程式套語為起頭一、二句的作品約有 67 首，而這 67 首台灣福佬歌謠所呈現出的特色約莫有下列幾點：

（一）歌謠作品所運用的程式套語之人事時地物例主要包括動物、植物、自然景物、器用物或地名，其中又以植物之「花果」被套用最多；且多運用「□□開花□□□」之形式引韻，而以之起句的又多屬於二句景二句

情之類型作品，可以《台灣風俗誌》或《百花相褒歌》等觀察此程式套語之運用情況。

(二) 程式套語中多有借助中國古典小說或神話傳說故事中的人事物典故藉以比興或暗喻，這些中國歷史文學文化典故多來自閩南歌仔冊及台灣民間戲曲的傳播與流行，從此可以發現中國文化橫向移入的特色，以及台灣人對中國原鄉的文化想像。

(三) 程式套語的運用雖略有不同，但卻有其規範和傳統，所套用之內容多是說唱者及聽眾日常生活當中所見所聞熟悉的人事時地物例，從此可以看見歌謠的傳承性和傳統性；但隨著時空遞嬗，部分中國地域詞彙逐漸變成空洞能指，取而代之的是在地生成的台灣城市與土地，如艋舺、大稻埕、新莊、北投、圓山、大屯山等等，可以發現台灣福佬歌謠的在地化與現代化特色。

(四) 國策與文人采集整理影響台灣福佬歌謠之形式與內容，前者主要是程式套語運用的逐漸流失，後者則是政策的呼應，此為其「變」；而其不變者，是七字仔七言四句的基本型態和勸世易俗之警世傳唱。

當然，《歌謠集粹》八百多首台灣福佬歌謠中僅有 67 首作品運用程式套語起句，此約莫只有十分之一的比例並非代表當時歌謠的唸唱者放棄熟悉的程式套語，從另一角度觀察，恐是林清月的整理與仿作改變了《歌謠集粹》中歌謠作品的敘事方式，並間接促成台語（福佬語、閩南語）流行歌曲的興盛與發展，這情況可從其仿作台灣福佬歌謠並加以創新改變成白話歌

詞而成為七字仔至台語流行歌曲的過渡橋樑來觀察，[28] 而林
清月長篇敘事的劇本式歌謠則有可能是五、六○年代台語劇或
台語片的先聲。[29] 要而言之，文人採錄整理及仿作是台灣福
佬歌謠從傳統性、傳承性跳脫「變形」的主因之一，另外，時
代環境和國家激進政策亦是歌謠變形的作手。從《歌謠集粹》
中的歌謠作品來觀察日治時期至戰後初期「七字仔」台灣福佬
歌謠的程式套語運用及其意義，我們可以發現代表傳統性與傳
承性的程式套語逐漸流失，其中的中國文化歷史記憶逐漸成為
能指，取而代之的是台灣本土的風情色彩，以及逐漸合乎時
代、國策甚或是流行市場考量的台語流行歌曲及影片，而這樣
的趨勢，正和台灣走向現代化、城市化以及商業化的發展過程
相輔相成。

主要參考書目

一、林清月專書

林清月，《仿詞體之流行歌》，大東南印刷廠印刷，1952/2/16。

林清月，《歌謠集粹》，中國醫藥出版社，1954/12。

二、其他書籍

平澤丁東，《台灣的歌謠與著名故事》，台北：晃文館，1917/2/5。

謝雲聲，《台灣情歌集》，廣州：中山大學中國民俗叢書 4，1928，

---

28 參考拙論：〈談林清月《仿詞體之流行歌》之相關台灣歌謠創作——從七字
仔到白話流行歌曲的過渡〉，同註 3。

29 參考拙論：〈從林清月的唱和歌謠看白話歌詞到台語片歌曲及台語劇的發
展〉，屏東：國立屏東教育大學中文系主辦之「2007 台灣文學與電影學術研
討會」論文，2007/11/4，頁 9-30。

　　　台北：福祿圖書公司複印再版，1969。

顧頡剛，《吳歌甲集》，國立北京大學中國民俗學會叢書・第一輯，
　　　1925，台北：東方文化書局復刻本，1971。

王逢振，《今日西方文學批評理論》，廣西：漓江出版社，1988。

李獻璋，《台灣民間文學集》，台中：台灣新文學社，1936，台北：
　　　龍文出版社重印，1989/2。

片岡巖著，陳金田譯，《台灣風俗誌》，台北：眾文圖書，1990/11，
　　　二版二刷。

竹林書局，《百花相褒歌》，新竹：竹林書局，1990/8，第 9 版。

美・斯坦利・費什著，文楚安譯，《讀者反應批評：理論與實踐》，
　　　北京：中國社會科學出版社，1998/2。

美・約翰邁爾斯弗里著，朝戈金譯，《口頭詩學：帕理——洛德理
　　　論》，北京：社會科學文獻出版社，2000/8。

三、期刊論文

黃得時，〈台灣歌謠之型態〉，《台灣文獻》3：1，1952/5/27，頁 4-6。

張炫文，〈「七字調」在台灣民間歌謠中的地位〉，《民俗曲藝》54
　　　期，1988/7，頁 78-79、95。

莊永明，〈稻江歌謠醫師：林清月先生〉，《台北市文化人物傳略》，
　　　（台北：台北市文獻委員會，1998），頁 41-42。

黃文車，〈醫生作來真出名，也會唸歌分人聽——林清月及其《歌
　　　謠集粹》初探〉，屏東美和技術學院主辦「2006 南台灣通識教
　　　育研討會」論文，頁 70-93。

黃文車，〈談林清月《仿詞體之流行歌》之相關台灣歌謠創作——
　　　從七字仔到白話流行歌曲的過渡〉，花蓮教育大學《民間文學
　　　研究通訊》第 2 期，2006/7，頁 1-34。

附錄一：七字調譜

```
    0   6156 │  3 . 61 │ 5635 2312 │  3   — │ 3 32  1 6 │ 2312    3 │
                                              一 日    離  鄉
3 5 2315 │ 6 3 6362 │ 1216  5 6 │ 3 5 2315 │  6   — │ 5 3 2312 │
啊                                                      一   日
3 6   1 2 │ 3 6 5635 │ 3 6  5 3 │ 1   1 │ 6   — │ 5 35 32 1 │
深             好 似  孤 雁 啊    宿
2 3 21 6 │ 3 . 5 6561 │  5 . 32 │ 3 . 5 2315 │ 6 3 6362 │ 1216  5 6 │
山     林
3 5 2315 │  6   — │ 32 1 65 3 │ 3 . 5  2 3 │  3   — │ 1 . 2 3212 │
               出外 啊 雖啊 然 啊    光   景
3 . 2 1656 │ 6 . 1  2 3 │ 5 35 2315 │ 6 3 6362 │ 1216  5 6 │ 3 . 5 2315 │
好 啊
    6   — │ 1 1 65 3 │ 3212   3 │ 1   — │ 5 35 3212 │ 3 . 2  1 6 │
            思 念 啊 故  鄉 啊    一   片
3 . 5 6561 │ 5 . 1 6535 │ 1 6 3 23 │ 5 . 3 3212 │  3   6 1 │ 3 6 5635 │
心  啊       思念故鄉 一 片  心 啊
2312 3532 │ 1235 2315 │  6   — │
```

資料引自：http://www.klgp.idv.tw/k03.5.htm

「民間」資源與新文學論述中
的身分認同

以魯迅、周作人為例

林分份

北京師範大學文學院講師（北京大學中文系 2008 屆博士）

中文摘要

　　民間文學成為知識份子自覺借鑒的一種「資源」，發軔於近代，並在五四歌謠運動和新文學運動中釀成為實質性的思潮。作為現代文壇的兩座高峰，魯迅與周作人各自的民間文學論述及各異其趣的新文學塑造，在新文化人中具有代表性的意義。

　　周作人的民間文學論述主要取科學、理性的立場，這使他對民眾的落後面一直保持警惕，對各種民眾文學運動思潮取否定性的態度，「民間」在他的新文學塑造中最終成為否定性的因素。經由周作人，本文展現了新文化人理論上的民間崇拜與實質上的精英立場之間弔詭的一面。

　　魯迅的民間文學論述中民本主義的立場一以貫之，這與其對民眾的情感體認相關，也與其 1927 年以後向左翼思潮的靠近相關。與周作人的「俯視」民間相比，魯迅試圖以「臣服」民間的方式修改知識份子自身的形象，無疑提供了近代以來文學改造與文化變革的另一種思路；但他的民眾認同中所隱含的對大眾化、集團化的過度推崇，在某種意義上成為後來激進知識份子意識形態宣傳的思想資源。

　　概言之，在文學史與思想史的框架中，本文探討了魯迅、周作人各自的「民間」資源與新文學論述中身分認同的關係，由此呈現新文化運動中民間文學現代性的兩種富有代表意義的模式。

關鍵詞

　　民間、新文學、身分認同、魯迅、周作人

民間文學與漢學研究

Folklore Resource and Self-Identification in New Literature Discourse

Lin, Fen-Fen

Lecturer, Beijin Normal University

Abstract

Folklore became a resource for intellectuals since Late Qing Dynasty, and it came into being a trend of thought in the Folklore movement and New Literature revolution of Wu-si. As the two pinnacles of New Literature, Lu Xun and Chou Zuo-ren were very representative in their discourse upon Folklore and fashioning New Literature respectively.

Chou took a scientific and rational stand on his folklore discourse, which made him alert with the negativity of populace, negated all kinds of literature movements of populace, thus, Folk became a negative factor. By Chou, this paper posts the paradox between theoretic folk enthronement and practical intellectual stand of New Intellectuals.

Lu Xun kept a persistent warm position to populace in his discourse upon Folklore, Which attributed to his experience of populace and his tune close to left wing thought since 1927. Comparatively, Lu Xun tried to modify the image of Chinese intellectuals by submitting to, differing from Chou's looking down populace, which offered another way in New Literature and New Culture reformation. But, Lu Xun's submitting implied a trend aggrandizing the importance of popularization and collectivization which became a thought resource for ideological propaganda used by the latter extremely left wing intellectuals.

To sum up, based on the history of literature and thought, this paper discusses the relation respectively between Lu Xun and Chou Zuoren's discourse upon Folklore and New Literature and their self-identity, thus it shows two representative models of the Folklore modernity in New Culture movement.

Keywords:

Folk, new literature, self-identity, Lu Xun, Chou Zuo-ren

一

按照歷史學家的考察，在歐洲文化史上，高雅文化與大眾文化之區別開來，是近三四百年來的事；而英文的 Folklore（民間文學、民俗學）則開始出現於 1846 年。[1]作為文化之載體或形態之一的高雅文學（或貴族文學）與大眾文學（或民間文學），其出現的歷史情形大體同此。就中國而言，文人對於民間文學與士大夫文學的自覺區分大體也是自 17 世紀以來的事。比如，明代戲曲家馮夢龍在為其寫錄的《山歌》作序時寫道：

> 且今雖季世，而但有假詩文，無假山歌，則以山歌不與詩文爭名，故不屑假。苟其不屑假，而吾藉以存真，不亦可乎？……若夫男女之真情，發名教之偽藥，其功於《掛枝兒》等。故錄《掛枝詞》而次及《山歌》。[2]

此一論述至少透露了兩樣資訊：其一，山歌在明季不被士大夫看重，其緣由乃在於「不與詩文爭名」；其二，馮夢龍之寫錄山歌只是為了「藉以存真」、保持「男女之真情」。這兩樣

---

1 彼得・伯克指出，大約在 1650 年以後才有可能發現英國、法國和義大利的學者開始把高雅文化和大眾文化區別開來，拋棄了大眾的信仰，但發現他們本身就是一個有吸引力的研究課題。參見彼得・伯克《歐洲近代早期的大眾文化》，頁 343，頁 3。

2 〈《山歌》序〉，見婁子匡編「國立北京大學中國民俗學會民俗叢書」2《山歌》，馮夢龍著，顧頡剛校點，臺北，東方文化書局，1970 年（出版月份不詳）。

資訊表明了歌謠等民間文學在古代士大夫文學中的大致地位，以及知識份子關注民間文學的自發性動機。

　　但中國知識份子對民間文學的自覺借鑒，是近代以來的事。近代以降，中國的內憂外患迫使知識份子尋求變法圖強和啟蒙自救的工具，但實踐證明，在應對新的世界形式面前，傳統的中國文化顯得蒼白無力。因而，「求古源盡者將求方來之泉，將求新源。」向西方學習成了解決中國問題的出路。但自洋務運動以來，各種「置古事不道，別求新聲於異邦」[3] 的舉措並沒有改變傳統中國的文化格局和政治命運，由此，一部分知識份子在反思的過程中將目光重新投向本邦的文化，著力於在儒家文化為主的「大傳統」以外發掘「小傳統」[4] 中的優異因素，以此作為實現文化變革的新質。這種政治思想變革的動機，也使得中國知識份子對於構成小傳統的民眾及其文化的關注，一開始就帶有強烈的工具理性。而在負載著文化變革任務的文學變革運動中，以通俗易懂的白話文為書寫語言的民間文學，就自然而然地成了知識份子所鍾情的對象，成為他們藉以改造士大夫文學的一種「資源」。即是說，中國的民間文學（更廣義的講是民間文化）實際上充當了孔教和西化之外的第三種選擇。

　　在近代以來推崇民間文學的過程中，梁啟超、夏曾佑、蔣觀雲、譚嗣同和黃遵憲等人在以下方面達成了共識：其一，神話養成民族精神，為民族文學之源。其二，歌謠、童謠、寓言

3　以上參見魯迅〈摩羅詩力說〉，《魯迅全集》第 1 卷，頁 68。

4　按照雷德菲爾德（Robert Redfield）的觀點，「大傳統」是在學校或教堂裡培植起來的；「小傳統」則是自生自長，並在文盲充斥的鄉村社區的生活中保持自己的存續。參見 Redfield, *Peasant Society and Culture*, pp41-42.

不但具有教育功能（尤其對兒童教育），而且，借鑒歌謠可以
改良詩歌創作。這些人中，蔣觀雲接受了西方人類學的觀點，
認為神話歌謠可以振興民族文學，再以文學「鼓盪」人心，從
而達到「新民」的目的，比梁啟超認為小說攸關國家興衰的誇
張，顯得更為現實可行。[5]但真正對於民間文學與二十世紀中
國文學與文化之關係的建構，卻是由魯迅、周作人、胡適等五
四新文化人所完成的。[6]五四新文化人之推崇「民間」，自然與
他們整體的啟蒙目的和新文學變革的動機密切相關，而這種應
時而需的狀況，使得民間文學之受到近代以來中國知識份子的
大力推崇，以一種近似於被「發現」的姿態呈現。此一情形，
與 18 世紀歐洲的「兒童」與民歌之受啟蒙知識份子的關注相
似。柄谷行人在研究日本現代文學的起源時指出，盧梭嘗試運
用了所謂關於兒童的科學觀察方法，以「發現」兒童的方式，
批判至今積累下來的作為幻想的「意識」，或者批判作為歷史
形成物的制度之不證自明性；然而盧梭所說的兒童──自然
人，並非歷史的經驗性的東西，而是一個方法論的眼光下可觀
察的對象，或者說，作為觀察對象的兒童是從傳統的生活世界
隔離開來被抽象化了的存在。[7]這樣的論述有助於我們認識五
四新文學家對民間文學和民眾的發現。然而，柄谷行人論述盧
梭之發現「兒童」這一命題時對「科學研究方法」的強調，本
身就隱含著一種科學理性和精英主義的立場，與 18 世紀伏爾
泰等人的啟蒙理性的內在思路一致。而實際上，盧梭與啟蒙運

5　參見鐘敬文《鐘敬文自選集──民間文藝學及其歷史》，頁 359-364。

6　學界比較一致的意見是，Folklore 之作為「民俗學」乃是由周作人首次翻譯
　　進來，其作為「民間文學」也是由五四知識份子所賦予的。

7　參見柄谷行人《日本現代文學的起源》，頁 123-124。

動的關係頗為複雜。彼得・伯克在考察盧梭與 18 世紀的大眾文化運動時指出，啟蒙運動時期知識份子的發現大眾文化（民間文化），是一場文化原始主義運動的組成部分，「在這場運動中，古代的、遙遠的和流行的東西都處於平等地位上。難怪盧梭喜歡民歌，他發現民歌因簡單、樸實和古舊而動人；因為他是他那個時代的文化原始主義的偉大代言人。」而這場以盧梭為主的深具浪漫色彩的文化原始主義運動，實際上也是「對以伏爾泰為典型的啟蒙主義運動的反動，反對其中的精英主義，反對它對傳統的拋棄，反對它強調理性。」[8]

從這個意義上說，中國現代學者對民間文學與民眾的「發現」，並非（至少並不主要）如研究者所指出的，是因為有了「科學研究的方法」和知識的透鏡才使這些物件呈現出來。[9]換言之，中國知識份子之發現民間文學與民眾，並非僅僅是一種科學研究方法或是工具理性的進步。五四新文化運動主要是一場由知識份子所發動的思想啟蒙運動，對於「科學」與「民主」的標榜正顯示出其啟蒙理性的特質；但五四新文化人對民間文化與文學的借鑒，本身卻蘊涵著諸多非理性乃至反理性的因素。[10]一方面，徵集歌謠與對民間文學的推崇正是自我定位和民族救亡運動的組成部分。另一方面，對這些大多數由傳統士大夫家庭出身的知識份子來說，民眾是神秘的他者，他們具有著發現者身上所不具備的東西（或者他們以為自己身上所不

---

8 彼得・伯克：《歐洲近代早期的大眾文化》，頁 13。

9 戶曉輝：《現代性與民間文學》，頁 119。

10 正如張灝指出，「就思想而言，五四實在是一個矛盾的時代：表面上它是一個強調思想，推崇理性的時代，而實際上它卻是一個熱血沸騰，情緒激盪的時代；表面上五四是以西方啟蒙運動重知主義為楷模，而骨子裡它卻帶有強烈的浪漫主義色彩。」參見《張灝自選集》，頁 232。

具備的東西）：淳樸，單純，沒有文化，天性如初，沒有理性，紮根傳統與鄉土，缺乏任何個體意識（個體消失在社區之中）等等。正是這些與傳統士大夫文化截然不同的異質性因素，很容易成為急於尋求文化解救之「新源」的知識份子所借鑒的物件。撇開提倡理性、個性的時代氛圍與民眾的非理性、缺乏個體意識之間的邏輯矛盾不談，指望通過推崇一種文化分層中處於較低層次的文學類型來批判處於較高層次的文學類型，以此塑造一種與貴族文學決裂的新文學，本身就是一種浪漫的心態。

另外，必須指出的是，在五四前後的時代氛圍中，民眾以其落後、愚昧作為新文化人啟蒙的對象，而民眾之自然、淳樸、剛健、清新的一面又被新文化人想像為對抗傳統士大夫文化的資源。此一悖論性的狀態，在表明「民間」乃是一種被新文化人「發現」並賦予的、帶有啟蒙願景的「裝置」外，實際也透露出新文化人在此一「發現」中身分認同的焦慮。誠如研究者指出，這些從事（提倡）歌謠收集與研究的新文化人，在民間之外，又與平民和貴族都不相連，但也就是這種身分的模糊和待定，使他們獲得了能夠在「民」與「非民」之間任隨取捨的優越和自由：當需要發現民間並啟蒙大眾和改造國民時，他們就是民眾之外的社會良心和知識精英；而在需要抵制官府、批判聖賢的時候，他們則又轉而「為民請命」乃至成為民眾的一員了。[11]然而此說或許顯得過於一概而論。仔細考察五四新文化人的民間論述，則他們對於民間文學（民間文化）與新文學（新文化）之關係的論述並非全然一致；這種差異性可

---

[11] 參見徐新建《民歌與國學——民國早期「歌謠運動」的回顧與思考》，頁28。

能在他們借鑒民間文學伊始就已經顯現出來，並在實際論述中影響了他們對於新文學以及自我身分的塑造。因而，本文接下來試圖以提倡民間文學頗力的魯迅、周作人兄弟為例，在文學史與思想史的框架中，探勘五四新文化人的新文學建構中對於「民間」資源的不同借鑒方式，由此呈現他們的身分認同的差異及其思想心態的複雜性。

二

　　五四時期，在為劉半農《江陰船歌》寫的序中，周作人就民歌而論民間文學，對民間文學的幾個主要特點做出了個人化的理解與闡釋：一，所謂「民間」，乃是指「多數不文的民眾」；二，純粹的「民間文學」是生於民間，且通行於民間，它記載了民眾所感的情緒與所知的事實；三，民間文學是民族文學的始基，其特質在於真實表現民間的精神，有精彩的技巧與思想並非其所長，而有「笨拙的措詞」和「粗鄙的意思」正是其本來，因此也無可奈何；四，經文人收錄、修飾後的民間文學（如中國的子夜歌等抒情民歌），雖成為文藝的出品，卻減少了科學的價值。[12]作為五四時期著名的文藝理論家和歌謠運動的實際領軍，周作人的民間文學界說具有普適性的意義。它不僅基本囊括了五四知識份子對於民間文學認識的諸多面向，而且將「民間」與「多數不文的民眾」等同，在現實指向上賦予「民間」與「下層大眾」、「勞工階層」、「平民」、「民眾」等諸多概念一致的內涵，由此形成與「貴族」、「士大夫」

12　周作人：〈《江陰船歌》序〉，《談龍集》，頁 47-48。

等概念二極相反的模式。換言之，在周作人、魯迅、胡適等新文學家的論述視野中，民間文學往往以平民文學、勞工文學、民眾文學等等[13]的變體出現，處於對立面的，則是貴族文學（廟堂文學）、士大夫文學、文人文學等。因而，當本文考察「民間」資源與新文學的建構這一命題時，除了關注新文學家的民間文學論述外，更多的是考察他們對民眾文學（平民文學）以及體現為民眾文學形式的國民文學、革命文學、左翼文學等當下文學思潮的論述，由此呈現他們對於新文學的不同想像與建構。

周作人對民間文學的研究興趣肇始於留日期間。回國後，自 1912 年起即開始從事民間文學的收集與研究。整體而言，其民間文學論述，是以民俗學方法為核心而展開的關於民間文學的理論認知與建構，其範圍主要集中在神話、童話、歌謠等方面的「學術的」研究。然而，在提倡民俗學「學術的」研究的同時，周作人不忘民間文學「文藝的」研究的意義。特別是在論述民間文學與新文學的關係時，周作人屢屢強調對民間文學「文藝的」研究「可以供詩的變遷的研究，或做新詩創作的參考」，以「引起將來的民族的詩的發展」。[14]具體而言，即民歌的「風格與方法」、「方言」特色等可以為新文學特別是新詩的創作與發展提供借鑒。[15]

---

13 當然，民間文學與平民文學、民眾文學等普通文學之間還是有差別的，正如當時論者所說的，「……民間文學和普通文學的不同：一個是個人創作出來的，一個卻是民族全體創作出來的；一個是成文的，一個卻是口述的不成文的。」參見愈之〈論民間文學〉，1921 年 1 月《婦女雜誌》7 卷 1 號。

14 周作人：〈《歌謠》發刊詞〉，1922 年 12 月《歌謠》第 1 號。

15 參見周作人〈讀《童謠大觀》〉（《談龍集》，頁 169）、〈歌謠與方言調查〉（1923 年 11 月《歌謠》第 31 號）。

認識到民間文學乃後世貴族文學（士大夫文學、文人文學）之源頭，並將民間文學作為文人文學創作的借鑒對象，實是五四新文化人對於民間文學的共識。[16]就此而言，周作人並沒有過人之論，倒是其在論述民間文學與各種民眾文學形態之間的思路及其游移的立場值得關注。總體而言，在周作人民間文學與新文學論述的視野中，現實的國民文學、階級文學、革命文學等文學思潮，都被其歸入民眾文學的範疇；而周作人正是通過對當前多種民眾文學形態的評判發展著他的新文學論述，也由此不斷修正其所塑造的新文學形象。

1925 年 6 月，在致穆木天的信中，周作人談到自己也贊成國民文學，「但是我要附加一句，提倡國民文學同時必須提倡個人主義」。[17]此外他還指出，歌謠要被「全心的」接納為「民族的文學」，其關鍵在於「個人意識」與「民族意識」的同樣發達；而只有具備「徹底的個人主義」，真正的國家主義才會發生，提倡民眾文學與國民文學也才不至於「落空」和「毫無希望」。[18]實際上，周作人在此將「個人主義」指認為其理想「新文學」的核心與旗幟；反之，任何缺乏個人主義意味的、以「群眾」或者「多數人」為基準而展開的文學思潮，在他看來都無法在「革命」的意義上成為新文學的發展方向。

與對「個人主義」文學觀的堅持相伴隨的是，周作人通過

---

16 參見胡適《白話文學史》（上卷）19 頁（上海：新月書店，1928 年 12 月再版本）、傅斯年《中國古代文學史講義》（《傅斯年全集》，長沙：湖南教育出版社，2003 年 9 月，卷 2 頁 9）、魯迅〈門外文壇·不識字的作家〉（《魯迅全集》第 6 卷，頁 96-97）。

17 周作人：〈答木天〉，1925 年 7 月《語絲》第 34 期，後改題為〈與友人論國民文學書〉收入《雨天的書》。

18 周作人：〈潮州畬歌集序〉，《談龍集》，頁 46。

批評各種形式的民眾文學（通俗文學）展開他對新文學的建構。1927 年 6 月，在回答讀者芸深的信中，周作人指出，新時代的作品中也常見到舊時代的舊話，文學並沒有什麼階級可分，但文學裡的思想確實可以分出屬於某一階級某一時代的，如封建時代或有產階級之類；以蘇曼殊為代表的鴛鴦蝴蝶派的思想並沒有逃出舊道德的樊籬，而彼時的革命文學，正與鴛鴦蝴蝶派同。[19]讓周作人念茲在茲者，並非某一時代文學階級屬性的共時性劃分，而是不同時代文學作品中思想、精神的歷時性沿襲。就此而言，在他看來，革命文學之所以不符「革命」之實，即在於其傳達的是一種歷史沿襲的舊思想，只不過在形式上借了民眾的口重說出來。[20]

由文學中各階級之間思想的傳遞，周作人否認了文學革命、革命文學等與舊文學區別的「革命」新質。與此同時，通過對民眾、平民、國民等概念的修正，他改變了之前對於新文學構成的判斷。1925 年 7 月，在寫給錢玄同的一封談「理想的國語」的信中，周作人指出：

> 近來很流行「民眾」這個字，容易生出許多誤解，譬如說「民眾的言語」，大家便以為這是限於「小百姓」嘴裡所說的話，他們語彙以外的字都是不對的，都不適用。其實民眾一個字乃是全稱，並不單指那一部分，你我當然也在其內，——所謂平民、國民等等名詞，含義也當如此。[21]

---

19 周作人：〈答芸深先生〉，《談龍集》，頁 94。

20 周作人：〈文學談〉，《談龍集》，頁 95。

21 周作人：〈理想的國語〉，1925 年 9 月《京報副刊・國語週刊》第 13 期。

　　周作人在此反思的「民眾」、「平民」、「國民」等概念，已經打破了「平民文學」時期所限定的「民眾」為「多數不文」的範疇，成為包括知識份子在內的具有「全民」意義的概念。在同一時期的〈國語文學談〉一文中，周作人更將貴族文學（文人文學）劃入民間文學的源流中，[22]實際上重新解釋了貴族文學與民間文學（包括當下的平民文學、民眾文學）的淵源關係，消解了五四時期「貴族文學」與「平民文學」之間二極相反的對立模式，並試圖為貴族文學爭取到與平民文學作為「新文學」（此指「國語文學」）構成中的同等地位。此一論述，誠如研究者指出的，不啻是一種對五四時期平民的與貴族的、民間的與官方的、口頭的與書面的種種二極相反模式的質疑與規避，體現了五四之後周作人新文學論述的自我修正和邊緣化，以及比同代多數知識份子更為難能可貴的學理和理智。[23]然而，問題的關鍵在於，周作人對新文學構成的修正，並非以純粹客觀的論述結束，而是隱含著一種更為深層的價值立場的轉移。對周作人而言，民間文學中存在的落後面，是天然而又無奈的事實，也是他一開始所警惕的一面。他更批評鄉村生活的積弊和農民的愚昧落後，指出農民的宿命迷信、渴望向上爬等劣根性局限了他們的眼界。[24]而在情感上，他坦陳故鄉「人民之鄙陋澆薄」是引起其不快追憶的因素之一。[25]凡此等等，對民眾思想的審視態度，一直是周作人所保持的理性姿態，而所謂對民眾文藝的「同情與體察」，[26]卻並不與他對民

22　周作人：〈國語文學談〉，《藝術與生活》，頁 64。

23　參見戶曉輝《現代性與民間文學》，頁 136-139。

24　周作人：〈鄉村與道教思想一〉，《談虎集》，頁 221-224。

25　周作人：〈與友人論懷鄉書〉，《雨天的書》，頁 109。

26　周作人：〈民眾的詩歌〉，《談虎集》，頁 21。

眾及民眾文學的批判相始終。

1922 年，在文藝上提倡「自己的園地」時，周作人寫道：

> 依了自己的心的傾向，去種薔薇地丁，這是尊重個性的
> 正當辦法，即使如別人所說個人果真應報社會的恩，我
> 也相信已經報答了，因為社會不但需要果蔬藥材，卻也
> 一樣迫切的需要薔薇與地丁，——如有蔑視這些的社
> 會，那便是白癡的，只有形體而沒有精神的社會，我們
> 沒有去顧視他的必要。倘若用了什麼名義，強迫人犧牲
> 了個性去侍奉白癡的社會，——美其名曰迎合社會心
> 理，——那簡直與借了倫常之名強人忠君，借了國家之
> 名強人戰爭一樣的不合理了。[27]

周作人將社會構成分為「形體」和「精神」兩個面向。在
他看來，只偏於「形體」（社會心理，倫常、國家）的一端即
是其所定義的「白癡社會」，而糾正此一「白癡社會」的良劑
正是「精神」（個性、個人趣味）所主導的另一端。藉此，我
們所要關注的並非周作人對於健全社會構成的理論認知，而是
在他的劃分中「形體」與「精神」所指稱的物件。在同一時期
的〈文學的討論〉一文中，周作人贊成「詩是貴族」的說法，
認為「文學家須是民眾的引導者。倘若照我直說，便是精神的
貴族。」他具體解釋說：

---

27 周作人：〈自己的園地〉，《自己的園地》，頁 6。

這所謂貴族當然不是指物質生活上的特權，乃是說精神生活上的優勝。貴族的精神是進取的，超越現在的；革命家不必說了，真的宗教家，——不是一個滿足安樂的信徒——也無不具這個精神。宗教家的樂國淨土，革命家的新社會，與文學家的心裡的世界，都是民眾所應該而不能夠想到的境地：在這一點上，那三種人是相同的，是民眾的引導者，精神的貴族。貴族一字或者字面上有點容易誤會的地方，不如依了 Aristeus 的原義譯作賢者，——最好的人，更為切當。[28]

這種「精神生活上的優勝」在接下來一篇題為〈貴族的與平民的〉文章中得到具體發揮。周作人強調，求生意志固然是生活的根據，但如沒有求勝意志叫人努力的去求「全而善美」的生活，則適應的生存容易是退化的而非進化的了。由此，他相信「文藝當以平民的精神為基調，再加以貴族的洗禮，這才能夠造成真正的人的文學，」也就是「平民的貴族化」，或者是「凡人的超人化，因為凡人如不想化為超人，便要化為末人了。」[29]按照這樣的解釋，周作人的「貴族」，並不僅僅是經濟的優裕和進取的精神之代表，它實際上蘊涵著更為複雜的文化分層的意味。

就周作人而言，雖然坦陳自己並不想「因此來判分那兩種精神的優劣」，但其實他還是堅持所謂貴族「精神的優勝」，稱讚阿·托爾斯泰為「立在文化最高處的精神上之貴族主義

28　周作人：〈文學的討論——致日葵〉，1922 年 2 月 8 日《晨報副刊》。

29　周作人：〈貴族的與平民的〉，《自己的園地》，頁 15。

者」。[30]而民眾，在他看來，即使不是「末人」，恐怕也是庸人，這在他以後的論述中更為明顯。1926 年，周作人引英國學者弗來則（Frazer，即弗雷澤）《普須該的工作》（*Psyche's Task*）中的話，認為「民眾終是迷信的信徒，是不容易濟渡的。」而聲稱能帶給他唯一安慰與希望的，則是接下來他引的弗來則的另一段話：

> 實際上，無論我們怎樣地把他變妝，人類的政治總時常而且隨處在根本上是貴族的。（案：我很想照語源譯作「賢治的」。）任使如何運用政治的把戲總不能避免這個自然律。表面上無論怎樣，愚鈍的多數結局是跟聰敏的少數人走，這是民族的得救，進步的秘密。高等的智人指揮低等的，正好人類的智慧使他能制伏動物。我並不是說社會的趨向是靠著那些名義上的總督、王、政治家、立法者。人類的真的主宰是發展知識的思想家，因為正如憑了他的高等的知識，並非高等的強力，人類主宰一切的動物一樣，所以在人類今間，這也是那知識，指導管轄社會的所有的力。[31]

就此而言，周作人的「貴族」，顯然即是他先前所謂的「賢者」，也就是此時「聰敏的少數人」、「高等的知人」；而「民眾」則是那些需要被引導的「低等的」「愚鈍的多數」。聯繫之前「說到 Aristocratia，該字的本意是超等，好，所謂有知

---

30 周作人：〈托爾斯泰的事情〉，《雨天的書》，頁 81。
31 周作人：〈鄉村與道教思想・二〉，《談虎集》，頁 227-228。

識階級之謂也」[32]的說法，我們不難明白，在周作人的觀念中，所謂平民、民眾、大眾等等「多數不文」的社會成分，實際上正是在形體／精神、末人／超人、低等／高等、愚鈍／聰敏等等具有強烈對立意味的概念中顯現其與「貴族」的軒輊之別。而在這種界定之下，周作人強調，「我相信趣味不會平等，藝術不能統一，使新劇去迎合群眾與使舊劇來附和新潮，都是致命的方劑，走不通的死路。」[33]

概言之，在民間文學論述與新文學的建構中，由原先主張「多數不文的民眾」是民間文學誕生和傳播的場域，再到認為「民眾之口」只是某種階級文學宣傳的憑藉，最後將文人與優伶也視為民眾的一部分，周作人逐漸修正對於民眾的認識，也經由對國民文學、革命文學、通俗文學的批判而否定了平民文學（民眾文學）在五四新文化運動期間被賦予的「革命」的新質。與此同時，他修改了五四一代多數新文化人關於平民與貴族的二極對立模式，承認貴族文學在「國語文學」中的合法地位，並堅持民眾與貴族在知識與精神上的差異。種種的修正與這種對於「多數」的失望與對於「少數」的認同，最終顯示了周作人的民間文學論述與新文學建構中精英主義與理性主義的立場。而五四新文化人用來建構新文學、實現思想與文學革命的「民間」資源，也逐漸被周作人置於其想像的「新文學」的對立面，成為他的新文學塑造中需要被否定的因素。

---

[32] 周作人：〈文學的貴族性〉（周作人講，昭園記錄），1928 年 1 月 1-2 日《晨報副刊》。

[33] 周作人：〈中國戲劇的三條道路〉，《藝術與生活》，頁 49。

三

　　魯迅的民間文學論述，開始於留日期間。在〈破惡聲論〉中，魯迅將神話置於整個世界文化發展的歷程中考察，強調要借鑒歐洲文化，必須從研究其神話入手。[34]此種說法，正是後來魯迅與乃弟周作人從事民間文學藝術研究的認識論基礎。1913 年，在教育部任職期間，幾乎與其弟周作人在紹興徵集童謠同步，魯迅發表了〈儗播布美術意見書〉一文，提出將民間文學作為一種「國民文術」來研究：「當立國民文術研究會，以理各地歌謠、俚諺、傳說、童話等；詳其特性，又發揮而光大之，並以輔翼教育。」[35]此一提議，雖然沒有被當時的政府所接納並發展為實際運動，卻仍被後人視為五四時期歌謠徵集運動的先聲。[36]而這也說明，民間文學作為「國民文術」之一種，一開始就在魯迅的學術視野中佔據了重要的位置。

　　然而，魯迅對於民間文學的認識與論述，特別是對民間、民眾的認同，卻與周作人明顯不同。1920 年代，在《中國小說史略》中，魯迅提出了神話的產生及其與後世文人文學（作家文學）的關係，並點出了由神話變為文學時被改易的結果。在此，魯迅提到了兩個具有對照意義的概念：「初民」與「詩人」。「初民」是蒙昧時代的人民，未有文字之前的民眾；而「詩人」相當於後世的文人作家。在魯迅看來，後世文人整理

34　魯迅：〈破惡聲論〉，《魯迅全集》第 8 卷，頁 32。

35　魯迅：〈儗播布美術意見書〉，《魯迅全集》第 8 卷，頁 54。

36　比如五四歌謠運動的組織者之一常惠後來認為，「北大的徵集歌謠究實在是響應魯迅的號召而來的。」參見常惠〈魯迅與歌謠二三事〉，1961 年《民間文學》9 月號，總第 78 期。

神話，使得此一反映初民信仰的藝術得以保存，但文人用以「歌頌記敍」之時的「粉飾」則改易了神話，使失其本來，繼而消歇。[37]此一觀點成為魯迅後來論述民間文學與文人文學的思想基礎。

　　與對神話起源的闡釋相近，魯迅 1926 底在廈門大學講授的「中國文學史略」[38]中，將文字的發明權歸之於大眾，反對將其「歸功一聖」的臆說。[39]到了 1930 年代，魯迅不僅駁斥了梁實秋「大多數永遠和文學無緣」的謬論，堅持「一切文物，都是歷來的無名氏所逐漸的造成」[40]的觀點，更將文學的創造者也歸之於不識字的大眾。1934 年，在〈不識字的作家〉中，魯迅有段關於「杭育杭育」派的著名論述，強調在文字產生之前，就有「不識字的作家」存在，他們確實有過創作並在民間流傳，只是他們的「作品」由於沒有文字的記載而無法留存下來。由對「不識字的作家」的辯護，魯迅實際上重申了「一切藝術皆來源於大眾」的觀點，將文學藝術從神聖的舞臺上拉下來，回復它在老百姓中日常致用的面目。值得指出的是，在同一篇文字中，魯迅強調了這些原始創作的生命力：民間文學之所以成為文人文學「新的養料」，正在於它的「剛健、清新」的特色。[41]而這在他看來，也是當下的民眾文學與

37　魯迅：《中國小說史略》（上卷）北京：北大第一院新潮社，1923 年 12 月，頁 19。

38　共三篇，分別為〈自文字至文章〉、〈《書》與《詩》〉和〈老莊〉，後來成為 1938 年版《魯迅全集》中《漢文學史綱要》的前三章。

39　魯迅：《漢文學史綱要‧自文字至文章》，《魯迅全集》第 9 卷，頁 354。

40　魯迅：《「硬譯」與「文學的階級性」》、《經驗》，《魯迅全集》第 4 卷，頁 205-207、頁 554。

41　魯迅：〈門外文談〉之七〈不識字的作家〉，《魯迅全集》第 6 卷，頁 97。

士大夫文學（文人文學）的區別：「大眾並無舊文學的修養，比及士大夫文學的細緻來，或者會顯得所謂『低落』的，但也未染舊文學的痼疾，所以它又剛健、清新。」[42]

在強調民間文學作為文人文學（士大夫文學）「新的養料」的同時，魯迅也指出了文人文學在吸取的過程中對民間文學的戕害：

> 東晉到齊陳的〈子夜歌〉和〈讀曲歌〉之類……原都是無名氏的創作，經文人的採錄和潤色之後，留傳下來的。這一潤色，留傳固然留傳了，但可惜的是一定失去了許多本來面目。[43]

對魯迅而言，這一論述是其 1920 年代《中國小說史略》中的論點的延續。實際上，認識到文人吸取民間文學的優點後反而導致文學活力的喪失，並非魯迅獨有，而是那時多數新文化人的共識，胡適在 1927 年就論述過此問題。與胡適等人以「發生學」來考察文學史並注重「劣等文人」的模仿造成文學活力的喪失[44]不同，魯迅所強調的是士大夫在採錄民間文學（民間文藝）時的動機以及由此導致的後果。在〈略論梅蘭芳及其它〉中，魯迅強調了民間文藝被士大夫有意奪取和改造的

---

42 魯迅：〈門外文談〉之十〈不必恐慌〉，《魯迅全集》第 6 卷，頁 102。

43 魯迅：〈門外文談〉之七〈不識字的作家〉，《魯迅全集》第 6 卷，頁 97。

44 參見胡適〈《詞選》自序〉（1927 年 1 月《小說月報》18 卷 1 期），傅斯年在 1928 年編的《中國古代文學史講義》中也有類似的論述（《傅斯年全集》2 卷，頁 9），但據王汎森考證，胡適的論述其實是受到傅斯年「把發生學引進文學史來」的思路的影響（王汎森：《中國近代思想與學術的系譜》，頁 300-302，石家莊，河北教育出版社，2001 年）。

結果：它不僅戕害了民間文藝本身，更是戕害了民間文藝的接受者；而離開了廣大的民眾接受者，這些被改造過的文藝也就到了滅絕的地步。[45]與士大夫對民間文學的有意掠奪可堪一比的是，魯迅發現，在士大夫那裡，民間文學往往成為他們嘲笑和愚弄民眾的工具。[46]此一尷尬身分，顯然有悖於民間文學被新文化人所想像並賦予的作為「民眾心聲」的宗旨，與周作人之懷疑《霓裳續譜》、《白雪遺音》並非由平民創造淪入同樣悖論的境地。然而，魯迅並非如周作人由此去懷疑民間文學的創造性，而是突出具有書寫能力的士大夫利用民間文學對民眾實施傷害與壓迫的事實。此一做法，顯然與魯迅 1920 年代末大量接觸馬克思主義的階級鬥爭學說有關；但這種對民間或民眾一邊倒的傾向或立場，實際突顯了魯迅民間文學論述中的民本主義思想。正是這一思想，既讓他看到民眾在文學中主體的缺失，更使他得以窺見各種標榜為民眾文藝的新文學的實質——也就是新文學與民眾的脫離與隔閡。

　　1925 年，魯迅指出，《民眾文藝》雖說是民眾文藝，卻沒有真的民眾的作品，執筆的都還是所謂「讀書人」，其原因在於民眾不識字的多，一生的喜怒哀樂，都帶到黃泉裡去了[47]。在 1927 年的一次演講中，當講到平民文學時，魯迅重複了上

45　魯迅：〈略論梅蘭芳及其他〉（上），1934 年 11 月 5 日《中華日報‧動向》。在同一年致友人的一封信中，魯迅提到，歌、詩、詞、曲，原是民間物，但文人取為己有後，越做越難懂，弄得變成僵石，他們就又去取一樣，又來慢慢的絞死它，生動的揭示了文人對各類民間文學的摧殘。參見魯迅 1934 年 2 月 20 致姚克信，《魯迅全集》第 13 卷，頁 28。

46　參見魯迅〈「人話」〉、〈諺語〉，《魯迅全集》第 5 卷 80 頁、第 4 卷，頁 557-558。

47　魯迅：〈一個「罪犯」的自述〉，《魯迅全集》第 7 卷，頁 288。

述的觀點，認為所謂以平民為材料的文學，不過是「另外的人從旁看見平民的生活，假託平民的口吻而說的」罷了。與周作人一樣，魯迅在這裡顯然也意識到了平民文學（民間文學）與文人文學之間思想沿襲的一面，但他並不將它作為否定平民文學或民間文學的理由，而是將其作為民眾還沒有發出自己的聲音的證據，強調「必待工人農民得到真正的解放，然後才有真正的平民文學。」[48]

對真正的民眾心聲的期待，驅使魯迅呼喚真正「民眾文藝」的產生，也由此成為他的新文學想像中的決定性因素。1926 年 5 月，郭沫若在《創造月刊》1 卷 3 號上發表了〈革命與文學〉一文，鼓吹「文學與革命能夠統一」，「凡是表同情於無產階級而且同時是反抗浪漫主義的便是革命文學」[49]。然而，魯迅一開始就批評這種革命與文學的統一論。他指出，「革命文學家風起雲湧的所在，其實是並沒有革命的。」因為革命文學的根本問題「是在作者可是一個『革命人』」，倘是的，則無論寫的是什麼事件，用的是什麼材料，即都是「革命文學」，否則，即容易變成以「賦得革命，五言八韻」[50]來騙人的把戲。即是說，魯迅所堅持的革命與文學的統一，是實際的革命家與文學家的統一，而不是革命與文學在時間上的統一。在魯迅看來，所謂革命文學的創作成就當然不足道，而更為緊要者，是他們「對於目前的暴力和黑暗不敢正視」[51]。正

---

48 魯迅：〈革命時代的文學〉，《魯迅全集》第 3 卷，頁 441。

49 這篇宣言，後來被李初梨稱為「中國文壇上首先宣導革命文學的第一聲」。參見李初梨〈怎樣的建設革命文學〉，載 1928 年 2 月《文化批判》月刊第 2 號。

50 魯迅：〈革命文學〉，《魯迅全集》第 3 卷，頁 568。

51 魯迅：〈文藝與革命〉，《魯迅全集》第 4 卷，頁 85。

民間文學與漢學研究

如他後來指出的，所謂「叫人叫不著，自己頂石墳」等的「太平歌訣」，實際上將市民對於革命政府和革命者情感的「厚重的麻木」描寫得淋漓盡致，但革命文學家卻不敢正視這些社會現實，而是專揀吉祥之兆陶醉自己。[52] 如此，在魯迅看來，所謂的革命文學和革命作家，都與民眾真實的思想和情感脫節，自然不能算是民眾文學或者是「為民眾」的文學。

隨著 1928 年以後對革命理論書籍的接觸和參加左聯的活動，魯迅一度對左翼文學的民眾方向寄予了希望。柔石等左聯作家犧牲後，他以飽蘸的激情寫道，雖然有幾個無產階級革命文學家被暗殺了，但「我們的同志的血，已經證明了無產階級革命文學和革命的勞苦大眾是在受一樣的壓迫，一樣的殘殺，作一樣的戰鬥，有一樣的運命，是革命的勞苦大眾的文學」。[53] 柔石等左翼文學作家的犧牲，實際上實現了魯迅所主張的革命家與文學家的統一，[54] 在某種意義上刺激魯迅意識到「真正」革命文學的到來，也讓他以一種與對之前創造社的革命文學截然相反的態度歌頌左翼文學。由此，魯迅承認左翼無產階級革命文學是當時中國「惟一的文藝運動」，「有革命的讀者大眾支持，『將來』正屬於這一面」。[55] 顯然將左翼文學的方向視為其理想新文學的發展方向。然而，必須指出的是，魯迅並沒有將新文學的方向完全預約給左翼無產階級革命文學，而

---

52 魯迅：〈太平歌訣〉，《魯迅全集》第 4 卷，頁 104-105。

53 魯迅：〈中國無產階級革命文學和前驅的血〉，《魯迅全集》第 4 卷，頁 290。

54 正如他稍後指出的，革命文學家「至少是必須和革命共同著生命，或深切地感受著革命的脈搏的。」魯迅：〈上海文藝之一瞥〉，《魯迅全集》第 4 卷，頁 307。

55 魯迅：〈黑暗中國的文藝界的現狀〉，《魯迅全集》第 4 卷，頁 295。

是對其民眾屬性有所保留。他認為，現存的左翼作家要寫出無產階級文學來也很難，「這是因為現在的左翼作家還都是讀書人——智識階級，他們要寫出革命的實際來，是很不容易的緣故。」[56] 即算當時被視為無產階級文學作家的高爾基，「雖稱非知識階級出身，其實他看的書很不少。」魯迅指出，「中國文字如此之難，工農何從看起，所以新的文學，只能希望于好的青年。」[57]

此一論述表明，魯迅源於民間文學論述中的民本主義思想，也貫穿於其新文學論述中民眾與文人作家之間的對立。特別是對於那些刻意以天才論造成文藝與大眾隔閡的文人作家，魯迅批評他們是「將不懂他的『文學』的人們，都推出了『人類』之外」，這麼一來，「『文學』是存在了，『人』卻不多了」[58]。尤可注意者，當魯迅於 1935 年總結五四時期《新潮》雜誌上的小說創作時，他指出，楊振聲、汪敬熙等作家雖然要描寫民間疾苦，「但究竟因為是上層的智識者，所以筆墨總不免伸縮於描寫身邊瑣事和小民生活之間」[59]。由此，不管是「少數」論或「天才」論者們對民眾的刻意推拒，還是「新潮」作家對民眾生活的有意拉近，文人作家與民眾的隔閡總是無可奈何的存在著。

必須指出的是，在批評文人作家與民眾生活隔閡的同時，魯迅顯然是站在民眾這邊的。他不僅堅持民眾在一切文藝方面的發明權，而且指出，文化素質不高的民眾，所用的方言土語

56　魯迅：〈上海文藝之一瞥〉，《魯迅全集》第 4 卷，頁 307。

57　參見魯迅 1933 年 6 月 18 日致曹聚仁信，《魯迅全集》第 12 卷，頁 405。

58　魯迅：〈看書瑣記(二)〉，《魯迅全集》第 5 卷，頁 563。

59　魯迅：〈《中國新文學大系小說》二集序〉，《魯迅全集》第 6 卷，頁 247-248。

也有自己的歷史，——只不過沒有人寫下來。[60]他相信，連環圖畫「可以產出米開朗基羅、達文希那樣偉大的畫手」，從「唱本說書裏是可以產生托爾斯泰・弗羅培爾」。[61]雖然他認識到真正的民眾文藝最是難得，卻仍然極力主張提倡與「消費者的藝術」相對立的「生產者的藝術」。[62]同時，在審美趣味方面，魯迅堅持一種與大眾相同的品味。對於被士大夫改造過後的《黛玉葬花》，魯迅批評道，「看一位不死不活的天女或林妹妹，我想，大多數人還是倒不如看一個漂亮活動的村女的，她和我們相近。」[63]同樣，在閱讀的文學作品方面，他聲稱自己堅持看契訶夫、高爾基的作品，因為它們「更新，和我們的世界更接近」。[64]

在以上的論述中，我們看到，魯迅一再宣稱自己對於民眾言語歷史的認同，對於他們的創造力的肯定，以及對於他們的趣味的一貫體認。此一對於「大多數」的傾倒，構成了與乃弟周作人截然不同的立場。而魯迅與周作人對於民眾的不同體認，由此體現的對於「民間」資源的不同借鑒方式以及對於新文學的不同建構，恰如他講過的一個故事：柳下惠看見糖水，說「可以養老」，盜蹠見了，卻道可以粘門閂。這也正如魯迅緊接著所感歎的：「他們是弟兄，所見的又是同一的東西，想

60　魯迅：〈《俄羅斯的童話》小引〉，《魯迅全集》第 10 卷，頁 442。

61　魯迅：〈論「第三種人」〉，《魯迅全集》第 4 卷，頁 453。

62　魯迅：〈論「舊形式的採用」〉，1934 年 5 月 4 日《中華日報・動向》。被魯迅許可為現實真正的民眾文藝，乃是一個搶犯寫的文字（〈一個「罪犯」的自述〉，1925 年 5 月《民眾文藝》第 20 期）和《朝花夕拾》題記中所敘及的〈目連救母〉。

63　魯迅：〈略論梅蘭芳及其他〉（上），《魯迅全集》第 5 卷，頁 610。

64　魯迅：〈葉紫作《豐收》序〉，《魯迅全集》第 6 卷，頁 228。

到的用法卻有這麼天差地遠」。[65]

四

　　總的來看，在周氏兄弟的民間文學與新文學論述中，他們對於「民間」、「民眾」的認識，各自所界定的物件及其關注的焦點並不一致。周作人所關懷的「民眾」，是需要被改造、再進化的物件；而其所執著的焦點，是民間文學所存在的民眾愚昧落後、劣根迷信，這些都是「國民群體特質」的問題，是從現代化的角度，反省了民眾的非現代性。而魯迅所渲染的「民眾」精神，則一定程度上隱含了文藝選題、審美的個人趣味和主觀偏見——在他看來，非寫實地描寫民間，則皆有隔靴搔癢、不倫不類之感，唯有民眾自發的民間文學方才可貴；其「民間」所牽涉的概念主要是「書寫主題」、「發聲主體」的問題，此與周作人出於倫理學的觀照，顯然迥然有別。無論如何，具有同樣家庭背景和相近教育程度的周氏兄弟，對民間、民眾的認識以及由此體現的對新文學的塑造，卻呈現出如此鮮明的差別，實在值得讓人深思。這種差別當然與個人迥異的性情、趣味以及價值立場有關。然而，不管周氏兄弟對「民間」、「民眾」的認識角度具有多大的差異性，或者個人性情、趣味以及價值立場在多大程度上決定了他們的認識角度的差異，我們所感興趣的是，在將民間文學作為建構新文學的資源時，周作人的精英主義及其理性立場與魯迅的民本主義及其過多的「感情作用」在整體傾向上所呈現出來的差別，以及由此

65　魯迅：〈《准風月談》前記〉，《魯迅全集》第 5 卷，頁 199。

所體現的身分認同的差異及其意義。

1927 年 4 月，在為《海外民歌》譯本所作序言中，周作人寫道：

> 現在中國刮刮叫地是浪漫時代，政治上的國民革命，打
> 倒帝國主義，都是一種表現，就是文學上，無論自稱哪
> 一派的文士，在著作裡全顯露了浪漫的色彩，完全是浸
> 在「維特熱」──不，更廣泛一點，可以說「曼弗勒德
> （Manfred）熱」裡面。[66]

曼弗勒德是拜倫的哲學長詩〈曼弗勒德〉的主人公，他是
一個為確立「智慧與公理的天下」而具備強烈感情的人（雖然
其結局是「失望」與「世界的悲哀」互相交織著），周作人正
是用「曼弗勒德熱」來批評從事國民革命和革命文學的人感情
的過分強烈乃至氾濫。[67]同一時期，他尤其指出，「高唱入雲
的血淚的革命文學」，與鴛鴦蝴蝶派的作品一樣，也是「浪漫
時代的名產」。[68]

1930 年 10 月，在〈重刊《霓裳續譜》序〉中，周作人承
認自己對於民歌的意見已經轉變了，他懷疑美國庚彌耳教授
（F. B. Gummere）論英國敘事的民歌時所力主的「集團的起
源」說，認同好立得（W. R. Halliday）民間文學「不是民眾自
己的創造」的說法，並一再強調之前「感情作用」所導致的對

---

66 周作人：〈《海外民歌譯》序〉，《談龍集》，頁 43。
67 對強烈感情的強調，正是當時提倡革命文學者的核心論述。參見郭沫若〈革
　　命與文學〉，1926 年 5 月《創造月刊》1 卷 3 期。
68 周作人：〈答芸深先生〉，《談龍集》，頁 94。

於「民歌之美的價值」的過分抬高。周作人寫道：

> 從前創造社的一位先生說過，中國近來的新文學運動等
> 等都只是浪漫主義的發揮，歌謠研究亦是其一，大家當
> 時大為民眾民族等觀念所陶醉，故對於這一面的東西以
> 感情作用而竭力表揚，或因反抗舊說而反撥地發揮，一
> 切估價就自然難免有些過當，不過這在過程上恐怕也是
> 不得已的事，或者可以說是當然的初步，到了現在卻似
> 乎應該更進一步，多少加重一點客觀的態度，冷靜地來
> 探討或賞玩這些事情了。[69]

與五四時期鼓吹民間文學作為新詩創作的參考迥然不同，
周作人在此引述別人對於新文學運動浪漫情緒的批評，[70]提倡
冷靜地來探討或賞玩這些事情。1931 年，在〈英吉利謠俗
序〉中，周作人指出，民俗學所解釋的事實決不是怎樣樂觀
的，「浪漫時代的需要假如是夢想與信仰，那麼這當求之於詩
人與宗教家。」[71]建立在「感情」基礎上的夢想與信仰，正是
浪漫時代的特質。而其所以能被「傳染」，正是文學與宗教在
傳達作用上的一致性，此是「平民文學」時代周作人文學觀中

---

69 周作人：〈重刊《霓裳續譜》序〉，《看雲集》，頁 101-102。
70 梁實秋指出：現今中國從事採集歌謠者不知凡幾，無論他們的動機是為了研
　 究或是為鑒賞，其心理是浪漫的。……這是對中國歷來因襲的文學的一個反
　 抗，也是我前面所說「皈依自然」的精神的表現。……所以歌謠的收集，其
　 自身的文學價值甚小，其影響及於文藝思潮者則甚大。（梁實秋：〈現代中國
　 文學之浪漫的趨勢〉，1926 年 3 月 25、27、29 日《晨報副刊》）。周作人可
　 能將梁實秋批評新文學運動以來情感的氾濫，誤記為創造社人的論述。
71 周作人：〈《英吉利謠俗》序〉，《看雲集》，頁 89。

的重要面向，[72]卻也是革命文學論者所看重的文學功能。因而，周作人對歌謠運動及革命文學等民眾文學形式的立場，乃至對新文學認識的轉變，是與其對「感情」、「浪漫」所做的理性反思相聯繫的。此一反思表明，周作人很早就意識到新文化人啟蒙「熱情」燭照之效的黯淡，並由衷地反思知識份子的這種個人熱情所遮蔽的盲目樂觀，與魯迅等少數先覺者對五四啟蒙運動的反思同樣可貴。

與周作人的反思「浪漫」與「情感作用」相比，魯迅的民間文學論述突出民間文學剛健、清新的生命力及其為後世文學發展不斷提供養料的一面，並在對新文學的想像與建構中，以民本主義的立場期待著真正民眾文學的誕生。同時，他批判士大夫階級的愚民政策，一再強調文人採錄和潤色造成的民間文學本來面目的缺失，以及士大夫趣味對民間文學的侵害。在此過程中，作為新文化人陣營中的代表，魯迅將批判的矛頭指向了自身所屬的階級，這不惟說是一種勇氣，更體現了一種自反性的眼光：文化原是不識字的民眾的創造，但現有文化形態的建構者卻是知識份子；知識份子的書寫能力賦予了自身修改乃至重塑民間文學的本事，也由此獲得了有利於自身階級的話語權，民眾反倒成了他們所嘲笑和壓迫的對象，這不光是民眾自身落後的問題，更與知識份子對文化權利的掌控息息相關。魯迅一直描述在文學活動中民眾話語的喪失，以及文人文學對民眾的拒絕，都在在突顯了話語權在兩個不同階層之間所造成的差異與斷裂。因而，在魯迅看來，要重建中國文化，除了普及大眾科學、民主的思想外，更需要在這些建構者自身尋找原

---

72 參見周作人〈聖書與中國文學〉（1921 年 1 月《小說月報》12 卷 1 號）、〈宗教與文學〉（1921 年 5 月《少年中國》2 卷 11 期）。

因。而這，也正符合魯迅在五四之後一再對於啟蒙者自身反省的思想歷程。而作為知識份子的一員，魯迅不憚於自剖，以表率的姿態扯下罩在知識份子頭上的面紗，無論就何種意義而言，我們都看到了一種與自身階級徹底決裂的決心和勇氣。因而，與周作人堅持知識份子的精英立場不同，魯迅在利用民間文學建構新文學的同時，更多的是利用民間趣味與民眾立場來修改乃至重塑知識份子的精神形象，其針對的仍然是具有書寫能力的一族，其所認同的正是「多數不文的大眾」。

然而，必須指出的是，魯迅的民間文學或新文學論述，雖然表明上層知識份子無法真實再現無產階級的大眾，但他卻於此忽略了文人文學與民間文學最根本的藝術旨趣的不同與審美意趣的迥異。魯迅所推崇的民間文學之剛健、清新的創造力趣味，僅僅是民間文學特性之一端，是注重於民間文學的講述者具有創造力的藝術天分，但就千千萬萬的傳播者而言，民間文學被記憶及代代相傳，卻是仰賴於「程式化」的特質，這恰恰悖於魯迅對民眾創造力的認知。此一情形，在一定程度上顯現出魯迅過渡闡釋乃至誤用「民間」概念的某種主觀化傾向，而其根源或可歸結於他的階級情感中對「平民」一極的壓倒性的認同。此外，魯迅「臣服」民眾以救贖知識階級的「衝動性情感」，[73] 在顯示比周作人等其他抱持精英立場的知識份子更為深刻的時代洞察力的同時，卻也使得自身的思想與言行為浪漫與激進的時代潮流所裹挾，乃至作為那個時代左傾激進文化思潮的代表，屢屢成為後來種種意識形態宣傳所借用的思想資

---

[73] 1928 年，徐志摩以「衝動性的情感」來總結自盧梭到哈代以來人類所形成的各種運動與主義。參見徐志摩〈湯麥士哈代〉，1928 年 3 月《新月》1 卷 1 期。

源。事實上，如果在較長時段的思想史中考察，無論是周作人對民眾落後面的一貫警惕與理性反思，還是魯迅極具民本主義意味的情感認同，新文化人在精英立場與民間（民眾）崇拜之間所做出的截然不同的選擇，都無法避免個體思想與歷史實踐之間洞見與不見之互為消長、辨證的弔詭關係。而此一弔詭的處境，或許正可對應於魯迅經常提起的那個典故：人永遠無法拔著自己的頭髮離開地球。

對周作人而言，其五四前後民眾立場的搖擺與轉變，在思想發展的線索上，正隱現著一種自我身分的模糊與待定。對魯迅而言，此種身分的模糊與待定，就其事實表像而言有之，這與他堅持對大眾愚昧及國民性的批判相關；但若從其一貫的民眾立場而言，他卻始終以「我們」的姿態站在「大多數」即民眾這一邊，因而可說具有雙重特性。無論如何，大體而言，周氏兄弟所體現的自我身分的模糊與待定，實際隱含著新文化人對「民間」與民眾立場的整體上的不穩定性：魯迅與周作人在民間文學視野下對新文學各自不同的想像與建構，正可視為此一不穩定性所實際展開的兩種極具對照意義的面向。換言之，不管是周作人的精英主義和理性立場，還是魯迅的民本主義及其情感認同，他們對民間文學的不同論述，以及由此對新文學形象的不同塑造，實際上演繹了作為「資源」的民間文學現代性的兩種典型方式，更使我們在思想史的層面上見證了五四時代並非全然一致的思想面貌：在「態度的同一性」的表面下，隱現著新文化人身分認同的差異性，以及應對時代氛圍的不同姿態與模式。

參考文獻

魯迅（2005 年 11 月）：《魯迅全集》（18 卷本），北京：人民文學出版社。

周作人（2002 年 1 月）：《自己的園地》，止庵校訂，石家莊：河北教育出版社。

《雨天的書》，止庵校訂，石家莊：河北教育出版社。

《藝術與生活》，止庵校訂，石家莊：河北教育出版社。

《談虎集》，止庵校訂，石家莊：河北教育出版社。

《談龍集》，止庵校訂，石家莊：河北教育出版社。

《看雲集》，止庵校訂，石家莊：河北教育出版社。

張灝（2002 年 4 月）：《張灝自選集》，上海：上海教育出版社。

柄谷行人（2003 年 1 月）：《日本現代文學的起源》，趙京華譯，北京：三聯書店。

鐘敬文（1998 年 10 月）：《鐘敬文自選集——民間文藝學及其歷史》，濟南：山東教育出版社。

戶曉輝（2004 年 8 月）：《現代性與民間文學》，北京：社會科學文獻出版社。

彼得・伯克（2005 年 11 月）：《歐洲近代早期的大眾文化》，楊豫、王海良等譯，上海：上海人民出版社。

徐新建（2006 年 7 月）：《民歌與國學——民國早期「歌謠運動」的回顧與思考》，成都：四川出版集團巴蜀書店。

Robert Redfield (1956), *Peasant Society and Culture*, Chicago，the University of Chicago Press.

《布洛陀經詩》與宋明時期
田州岑氏土司

麥思傑

廣東商學院人文與傳播學院講師

中文摘要

在廣西右江地區，布洛陀為最重要的民間信仰。而位於田州鎮六聯鄉敢壯山的布洛陀祖公祠則為右江地區的宗教中心。每年三月初，右江地區大量民眾都會前往該廟祭拜。在重大的宗教活動中，當地的「道公」在作法時都需念誦《布洛陀經詩》。《經詩》中記載了右江地區大量的傳說、神話。在以往，學者們雖非常重視對《經詩》的研究，但鮮有將其放回到具體的社會發展脈絡中考察。

本文認為，《經詩》形成於宋明時期，與土司制度建立的過程相配合，以宗教的形式宣示了土司權力的合法性。把《經詩》放在宋明期間的田州這一特定的時空中考察，我們能看到，區域性的布洛陀信仰的形成與這一時期右江最強的田州岑氏的崛起有著密切的關係。《經詩》中所記載的傳說、神話反映了宋明時期右江社會在逐步被整合至王朝權力體系的過程中，田州岑氏如何構建出以田州為中心的新區域秩序。田州岑氏在南宋時期因「馬綱」貿易一舉成為右江最強的政治力量。右江諸土司一時皆聽命於田州。在宗教上所反映出來，即形成了以田州為中心的布洛陀信仰。而至明代中期，隨著田州岑氏的衰落，諸土司對田州展開了激烈的爭奪，其實質就是透過對宗教權力的爭奪以取得對右江社會的控制。

關鍵詞

布洛陀經詩、田州、岑氏土司

民間文學與漢學研究

Bu Luotuo Jing and Tianzhou Tusi of Cen Family

Mai, Si-Jie

Lecturer, Guandong University of Business Studies

Abstract

Bu Luotuo is the most important folk religion in YouJiang Region of Guangxi, while the Bu Luotuo Public Ancestral Temple located at the top of Ganzhuang Mountain in Liulian Village is the religious center of Youjiang area. At the beginning of March every year, many people in Youjiang region go up to the temple to attend the memorial ceremony. In significant religious activities, the local "daogong" have to read *Bu Luotuo Jing* as they are conducting the ceremony. *Bu Luotuo Jing* collects a recordation of various legends and myths in Youjiang area. Although the scholars have attached great importance to the study of *Bu Luotuo Jing* in the past, rarely have them viewed it by returning to the specific skeleton of social development.

According to this article, *Bu Luotuo Jing* came into being during Song and Ming Dynasty which matched the establishing process of the Tusi system, and showed the validity of Tusi power in a religious form. Viewing *Bu Luotuo Jing* in the specific space time of Tianzhou during the Song and Ming Dynasty, we can see that there is a close relation between the formation of the territorial Bu Luotuo Religion and the growth of Cen Family, the most powerful family in Youjiang at that time. The legends and myths recorded in *Bu Luotuo Jing* reflect how Tianzhou Cen Family constructed a new territorial system with Tianzhou being the center while the Youjiang society was gradually conformed into the dynastic power system of the Song and Ming Dynasty. In the Sothern Song Dynasty, Tianzhou Cen Family became the strongest political power in Youjiang at one stroke due to the "Horse Market" business. Therefore all the Tusis in Youjiang followed the orders of Tianzhou for a time. Reflecting in a religious form, the Tianzhou-centered Bu Luotuo Religion was shaped. Up to the metaphase of the Ming Dynasty, as Cen Family declined, all Tusis started an intensed scramble for Tianzhou, of which the essencial purpose was to gain control of the Youjiang society by scrambling for religious power.

Keywords:

Bu Luotuo Jing, Tianzhou, Tusi of Cen Family

一、學術史的回顧與問題的提出

　　研究宋代以後的廣西區域社會史，左右江地區的土司是不可迴避之問題。理解土司與地方社會變遷的關係，必須要考慮以下幾個方面的因素：一、土司與王朝政府之間的關係；二、土司社會內部的權力結構；三、不同土司之間的政治、經濟、文化關係。只有充分考慮這三方面的因素，我們才有可能從整體上把握土司社會變遷的歷史過程。在以往的研究中，歷史學者關注比較多的是前兩個方面。對於土司與王朝政府之間的關係，學者多注意到的是土司與政府如何爭奪對地方社會的控制；而在土司社會的內部結構方面，學者充分注意到了其軍事化的社會結構；對於不同土司之間的關係，學界多注意到其「遠交近攻」的混亂局面。由此而來，我們很容易得出這樣一個結論：土司社會內部等級秩序森嚴，但與外界的秩序則是鬆散甚至是無序的。與王朝間雖有典章制度，但其往往是難以駕馭，而土司之間常常會陷入激烈的政治鬥爭中，甚至訴諸戰爭。但這樣一來，我們想當然會認為在廣西左右江地區在宋至明清期間一直是混亂且無序，即使所謂有序，也只是某一土司在特定的歷史時期內憑藉其強大的軍事實力使其他小土司稱臣。

　　造成這些研究狀況的主要原因在於史料的局限。由於使用的材料主要為正史、方志以及士大夫的文集、筆記，是以他者的目光來表述土司社會，因此在文本文獻中我們很難聽到土司本身的聲音，無法清楚知道土司是如何表述其地方社會的秩序。而更為重要的是，由於在帝國時期王朝的政治勢力很難滲

透到土司社會，士大夫的觀察便有了許多的局限性，借助這些文本來解讀土司社會的變遷，無疑是困難的。與此相反的是，民俗學者對土司社會的宗教、婚姻、家庭、風俗等給予了高度的關注，對社會共時性的結構有較多的探討，但對區域社會變遷的過程卻沒有太多的關注。因此，如何發掘與利用地方文獻，將廣西左右江地區土司社會置於帝國與地方的雙重背景下，理解國家的典章制度與地方性的因素對其社會變遷的影響，分析其結構變遷的過程，是所有研究「壯學」的學者必須面對的問題。

近年來，筆者一直在廣西右江地區從事田野工作，注意到了在該地區最重要的民間信仰——布洛陀。同時，地方上流傳著大量關於布洛陀信仰的唱本——《布洛陀經詩》[1]《布洛陀經詩》的分布以田陽縣田州為最多，向四周逐漸減少，[2] 其流傳的範圍包括右江流域、紅河水流域以及雲南東部的部分地區。以布洛陀信仰出發去研究當地的歷史，是理解土司歷史重要的路徑。從 20 世紀 50 年代以來，廣西民族研究所在這方面做了大量的工作，搜集了大量的唱本，並整理出版。而遺憾的是，歷史學界對此沒有給予充分的關注，對其進行深入的解讀。本文希望將布洛陀信仰與《布洛陀經詩》放回到特定的歷史空間中，以為岑氏家族為中心考察在宋明之間土司如何透過建立宗教秩序以確立其對地方社會的控制。

---

[1] 現在已經出版的有張聲震，《壯族麼經布洛陀影印譯注》（南寧：廣西民族出版社，2004 年）；張聲震，《布洛陀經詩譯注》（南寧：廣西民族出版社，1991 年）。

[2] 目前搜集並整理出版的《布洛陀經詩》有 39 個版本，收集在《壯族麼經布洛陀影印譯注》。本文所用的部分主要為田陽縣境內的版本。現所能搜集到的版本，基本上為清末民國初年的抄本。

二、《布洛陀經詩》所見之 右江的地域權力格局

在廣西左右江地區的不同地方，存在著各色各樣的神明信仰。但覆蓋整個右江地區，最為重要的民間信仰是布洛陀。「布洛陀」一詞在壯語中意為「山裡的頭人」或「無所不知的老人」。左右江地區的布洛陀信仰是以敢壯山為中心而展開的。敢壯山是布洛陀信仰中的聖山，其位於廣西田陽縣東南的百育鎮六聯鄉那貫屯，海拔 326 米，距縣城 18 公里。在山頂處，有一供奉著布洛陀的廟宇。每年三月初七、八、九，左右江地區十多個縣的數萬民眾都會前往該山祭拜。這一活動已有數百年的歷史，在左右江乃至紅水河地區民眾的宗教生活中佔有非常重要的地位。在祭祀活動的過程中，最重要的內容為對歌。敢壯山在此期間形成一個規模龐大的歌圩。

在整個左右江地區中，敢壯山的布洛陀公祠是規模最大、香火最盛的布洛陀廟宇。左右江地區民眾對布洛陀的崇拜是與該地區廣為流傳的神話有著密切的關係。故事大致如下：

> 布洛陀與其妻子母勒甲是上天派來創造世間萬物的始祖。二月初一，兩人挑著五個兒子和行李出發了。二月十九，正當他們來到田陽上空時，天空突然打起了雷，打斷了他們的扁擔，兒子和衣物落到了大地上。轉眼間，衣服和兒子變成了變成了敢壯山和五指（子）山。布洛陀夫婦強忍著悲痛，在敢壯山住了下來，並生兒育女，繁衍後代。隨著子女越來越多，布洛陀夫婦把子女

分發到了各地居住。後來每年二月十九，各地的子孫都前來祝壽。由於子女太多，輪到最後的時候已經是三月初七、八、九。時間久了，祝壽的時間就變成了三初七、八、九。子女們都要在敢壯山前唱歌為布洛陀祝壽，唱三天三夜。[3]

從布洛陀的神話與信仰中我們不難看出，在整個左右江地域社會中，田州敢壯山是這一宗教信仰的中心所在地，其有著相當於聖山的位置。而這一神話傳說的背後折射出了整個左右江地區的區域秩序——田州是整個左右江尤其是右江地區的中心，其對於整個區域具有權力支配的關係。這一權力秩序存在的基礎，是在於地方民眾對神話的信仰。但布洛陀的信仰在左右江地區廣為流行，並不只是簡單得存在於民眾口耳相傳的神話中，更重要的是其以宗教的形式存在。布洛陀的身上帶著濃厚的道教色彩。如當地流傳有著關於布洛陀另外一個故事：

敢壯山又名春曉岩，這個名字是明朝江西的地理先生郭子儒取的。郭子儒為皇帝尋找風水寶地來到田陽，發現敢壯山的奇異景觀後讚歎不絕，認定這裏就是自己尋找已久的龍脈，同時給敢壯山改名為春曉岩。[4]

這一故事表明了布洛陀信仰與道教有著密切的關係。布洛陀道教色彩的另一方面體現為其具有為民眾消災解難的功能。這一法力主要為「道公」所掌握。「道公」是壯族地區對道士的稱

---

3 本故事根據筆者在田陽縣調整整理而成。

4 同注2。

呼，地方社會上重要的民間宗教活動都是由道公主持。道公在作法時最重要的儀式就是喃唱《布洛陀經詩》。《布洛陀經詩》是道公法力的重要依據。《經詩》以史詩的方式唱頌了布洛陀創造世界萬物、安定社會秩序的過程。「道公」掌握著地方社會的民間記憶。而這一民間記憶背後所隱藏的是地方政治秩序的正統性。這提醒我們，《經詩》文本形成的過程與左右江地方社會的歷史變遷過程有著密切的聯繫。在此前提下，我們需要問的是，《經詩》是在什麼樣的歷史環境下被創造出來，又曾經為誰所用？要回答這些問題，我們必須仔細考察《經詩》的內容結構及其使用歷史的空間。

《經詩》分為《序歌》、《造人》、《造萬物》、《造土官皇帝》、《造文字曆書》、《倫理道德》、《祈禱還願》七個部分。布洛陀的力量是透過道公的歷史敘述而得以體現。道公在正式作法之必須要喃唱《序歌》。《序歌》的內容如下：

> 請到布洛陀我就訴說，請布洛陀坐定我就喃唱，主家你要牢記在心，主家你要豎起耳傾聽，仔細聽我念誦經詩，聽我念經你就全明白，請傾聽我這樣訴說：三樣是三王安置，四樣是四王創造，王造黑夜和白天，王造蒼天和大地，第一要拜天地，天地成全了我的心願；第二再拜天地，天地讓我通曉許多道理；第三要拜天德；第四要拜北辰，恭請光寅和神社，光寅神進到廂房下，神社來到梯子下，有神靈往來就不生病。讓我敘說前世的根源，讓我傳唱先世的根基，我媽是羅家女，嫁到陸家去，生下我們六兄弟，大哥來到人世間，他到上面去販馬；二哥來到人世間，他到下面去販牛，三哥來到人世

間，他行動敏捷去打賊，四哥來到人世間，手腳粗重當工匠，五哥來到人世間，他去朱何陽，他是前面走的英雄好漢，他去騎著石榴紅大花馬，土官頭人見他不敢管，頭人見他也不敢講話。唯獨剩下我老六，最後剩下我晚仔，布洛陀的經詩給我讀，布洛陀的寶刀歸我接，我嘴巴會念巫經……[5]

這一部分為道公請神所用，道公必須通過喃唱《序歌》向神明證明自己身分的合法性。在文本中我們看到，道公身分的合法在於其家世。道公以家中六兄弟的譜系證明其具有控制布洛陀的權力。有意思的是，前面五兄弟所從事的活動，與左右江地區南宋以後的歷史基本吻合。南宋以後，由於朝廷在橫山寨[6]大量買馬，右江地區的「蠻人」在「馬綱」貿易中承擔了中轉的角色。當時不少部落沿右江溯江而上，到大理販馬並運至橫山寨與朝廷交易，從中獲得巨大利潤。此舉促使了左右江社會迅速開發，從下游的漢人地區販入大量的耕牛。而更為重要的是，在南宋以後，朝廷在當地建立了軍事徵調制度，通過徵調「土酋」的軍事力量以平定動亂，維持廣西地方社會的秩序。同時，地方上的「土酋」開始進入朝廷的官僚體制，甚至有到內地任職。結合歷史我們可以看出，道公的權力來自於對歷史話語的掌握。而這些資訊提示我們，南宋以後左右江社會經歷著複雜而深刻的變化，一個新的社會秩序在這一時期被構建出來。而《經詩》所蘊涵的歷史意義正在於其折射出新社會秩序被構建出來後的權力結構。

---

5 張聲震，《布洛陀經詩譯注》（南寧：廣西民族出版社，1991年），頁1-13。
6 今廣西田東縣。

　　《經詩》其他部分的內容主要強調天地、社會的秩序如何被創造出來以及這些秩序的重要性。這些部分主要表達的內容是，社會生活的各個部分在沒有布洛陀指引之前，處於極其混亂的狀態。在某一時候，出現了一個重要的政治力量——「王」。「王」在布洛陀的指引下，創造出了新的生活與社會制度，使天下太平繁榮。如《經詩》第三篇《造萬物》的《贖水牛魂黃牛魄和馬魂經》中有一段如是唱道：

> 誰知這牛不成本，誰知這牛不成種，養母牛不發情，有個姑娘會講，有個老人會說，去問布洛陀，去問麼淥甲，布洛陀就講，麼淥甲就說，你去搭帶花神龕，你去安贖魂的神位，王依照布洛陀的話去做，王依從布洛陀的吩咐去辦，王回來招牛魂，王回來贖牛魂，養的種牛又成功，養的種牛又繁殖，養的母牛重新發情，生了十頭角開叉的牛，生了五頭角後斜的牛，王的家業興旺如初，那是古代人的事，那是古時人的事，出了一個會講故事的聰明人，是他把經倫傳給後代，傳到我們這一代……[7]

　　養牛是農業生活中重要的部分，母牛繁衍的傳說意味著而「王」在農業耕作方式的過程中發揮了相當重要的作用。值得注意的是，「王」與布洛陀是兩個不同的事物，其受布洛陀指引，但創造、掌握著現實世界秩序。在這裡我們必須明白，「王」實際是一個虛擬的人，但其投射出的是在南宋以後左右

---

[7]　張聲震，《布洛陀經詩譯注》（南寧：廣西民族出版社，1991 年），頁 344-349。

江社會在重構的過程中某一具體的政治力量。「王」與當時右江社會新的區域秩序與社會制度有著密切的聯繫。如《經詩》中描述，當時社會生活最深刻的變化是文字曆書的出現，在這一過程中「王」的權力有著充分的體現：

> 古時候沒有造書，古時候沒有奉道，皇帝的書還沒有，皇帝還沒有曆書，皇帝的曆書還沒有造……王才感覺到不對，王才覺得事情不好……昆蟲造書給王，昆蟲獻書給王……造成了一本曆書，造出了上旬和中旬，造出了初一和十五，定出了年和月，定出了年號……蟲把字造出來，皇帝的書才燦爛輝煌，皇帝的曆書才閃閃發光，古代的書造出來，土官掌印怕動亂，就按照書來管理，皇帝治國怕動亂，也按照書來治理……[8]

文字曆書建立的過程，意味著地方社會在重組的過程中用國家制度加以規範。值得玩味的是，在上文的敍述結構中，皇帝處於最高的位置，「王」的地位低於皇帝，但卻高於土官，其以皇帝的名義維護著地方社會的秩序，防止土司作亂。因此，隱隱中我們看到了南宋以後左右江地區的區域秩序包含著兩個方面：一是土官與皇帝的秩序；一是土官與土官間的區域秩序。從文本體現出的是，「王」是維持地方政治均衡的重要力量，皇帝也依靠其對右江地區進行羈縻。因此，《布洛陀經詩》與土司制度的建立有著密切的聯繫。這一點在第四部分《造土官皇帝》得到更清晰的反映：

8　張聲震，《布洛陀經詩譯注》（南寧：廣西民族出版社，1991 年），頁 509-524。

三樣是三王安置，四樣是四王創造，那時籬笆無椿又無門，那時天下沒有首領和土司，籬笆無椿又無門，籬笆就會歪斜，天下沒有首領和土司，沒有土司來做主，沒有皇帝管天下，世間就亂紛紛，出了壞事無人理，有了好事無人贊，這樣才不斷出亂子，蠻人與強人結成夥，到處亂搶又亂吃，到處亂吃又亂搶，蠻強欺壓弱小，天天互相打鬥，孤單弱小被侵吞，互相打鬥為了生存，天下無人管理，天下不成章法，只緣有了神和仙，才開天闢地造天堂，造出了月亮星星，王造出了太陽，造出了一個人來作主，造一個人做君主，造一個人來掌印，造出土司管江山，造出皇帝管國家，統管一萬二千個山谷國，治理十七處地方，全天下都聽從他管理，眾人全聽他做主，造了官又造府，建了州又建縣，天下從此才有了主，眾人的事才有了管，出了事有人來治理，好事有人來誇讚，專搞壞事的人沒有了，互相打鬥殘殺的人沒有了，壞人和橫蠻的人沒有了，到處亂搶亂吃的人沒有了，天天互相打鬥的人沒有了，互相鬥毆的人沒有了，欺負孤苦弱小的人沒有了，惡人拿來上枷鎖，壞人拿來捆綁，整個地方都服從土司，土司管得整個地方，納官稅和官糧，天下才同享受太平，黎明百姓才象土司一樣享福，做土司的才成為土司，當皇帝的才成為皇帝，這一段經詩就這樣慶喃，這一章經詩就這樣傳誦，這一段事理就說到這裡，布洛陀造出了這紛繁的天下，造出會編講故事的人，前人的經歷傳給後世，相傳到我們這一代，我們後代拿來比，我們這代都來遵從，我們時時拿來傳誦，且不講它那麼遠，且不說別家姓，就說這姓

氏，或者他說錯了話，或者他摩錯了拳擦錯了掌，錯就錯在亂吃亂搶，或者他作亂造反，父子之間的差錯出於相互打鬥，若亂了就這樣糾正，也要像這樣來祈禱，或者他造反作亂，以至這樣相互撕殺，對兄弟狠心地相互打鬥，打得鍋頭破裂，打得罈子破碎，打破罈子犯了宗法，打破罈子驚動了祖神五代，你們家的三代祖神不願意留宿，你的歷代祖宗不願居住，也要這樣來糾正，也要這樣來祈禱，這一章經詩就傳誦到這裡。[9]

　　這一段材料是幫助我們理解布洛陀信仰在地方社會的作用方面最重要部分。其用宗教的作用強調土司在地方社會統治中的合法性。上引文非常強調的一點是土司制度建立之後的社會與之前的社會的巨大差異。顯然，布洛陀信仰是伴隨著左右江地區土司制度的建立而出現的。左右江地區土司制度萌芽於宋代，正式建立在元代，因此，我們不難判斷，《布洛陀經詩》大約形成於南宋至元代前期，是維繫地方社會秩序的重要宗教力量。文中所講到「蠻強欺壓弱小，天天互相打鬥，孤單弱小被侵吞，互相打鬥為了生存」深刻地反映了當時土司生存的環境。元明兩代，左右江地區的土司往往處於互相爭鬥之中，「形勢宛然一衰周戰國圖」。許多學者一直強調左右江地區的政治秩序一直處於一種不穩定的狀態（黃家信，2007：99），而忽略了維持其關係的力量。透過對《經詩》內容的解讀，我們可以隱隱看到這一宗教力量一方面承認土司對其地盤統治的合法，同時也反對土司對外擴張，其政治作用在於維持地方社會

9　張聲震，《布洛陀經詩譯注》（南寧：廣西民族出版社，1991年），頁487-505。

的穩定，而維持力量就是前引材料所提及的「王」。

　　因此，布洛陀信仰的背後反映出的是土司社會確立以後區域空間的政治秩序。而《經詩》的內容更是提醒我們，在歷史的過程中，最早使用《經詩》的，不是一般民間的道士，而是特定的政治精英。從政治精英到民間道士，是這一宗教信仰庶民化的過程。[10]而在政治精英掌控布洛陀信仰的時期裡，其意味著宗教力量是控制、維護左右江尤其是右江地區的重要手段。要理解布洛陀信仰中「王」所蘊含的歷史資訊，就必須將布洛陀信仰放回特定歷史空間中理解，以田州為中心仔細討論左右江地區的土司，由此才能對布洛陀的聖山——敢壯山有深刻的理解。

三、《布洛陀經詩》與右江土司制度的構建

　　北宋皇祐之前，左右江地區的土酋以儂、黃二姓最為強大。廣西經略安撫使范成大在《桂海虞衡志》中寫道：

> 舊有四道儂氏，謂安平、武勒、忠浪，七源四州，皆儂姓。又有四道黃氏，謂安德、歸德、露城、田州四州，皆黃姓。又有武侯、延眾、石門、感德四鎮之民，自唐以來內附，分析其種落，大者為州，小者為縣，又小者為洞。[11]

10　作者擬另文討論。

11　范成大，《桂海虞衡志》，《范成大筆記六種類》（北京：中華書局，2002），頁134。

從以上材料我們不難看出，儂氏當其時控制了左江社會，而包括田州在內的右江社會則由黃氏所把持。皇祐年間，廣源州儂智高起兵反宋，為狄青所平。在儂智高被平定的過程中，左右江社會的區域格局發生了重要變化，儂氏迅速衰落。《桂海虞衡志》記載道：

> 今黃姓尚多，而儂姓絕少，智高亂後，儂姓善良，許從國姓，今多姓趙氏。[12]

在這一過程中，原來右江最強的土酋黃氏的勢力也受到削弱。其主要的原因是，動亂被平定的過程中，地方社會上原來的小土酋借助朝廷的力量，通過與朝廷結盟增強了實力。岑氏便是其中一支。熙寧年間，右江地區的「黃金滿、岑慶賓皆來潛輸誠款」。[13]這條材料表明，右江地區這個時候已從原來的黃氏一家獨大轉變為黃、岑二姓分而治之。

如果說岑氏崛起於北宋，那麼稱雄右江則在南宋以後。有關岑氏在南宋期間的活動，並沒有太多的材料對其直接記載，其大量出現在史料中，乃在元以後的事情。但我們通過各種材料的互證，仍能判斷出岑氏在南宋期間的活動。在《元史》中，有這樣一條記載：

> （至元十四年）夏四月甲子，宋特磨道將軍農士貴、知安平州李維屏、知來安州岑從毅等，以所屬州縣溪洞四

---

12 范成大，《桂海虞衡志》，收入《范成大筆記六種》（北京：中華書局，2002），頁 135。

13 脫脫：《元史》（北京：中華書局，1976），卷 9，頁 190。

十七、戶二十五萬來附。[14]

以上材料所提及歸順的三種力量實際上代表的是南宋舊臣與左、右江地方社會的土酋。值得注意的是，文章用「所屬州縣」來描述歸順的過程，這意味著岑氏在右江地區已經相當強大，擁有了對其他土酋發號施令的實力。岑氏所轄之來安州即宋之田州。元政府在廣西建立統治的時間為至元十四年（1277）。考慮到這一時間，我們不難判斷，在南宋中後期，岑氏已經控制了田州。並且一舉成為右江社會裡實力最強的土酋。翻閱元明兩代的史料，我們不難發現，在元以後，田州（來安）與南宋時期相比，有了顯著的變化。成為整個右江甚至左江地區的政治中心。朝廷在處理左右江的問題上，最重要的是透過與田州岑氏來展開的。當其時，左右江的許多土司都聽命於岑氏。

岑氏在南宋以後稱霸右江並能影響左江的原因是在於「馬綱」貿易的出現。南宋時期，朝廷因北方戰事失利，大理蠻馬成了朝廷戰馬的重要來源之一。朝廷每年以橫山寨為交易場所，從大理購入大量蠻馬。周去非在《嶺南代答》中寫道：

（紹興六年）歲額一千五百匹，分為三十綱，赴行在所。紹興二十七年，令馬綱分往江上諸軍。後乞添綱，令元額之外，凡添買三十一綱，蓋買三千五百匹矣。此外，又擇其權奇以入內廄，不下十綱。[15]

14　脫脫：《元史》（北京：中華書局，1976），卷9，頁190。

15　周去非，《嶺外代答》（北京：中華書局，1999），卷5，頁192。

在馬綱貿易的過程中，南宋政府封了許多「招馬官」，令其去大理購馬。但「招馬官」實質的角色並不是朝廷命官，而是中間轉運商，「招馬官」從大理購馬後，將馬群沿右江販至橫山寨。「馬綱」貿易的出現，帶動了其他貿易的發展。周去非也記載道：「蠻馬之來，他貨亦至。」[16]而地方社會上的土酋借此舉「私置場於家，盡攬蠻市而輕其稅，其入官場者，什才一二耳」。[17]在這一貿易的過程中，朝廷與地方土酋之間，土酋與土酋之間存在著激烈的競爭。在橫山寨的上游，存在著許多與其相競爭的市場。而位於橫山寨的上游 40 公里的田州岑氏極有可能就是在這樣的背景下得以壯大。從地理位置上看，田州是前往橫山寨的必經之地，極容易成為「馬綱」貿易背景下形成與朝廷貿易競爭的市場。在壯族地區，歌圩實質為地方社會上的集市。在今天田州布洛陀形成歌圩的儀式與內容上，仍保留著許多集市的痕跡。我們或許可以推斷，布洛陀信仰極有可能是在大規模集市貿易的基礎上發展而來的宗教，而岑氏的壯大則是建立在對貿易控制的基礎上。因此，在南宋期間，由於「馬綱」貿易的出現，田州岑氏借助其有利的地理位置一舉成了右江最為強大的土酋。

元朝建立後，土司制度在廣西正式確立，土酋的身分轉變成土司。在轉變的過程中，岑氏透過與國家的合作，使其在右江地區的地位也更加牢固，《元史》記載道：

> （泰定元年）十二月，以岑世興為懷遠大將軍，遙授沿
> 邊溪洞軍民安撫使，佩虎符，仍來安路總管；黃勝許為

16　周去非，《嶺外代答》（北京：中華書局，1999），卷 5，頁 193。
17　周去非，《嶺外代答》（北京：中華書局，1999），卷 5，頁 197。

> 懷遠大將軍，遙授沿邊溪洞軍民安撫使，佩虎符，致
> 仕，其子志熟襲為上思州知州。降詔宣諭，仍各賜幣帛
> 二。[18]

至元滅明興之際，岑氏的勢力在右江仍然非常強大。田州知府岑伯顏為當時左右江之中最強大的土司。朝廷在平定地方社會動亂方面，主要依賴於土司的軍事力量，而其中對田州岑氏最為倚重。在軍事行動的過程中，我們往往能看到其他小土司跟隨著田州岑氏出征的事蹟。這一切顯示了南宋以後至元明時期，右江社會的一個重要特點就是以田州為中心區域政治格局。這一區域的格局又與前文我們分析的布洛陀信仰所表達的區域秩序在時間、空間以及內容上都高度地吻合。因此，我們可以判斷，《布洛陀經詩》所蘊涵的歷史意義在於其折射出岑氏土司在右江社會中所構建出來的區域秩序。在元以後，岑氏土司在右江地區的霸主地位除了依靠其經濟和軍事勢力外，更重要的是借助於宗教的力量，將祖先的發跡歷史宗教化，並使其成為區域性的宗教。在此基礎上，岑氏土司通過宗教的力量來駕馭其他小土司。前文所提到的「王」實際上就是岑氏土司在宗教中的投影。布洛陀信仰以歷史敘述的方式來維持地方秩序在這裡有兩層的含義，一是地方社會在變遷的過程中，歷史如何被地方的政治力量創造出來並加以運用以建立區域性的政治秩序，而另外一方面，它又是在國家的影響下被創造出來的。「皇帝」是《經詩》中頻繁出現的詞語，但就其地位而言，「皇帝」並非高高在上，更多的時候，它只是在表達著這

---

18 脫脫：《元史》（北京：中華書局，1976），卷29，頁652。

樣一種觀念，「皇帝」不是敬畏的，只是在處理地方社會問題，維持地方秩序中不可回避的力量。《經詩》所表達出來的微妙關係，或者就是處於帝國邊緣最重要的文化特徵之一。

右江地區在宋元之間所出現的布洛陀信仰，深刻地著明以後社會的發展。永樂以後，田州岑氏陷入到激烈的內部爭鬥之中。其先是有岑鑒與岑鏞承襲之爭，後有呂趙的反叛，由此導致岑氏的勢力日漸式微。在岑氏衰落的過程中，其他政治力量接踵而起，嘗試取代岑氏的權力。這些挑戰，有來自朝廷，也有來自其他土司。但這些政治動亂都有一個顯著的共同點，就是爭奪對田州的控制權。當我們理解了田州的宗教意義之後，我們或者可以這樣理解，各土司、朝廷展開對田州控制權的爭奪，背後極有可能是對宗教權力的爭奪。而田州的數次動亂，影響最大莫過於嘉靖六年（1527）之亂。動亂由田州土目盧蘇、思恩土目王受發難，一時「兩江皆鎮」，[19]後由王守仁撫定。值得注意的是在王守仁撫定之後採取了「裂土眾建」的政策。這一政策主要是將原來田州府劃給各小土目分治，但包括田州剝育甲在內的八甲仍然留歸岑氏所有。[20]剝育甲即今天之敢壯山所在之百育鎮。顯然王守仁仍然希望保留著岑氏對當地宗教的控制權。朝廷所希望的，無非是藉一個日漸式微的土司，把地方社會的宗教力量掌控在自己的手中，以掌握地方社會秩序的主動權，使國家的力量可以不斷向地方社會滲透。

19　毛奇齡，《蠻司合志》（上海：上海古籍出版社據清康熙刻西河合集本影印，續修四庫全書第 735 冊，1995），卷 13，頁 445。

20　參考王守仁，《王陽明全集》（上海：上海古籍出版社，1992），卷 14，頁 483 及楊芳，《殿粵要纂》（南寧：廣西民族出版社，1993）卷 4，頁 503。

四、結 語

由宋而明，廣西右江地區的文化經歷著複雜而深刻的變化。儂智高叛亂的平定、馬綱貿易的出現以及軍事徵調制度的建立使整個右江區域格局發生了重組，建立了土司制度。在重組的過程中，地方社會上的一些土酋，如田州的岑氏迅速崛起，成為了右江地區的重要的政治主導力量。岑氏土司與朝廷在此過程中互相利用，朝廷藉岑氏之力羈縻地方，岑氏則藉朝廷之威駕馭眾小土司。地方文化在這一時期被重新創造並且適應這一政治需要。《經詩》正是這一歷史產物與右江土司制度的文化基礎之一。以往對右江土司的研究，正是在很大程度忽略了土司制度賴以存在的文化基礎，更沒有注意到這一文化是如何在王朝與地方的互動中產生。《經詩》形成的過程實際上是地方文化在融入王朝文化的基礎上形成的。而為了更好地理解《經詩》在整個土司文化中的意義，我們不妨稍稍將眼光放到田州岑氏的家譜——《田州岑氏源流譜系》上。

元明以後，田州岑氏不斷地攘修族譜，重構祖先的譜系，向朝廷證明其來自中原的文化身分。如《田州岑氏源流譜系》中如是寫道：

> 思田岑氏，源從舜水，系出與姬周。文王封異母弟耀之子渠于岑享，後世子孫依以氏。自渠曆傳十九世至彭公，居棘陽，為穎川守。……光武中興，拜大將軍，封舞陰侯……中二十八世表，曰正淑，曰仲淑，曰淳淑。……仲淑公仕宋，為麒麟武衛上將軍。隨狄青武襄

公來粵西征儂智高建功。事平，留公治永寧軍。封粵國
公，家于邕管。凡嶺西有岑氏者，皆自公始也。[21]

而泗城的岑氏對其族源也有類似的描述：

岑仲淑，派白余姚，善醫道，立武功於宋，亭立宗朝，
授驥麟武衛懷遠將軍，隨狄襄公征儂智高，克柳州，破
邕州。智高奔廣南，襄公還朝，促淑善後，駐鎮邕州，
建元帥府，都督桂林，象郡，三江諸州兵馬，以禦智
高，始通使南馬於水西，大大興兵掃蕩西南，據有牂牁
露布，上封粵國公。[22]

在上面的材料我們看到，右江岑氏不斷宣稱其先祖岑仲淑
在宋朝時期隨狄青南征儂智高而到廣西，後因為有功於朝廷，
所以被朝廷詔封，並世守右江地區。這一做法的原因在於：在
明代土司制度發展、地方土官身分的合法性掌握在明朝政府手
中的情況下，土官需要通過對自身族源的重新解釋來塑造對自
己更為有利的政治資源。岑氏家族將自身的族源追溯到中原地
區，並將本族在右江的統治與王朝政權聯繫起來，說自己是經
過宋朝政府詔封的，真正的目的在於為本族構建了一個顯赫的
身分，取得對地方社會控制的合法身份。同時，向明朝政府表
明自己對右江地區控制的合法性，在土司制度的框架內最大限
度地保護自身的利益，防止明朝政府的勢力向地方滲透。對於

---

21 《田州岑氏源流譜系》，收入《廣西土官岑氏莫氏族譜》，廣西民族研究所，
    未刊。
22 《泗城州岑氏土官史略》，載《廣西民族研究參考資料》第八輯。

《源流譜》，我們可以將其歸納為用正統的中原文化表達地方的政治訴求。

但如果我們將《源流譜》和《布洛陀經詩》放到一起，便會發現兩者對祖先、身世的敍述是完全不一樣，甚至是矛盾的。但我們兩者聯繫起來並放回至歷史脈絡中，我們看到了由宋至明期間，在廣西左右江地區逐步被整合至王朝權力體系的過程中，處於國家與地方社會之間、帝國邊緣的岑氏家族如何透過兩種歷史話語的塑造來構建自身在地方社會的合法統治。國家與地方不同的文化資源在特定的歷史空間下被整合到一起，譜寫了帝國時期邊疆社會的文化二重奏。這兩種文化資源互相交融，一方面，岑氏土司在用正統的中原文化表達著地方的觀念，而另外一方面則在創造地方文化的過程中不斷地融入國家的元素。這是一個充滿矛盾和艱難的融合過程。回到這一具體層面上，或者我們才能更好地理解《布洛陀經詩》產生的過程以及其中所蘊含的地方與國家的雙重文化意義。

參考書目

張聲震（2002）：《壯族史》，廣州：廣東人民出版社。

黃家信（2007）：《壯族土司制度與改土歸流研究》，合肥：合肥工業大學出版社。

玉時階（2004）：《壯族民間宗教文化》，北京：民族出版社。

廖明君（2006）：《萬古傳揚創世歌曲：廣西田陽布洛陀文化考察劄記》，南寧：廣西民族出版社。

谷口房南、白耀天（1998）：《壯族土官族譜》，南寧：廣西民族出版社。

谷口房南（1996）：《華南民族史研究》，南寧：廣西民族研究所。

谷口房南（2004）：《明代廣西民族史學研究》。

岡口宏二（2002）：《中國華南民族社會史研究》，北京：民族出版社。

《廣西土司制度資料彙編》，廣西博物館編，油印本。

劉建平：《壯族「頭人」制度研究》，《廣西民族研究》1994 年第 1 期。

王亞文：《壯族支系土僚文化變遷初探》，《廣西民族研究》1999 年第 1 期。

白耀天：《土官與土司考辯》，《廣西地方誌》，1999 年第 3 期。

白耀天：《壯族史研究管見》，《廣西民族研究》1995 年第 1 期。

西雙版納傣族的取名儀式「祝詞」

生育之文化意義

磯部美里

日本愛知大學研究生院博士生

中文摘要

本文以西雙版納傣族（傣泐）的取名儀式以及在儀式上誦讀的祝詞為研究對象，試圖提供關於傣族生育觀的若干分析。

傣族的取名儀式在約一個月的產褥期結束後舉行，以母子與其家人、親屬以及村落裡的老年人給嬰兒取名，是當地傣族的傳統儀式之一。在儀式上，一位給嬰兒取名的老人誦讀一篇祝詞，在祝詞中包含著表現出根據傣族創世史的民族起源傳說和依據傣醫學的人體結構解釋。可是，20世紀90年代以後，伴隨著當地計畫生育政策的積極推動與徹底施行，為了管理當地少數民族女性的生育，向她們提供避孕手術的機會，陸續出現了現代的醫療設施。受到當地醫療現代化的影響，傣族有關生育的觀念也發生了不少變化。在這樣的背景下，本文主要以田野調查的成果為基本資料，論述西雙版納傣族生育之文化意義。

本文首先簡介調查地的概況，進而概述該地傣族社會產褥期的情況，最後對取名儀式及其祝詞展開進行解釋並予以分析。

關鍵詞

西雙版納、傣族、生育、取名儀式祝詞

民間文學與漢學研究

Congratulations of naming ceremony in Xishuangbanna Dai

Cultural meaning of childbirth

ISOBE Misato

Aichi University Graduate School of Chinese Studies

Abstract

This paper provides some analysis of the view of childbirth that has been inherited by the Xishuangbanna Dai-Le society in the southwest end of China. In Dai-Le society, after about one month from childbirth, a naming ceremony is carried out to name the newborn member of their society. In this ceremony, an old man recites a piece of congratulations that consist of both genetic myths of them and the understandings of human body that based on traditional medicine of Dai. Now, however, with the prevalence of modern medical birth systems, their view of childbirth is changing gradually. I argue this transformation through two cases of naming ceremonies and the process from childbirth until the very day of ceremony.

Keywords:

Xishuangbanna, Dai, childbirth, congratulations of naming ceremony

　　據 2000 年的人口統計，傣族是在中國國內擁有總人口 1,150,899 人的民族集團。[1]傣族主要居住於西雙版納傣族自治州（以下，略稱西雙版納）、德宏傣族景頗族自治州等地，其中有傣泐、傣那、傣雅等分支集團。傣族使用獨自的民族語言——傣語，而傣語又分為傣泐方言和傣那方言。本文以居住於西雙版納的傣泐方言集團——傣泐族（以下，略稱傣族）為對象，通過傣族舉行的取名儀式與在其儀式裡誦讀的「祝詞」，探討傣族有關生育的觀念。

　　在信仰上座部佛教的傣族社會裡，取名儀式祝詞主要由有出家經驗的老年人誦讀。其內容反映著「傣醫學」的人體解釋與傣族的創世神話，表現出傣族獨自的生育觀。這個祝詞沒有一定的文本形式，因此，誦讀者依據佛教經典、傣醫學以及創世神話，親筆寫出祝詞，因而祝詞內容也有所不同。儀式當天，誦讀者將這親筆寫的祝詞帶到現場。然而，祝詞的內容並不是誦讀者直接傳授，或者從老一代人學習而來的，而是根據一些「經驗」而構成的。這些經驗有以下三種：第一種是，出家以及由於出家被人視為知識份子的這一類誦讀者的個人經驗。第二種是，因為取名儀式由當地社會維持下來，所以參加取名儀式的體驗，就成為口頭繼承祝詞內容的機會，這是在誦讀者與當地社會之間產生出來的一種社會經驗。第三種是，構成祝詞所含有的知識體系，而將其維持下來的則是當地傣族社會繼承的文化經驗。而依據這些「經驗」的祝詞，也可以說是一種特殊的口頭繼承的民族文學。本文將探討這種取名儀式在現代的語境下所發揮的作用。

1　本統計根據於（國家統計局人口和社會科技統計司、國家民族事務委員會經濟發展司編，2003:3）。

　　本文所論的取名儀式，是傣族給嬰兒取名的儀式，在產後一個月舉行。但在論及名儀式與其祝詞之際，則需要了解傣族怎樣度過從嬰兒的誕生到取名儀式當天的一個月間。因為，這一個月間相當於傣族的產褥期（坐月子），而且取名儀式又是個祝賀產褥期結束的儀式。因此，本文首先簡單地觸及調查地的概況，而後概述該地傣族社會產褥期的情況，最後對取名儀式及其祝詞進行若干解釋與分析。

一、調查地概況

　　本文所舉的兩個對象地（L 村與 M 村），位於西雙版納景洪市西方約 5 公裡的嘎洒鎮內。筆者 1999 年以來在該地進行了繼續調查。目前，嘎洒鎮全鎮總人口 72,409 人。其中人口最多的是傣族，其他還有哈尼族、拉祜族等少數民族。鎮內共有 137 個自然村。這些自然村屬於 14 個村民委員會管轄。L村與 M 村由這些村民委員會之一的 B 村民委員會管轄，都是傣族村落。該地傣族居住於平原地帶，以稻作與樹膠種植為主要的生計手段。據 2005 年的筆者調查，L 村人口 766 人，M村人口 1,069 人。

二、產褥期的生活

（一）有關產褥期與在產褥期中的母子之既存解釋

　　通常，產褥期指從剛生孩子之後直到恢復母體健康之期間。在產褥期中，因為母子被視為不潔或者人鬼不分的存在，

所以大陸的不少西南民族社會也制定某些禁忌與儀式。例如，佤族把未滿月的母子與鬼同視，不能與其他家人同居一處，多在鬼火塘休息（楊筑慧，2006：136）。這種與身體恢復直接無關的禁忌，通常與「不潔」的觀念結合起來，在當地社會形成了一定的制度化。

但是，部分學者認為，「這種隔離或禁忌並不意味著忌避『產之不潔』，而是為了迴避因外部的侵入所引起的不好影響而出現的」（安娜，1985：241,256）。另外，在歷史學的領域，研究圍繞日本女性的「產穢」與「血穢」史的成清弘和指出，「所謂的女性之穢，最初有從祭祀的地方排除女性的作用，後來派生出在政治思想領域倡導女性歧視的作用」（成清，2003：207）。從這一思路出發，我們對產褥期的禁忌與限制可以理解為：（1）其原有目的在於母子身體的保護，（2）伴隨著歷史變遷禁忌與限制賦有不同的意義，而被利用為父權制社會之意識形態。在本文探討的傣族社會也有產褥期的禁忌和儀式。那麼，傣族的產褥期與其他民族的產褥期有甚麼差別，或傣族產褥期具有的特點是甚麼呢？依據這些對於產褥（期）的多方面理解，為了探討這個問題，在以下文章中，對傣族的產褥期禁忌以及祝賀禁忌結束的儀式進行考察。

（二）產褥期的義務與禁忌

為了產後母子健康，各社會或各文化制定各種不同規範。傣族也有約一個月的產褥期（坐月子）。在此期間，產婦需要負擔不少義務與禁忌。

譬如，作為一種身體保護義務，產婦剛生孩子之後即要戴頭巾與腹帶。戴頭巾，是為了避免因頭部直接受風以致頭疼，

除了睡眠中以外，平常都要佩戴。傣族女性認為腹帶對經過懷孕和分娩鬆弛的腹部有回復作用，同時也有排泄子宮內殘留血的作用。腹帶睡眠中也得帶上。另外，在坐月子之間產婦不准外出，如需要與人見面只能讓對方前來訪問。

在坐月子期間中，對於進餐的地方與其內容也有規定。產婦不可以與家人一起進餐，只能一個人在炕爐旁邊喫飯。這個地方相當於在傣族在家裡生孩子時候的分娩地方。同時，在這裡產婦使用的小的圓形飯桌、小椅子以及一套餐具都為產婦專用，直到坐月子結束後別人才能使用。對於產婦可以攝取的食物與其調味也有規定。關於具體的食材，忌食澀味強的或顏色深的蔬菜，以食白菜、洋白菜、煮雞肉以及煮豬肉為主。並且，禁止使用香辣的調味料及香味強的蔬菜，只能用鹽調味。[2]

上述產褥期的義務與禁忌，大體上一直被遵守到在院分娩廣泛普及的今日。例如，在醫院生孩子的傣族女性從分娩室移到病室之後，立即用頭巾保護頭部，用腹帶包紮腹部，在產後大約一個星期的住院期間中，家人給產婦送來符合上述規定的飯菜，並且出院回家之後，在一段時期內產婦不准外出。

如上所述，即使社會環境迅速變化，產褥期的傳統義務與禁忌，直到今日以適應社會環境的形態繼續實踐下來，同時有關生育的傳統知識（本文主要論述產後的傳統知識）也在相當的程度上維持到現在。這些坐月子的義務與禁忌，以取名儀式而告終。[3]總的來說，與其他民族一樣，在產褥期中，傣族社

---

[2] 關於傣族女性坐月子期間的食物禁忌（參見楊築慧，2006:137）。

[3] 有關食物禁忌的限制，從坐月子結束後，在兩個月到一年的期間中繼續有效。

會也設有把母子從社會和家人隔離的習慣。下面，通過針對取名儀式和其祝詞的分析，我想探討這個習慣的具體內容和背景。

三、取名儀式——兩個實際事例

（一）日期與地方

本節舉出筆者進行參與觀察與採訪調查的兩個取名儀式事例。第一個例子以居住在 L 村的產婦為對象（稱為，事例 1），另一個例子以居住在 M 村的產婦為對象（稱為，事例 2）。

通常，取名儀式在嬰兒出生約一個月之後舉行，男孩滿一個月之前可以提前舉行，可是女孩只能在滿一個月之後舉行。住在 M 村的一位女性回答筆者採訪說，如果坐月子不到一個月就提前結束，那麼孩子就會養成粗暴的性格。就是說，她認為女孩要被養育為溫馴的性格。

事例 1、2 都在生後第 29 天舉行取名儀式。據高發元等的調查，西雙版納勐海縣勐遮鄉曼剛村的傣族，生男 29 天為滿月，生女 30 天為滿月（高發元，2001：89）。上述兩個事例也同樣在生男孩之後滿 29 天舉行取名儀式。因此，可以認為調查地與曼剛村傣族同樣，生男孩 29 天為滿月。[4]傣族結婚以後一般首先在妻方家居住，然後按雙方家庭情況決定在夫妻哪一方生活或是分家另過。上述兩個事例，因為目前都居住於妻方，所以取名儀式也在妻方家舉行。

---

[4] 據筆者採訪，有一位住在 M 村的女性，在 2005 年 10 月 21 日生女孩，然後 2005 年 11 月 21 日舉行取名儀式。這是生女孩之後的第 31 天。

民間文學與漢學研究

（二）儀式預先準備

取名儀式當日，除了家人以外居住於近鄰一帶的親屬也集合在一起，從上午開始飯菜的準備。在日常生活中做菜主要由女性承擔，但在儀式當日則以男性為主進行準備。當日做菜以 10 歲以上到 30 歲左右的年輕人為中心，男的切肉，女的切菜。料理方法及其分擔，通過這種參加取名儀式準備的經驗得以學習並繼承下去。

表 1 表示兩個事例的時間表。兩個事例雖然有時間的不一致，可是在儀式程序上，其內容大體上一致。最初實施的是剃髮與剪指甲。在事例 1，嬰兒父親用剃刀剃嬰兒頭髮，用指甲刀剪嬰兒指甲。嬰兒母親幫他抱嬰兒。筆者問這一行為之理由時候，有一位親屬回答說，「因為父親

表1　取名儀式準備時間表		
	事例 1	事例 2
AM8:00 左右	親屬集合，開始準備	親屬集合，開始準備
AM9:30 左右		嬰兒外祖母給嬰兒剃髮、剪甲
AM9:50 左右		嬰兒沐浴
AM10:20 左右	嬰兒父親給嬰兒剃髮、剪甲	
AM10:45 左右		放爆竹
AM11:00 左右	嬰兒沐浴	
AM11:20 左右	嬰兒父親放爆竹	
AM11:30 左右		開始取名儀式
PM12:00 左右	開始取名儀式	

根據 2006 年筆者調查

去世之後孩子埋葬父親」。在這裡可以看出在父親與孩子之間存在的一種社會關係，即孩子照顧父親的「最後」，父親照顧

孩子的「最初」。同時，在場的儀式參加者通過參加取名儀式（準備）的經驗，重新確認這一社會關係。但是，在事例 2，外祖母代行這段程序，據外祖母說明「要是閑著誰都可以承擔」。從她的說明可以認為，準備程序的簡化也是個事實。

然後，對嬰兒藥水浴。在事例 1，木桶裡盛滿溫水之後，在溫水裡放入名為「埋航」（漢名：毛葉嘉欖）的藥草。埋航有消毒皮膚的作用，傣族自己去採集並使用。[5]事例 2，家中使用在市場上出售的嬰兒用沐浴液和嬰兒浴盆，用「現代」的產品適應從來的習俗。

上述程序完了之後就是放爆竹。事例 1，父親放爆竹。事例 2，由一位親屬承擔。放爆竹是為了祈念嬰兒長大後有膽量，另外還有對參加者通知取名儀式準備完了的意思。此後，參加者集合在家裡，在儀式供桌上設置的器皿裡投入 1 圓到 10 圓左右的現金。

參加取名儀式的人，大半是住在村裡的老年人。有一位老年人說「因為年輕人上午忙於農活，所以我作為一家的代表來參加儀式」。正如這位老年人所言，當天下午，嬰兒父母的朋友以及其家人帶著禮物訪問。

老年人參加者集合在屋裡，分別在內側與外側坐下。內側指傣族高床民居的居室之內，外側指從樓梯上來最先到達的前廊的地方。男人坐在內側，女人坐在外側，即男人圍繞位於儀式中心地方的供桌而坐，女人在其邊緣地方坐下。對於採用「男內女外」座次的理由，有一位中年女性向筆者表示「是為了尊重男人」。總而言之，儀式以男性為主展開。

---

5 關於埋航藥草（參見西雙版納州民族藥調研辦公室編，1980:73）。

（三）儀式過程

　　取名儀式大約在 11 點半到 12 點之間開始。因為有以正午前後為吉利時刻的習俗。取名儀式之際，在儀式中心地方設置

L 村祝詞情景

M 村祝詞情景

L 村供桌

M 村拴線情景

供桌。供桌上面蓋上芭蕉葉為桌布。家人在桌上供 2 只炖雞、1 把煮糯米、1 盛鹽、1 掛芭蕉、蠟燭、算盤、筆記本和鉛筆、杆秤、還有器皿。在供桌旁邊，取名者、該村長老、嬰兒母親以及嬰兒父親的「乾媽」[6]入座。這位乾媽抱著嬰兒。

　　所有參加者入座後，以取名者誦讀「祝詞」開始儀式（關於「祝詞」將隨後論述）。通常，有出家經驗的親屬中年長男

6　乾媽在嬰兒人生中提供金錢方面與精神方面的幫助。

人承當取名者。信仰上座部佛教的傣族，幾乎所有村裡都建有寺廟，學校教育普及之前，傣族男孩通常在 10 歲左右出家，在寺廟裡學佛教經典，學會文字。在傣族社會，出家經驗意味著將被視為有教養的知識份子。取名者按照嬰兒誕生的年月日決定嬰兒名字。

誦完祝詞後，取名者拿起供桌上的一小塊糯米，給糯米蘸上鹽，將其給炖雞塗上。這行為象徵着嬰兒靈魂與母親靈魂結合在一起。此後，取名者與長老一起給母子「拴線」。「拴線」是將一束白色棉紗纏在對象手腕上的行為。首先給母親拴線，然後給嬰兒拴線。取名者與長老完成拴線之後，外曾祖父母及外祖父母等家人給母子拴線，但此時嬰兒父親不進行拴線。家人完成之後，男性參加者同樣給母子拴線，然後女性參加者接著進行。

拴線之後取名儀式所有程序告終，然後家人請 50 名左右的參加者喫飯。喫完飯的老人回家的時候，帶著嬰兒服等禮物的年輕人接著前來祝賀，上家喫飯。此時年輕男女也分開坐下。

(四) 取名儀式的意義

Brigitte Jordan 曾經指出在各文化中可以看到生育與產褥期的定式化；

> 幾乎所有的社會都認為，對於母子雙方來說生育及產褥期是個容易受傷的時期，況且對於其家人與當地社會來說又是個在儀式方面的危機（ritual danger）時期。為了處理關於生育的這些危險以及母子身體的不穩定性，人們開始形成內在一貫性，創造出互相依存的實踐與信

念。這些實踐與信念，是為了管理有關生育的生理問題和社會問題，以在該文化語境中能夠充分發揮其作用的方法而創造出來的。（Jordan，2001：4）

同樣在傣族的產褥期過程中，我們可以看到用以文化解釋而實踐的一系列信念。例如產褥期中的食物禁忌，是為了保護母子身體以及克服在母子與當地社會之間的紐帶上發生的危機而創造出來的。而最後，以取名儀式完成這些實踐與信念。所有的社會擁有使個人向下一段社會地位過渡的所謂過渡儀式，從懷孕到產後的一連串過程中也可以看出由於分離、過渡以及結合階段構成的過渡儀式。通過這些過渡儀式，產婦和嬰兒回到原社會，或者獲得新的社會地位。松岡悅子針對生育和過渡儀式的關聯性進行了如下說明；

包含義務和禁忌或者隔離等內容的產褥期，相當於一種過渡期。這段時期被認為是非日常的時期，屬於這段時期的人被認為是中間性的存在，通過回到原共同體的儀式、淨化不潔的儀式以及由取名承認嬰兒的儀式，才能得到在社會領域上的結合。（松岡，1991：6）

本文所論述的傣族取名儀式，正是個將被社會隔離的母親再次回到當地社會的儀式，與此同時，也是個當地社會承認嬰兒的儀式。實際上，據文獻記載，傣族嬰兒誕生之後父母託僧侶起嬰兒乳名（《民族問題五種叢書》雲南省編輯委員會，1983：132），然而在筆者觀察的兩個事例程序中，沒有公開發表嬰兒具體名字的程序，也就是說，取名儀式與其說是個起嬰

兒名字的儀式或者發表嬰兒名字的儀式，不如說是個為了將母子與社會再次／重新結合在一起的承認儀式。再說，在傣族社會上女人生孩子以後得到新的名字，用子女之名冠以母而呼之（曹 2006：491）。取名儀式既是給嬰兒起個名字的儀式，又是給母親起個新的名稱的儀式。通過取名儀式，女人被社會承認她的母親地位。

但是，授予「承認」的人需要滿足一定的條件。即主持儀式的是親屬中有社會權威的年長男人。在這裡社會權威意味著其人是否有出家經驗，出家經驗是判斷他教養和社會地位時候的標幟。因此，不能出家的女性，也不能承擔這個任務。

另一方面，參加拴線的基本上是老年人，即承認母親的回復以及嬰兒的誕生就是當地社會的老年人。所以年輕人不能成為在儀式方面的直接的行為者，因此儀式結束以後，他（她）們才到現場。

四、祝詞與傣族的生育觀

（一）祝詞內容

下面出示的祝詞，是在事例 2 的儀式中誦讀的。年過 70 歲的這位取名者，因為有出家經驗通曉佛教經典，所以屢次承擔親屬的取名職

寫真 5　老傣文祝詞

責。他每次誦讀如下用老傣文寫出的[7]祝詞。聽說近來的取名儀式有簡化的趨勢，誦讀像以下長篇祝詞的人越來越少[8]。

〈過滿月拴線的祝詞〉

好了！今天是過滿月的喜日，最好的吉祥日，月星光輝照亮天下之日，布商嘎砂和呀商嘎西塑造人類像的歷史之日，我們傣族的傳說。你們夫妻千裡姻緣一線牽最符合婚姻之法。你們倆成婚後，神仙祖父母用魂魄念咒語給你們，芝麻種大的，順雨意與風向降落入嬰兒父親頂頭一個星期，傳到嬰兒母親的密門一個星期，落到胎兒 15 天，變為黃瓜粘液漿一個月就形成紅血氣泡。這時，神曾祖父就用 32 個字母來做人身魂魄分為，髮、毛、甲、牙、皮、肉、筋、骨、骨膜、腎、心、肝、筋膜、胗、肺、大腸、小腸、內肚虫、新老食物、膽汁、痰、人體內淋巴液、血、汗水、精液、眼淚、羊水、唾沫、鼻涕、脖汗垢、便尿以及腦漿。九孔全齊後，至兩個月才形成人屍體，平安在母體 10 個月後，懷胎逆風、扠痛、排擠、轉頭轉向、平安無事地生出來。

這時，接生婆剪好臍帶，用酒消毒，用手指掏出喉嚨裡痰之，放在簸箕上抬到樓梯頭，叫巫師來念趕撞鬼話，之後就可以放在母親身旁。拜神仙來保護嬰兒和母親地吉祥平安，因在一個月之內母親要坐月子，不可以做一切家務，只能給嬰兒哺乳。因她的身體軟弱無力，還要忌一切不合脈絡的食物，如辣

7　老傣文，用傣泐文字書寫，於 1277 年創造。中華人民共和國成立後，基於從來的老傣文重新創造了新傣文（岩峰編，1999:74）。

8　筆者取得取名者的諒解照了祝詞全文。因原文用老傣文書寫，所以請傣族熟人譯成中文。部分譯詞筆者修改。

的、咸的、酸的、澀的、苦的以及甜的等等。

父母得到寶貝後，去邀請有文化的知識份子推薦良辰吉日，給嬰兒取名字。然後就去邀請會念祝福拴線口訣的人和親戚以及朋友等老人來參加祝福拴線，人來齊後就擺拴線桌，桌上放有純潔雞一隻、白線、鹽巴、穀子、大米各小碗和酒一瓶等。

好了！今天是我們各位親戚朋友和老人們來參加嬰兒母親和嬰兒過滿月拴線之日，從今天起母親在一個月內坐的月子已過完了，你可以洗頭、洗澡，乾乾淨淨地清潔衛生，可以吃適應的新鮮食物，很快恢復身體健壯，精神飽滿。祝你萬事如意，健康長壽。同時祝你的小寶貝長大後要純潔，要聽從父母培教，要聰明靈利，做一個誠實的好孩子，要說真話，不說謊話騙人，要學會勞動和做家務，望你讀書要上大學，好好學文化科學知識。祝你讀書成材，身體健康長壽，萬事如意。

(二) 背景與分析

以上祝詞可以大致分為四個部分；生命的誕生，分娩方法與在產褥期應注意之點，取名儀式的準備與過程，對母親的慰勞和對嬰兒的希望。本節首先具體分析這四個部分，然後試圖導出三個問題。第一個問題是「傣族生育觀的來源在哪裡」，第二個問題是，「隨著社會變遷在傣族生育觀發生了如何變化」，第三個問題是，「祝詞起的作用是甚麼」。最後，關於這三個問題我想闡述自己的見解。

1. 生命的誕生──創世史與傣醫學

上面所舉的祝詞，開頭講述傣族有關創世的傳說。在這裡

民間文學與漢學研究

言及的布商嘎砂和呀商嘎西是記載於《貝葉經》的神仙夫婦。所謂貝葉經，即用鐵筆在貝葉上刻成的佛教經書（曹成章，2006：548）。《中國貝葉經全集》中的「創世史　上編」採錄傣族人類創世史，其簡單的內容如下；

> 遠古時候，有一對神仙夫婦，丈夫叫布桑嘎尸（布商嘎砂），妻子叫雅桑嘎賽（呀商嘎西）。布桑嘎尸就對雅桑嘎賽建議，要做一個大地盤留給將來人類住，要種億萬棵樹，要做千萬種動物，還要做成雙成對的人讓他們生活在大地上繁衍生息，傳宗接代。
>
> 創造大地、植物以及動物等的布桑嘎尸，緊接著去水界裡取來的與大地相配的，有七個眼七層瓣的人類果「芒薩大哈」集中在一個槽裡，用碓窩將它舂細成沫，用雙手揉和，再摻入仙藥，而後用它捏做了男女六個人，將他們配成對，然後他把三對人拿去放留在蘭伽洲、阿臘瑪哥冉洲和拔惟迭哈洲，並讓他們在各自居住的地方繁衍後代，接祖傳宗。
>
> 這時布桑嘎尸心想，如來佛祖要來誕生的聖地宗補洲，更應該有成雙成對的人居住。[9]他想到這裡，再捏做兩個男女人形。布桑嘎尸對新做的男女人形念了咒語，這對男女人形就同時站起來，睜開眼睛，開口講出人話，成為宗補洲大地上的首創之人。布桑嘎尸和雅桑嘎賽對他們很滿意，就讓他們結為夫妻，並按祖先的習俗，為這對新夫妻拴線祝福。（《中國貝葉經全集》編輯委員會

9　「宗補」是傣語名詞，含有地球或世道之意。

編，2006：29-60）

　　鑒於以上所舉的內容，祝詞所述「塑造人類像的歷史之日」即是布桑嘎尸和雅桑嘎賽創造一對宗補人男女之日。同時，祝詞用「是我們傣族的傳說」一文，暗示將這篇創世史口傳下來的傣族是這一對男女的子孫。於是祝詞表明，嬰兒父母的婚姻是受到祖先祝賀的，而因此嬰兒母親懷孕了。

　　關於懷孕，祝詞描述在母體懷胎內發生的一連變化。這些有關懷孕的描述是根據傣醫學[10]的人體理論而構成的。據傣醫學理論書《嘎牙山哈雅》記載，在男性體內存在著一種特殊的物質叫「巴敵先體」，這種物質很小，肉眼看不見，似馬鹿毛粘尖上芝麻油星那麼大；女性體內也存在著另一種特殊物質叫「阿書的」，其味腥臭，這兩種物質相互結合，再在母父裏受的「四塔」的作用下，特別是在「四塔」中「塔菲」的溫煦下發生了生命。[11]一般「巴敵先體」與「阿書的」在五天之內相結合，然後五到七天，結合物呈淡紅色，漸變深紅，七天後成為多個小血泡聚合在一起成為一個完整包塊；四個七天後又變成似雞蛋大的小血團，五個七天後變成一完整而質地鬆軟的嫩肉塊，以後逐漸生長全身器官而形成胎兒，十月左右則可出

10　傣醫學是傣族經過 2000 年的時間建立的醫療體系。1984 年，政府將其認定
　　為民族醫學之一。此後，陸續出版了《嘎牙山哈雅》（林艷芳等譯，1988）、
　　《西雙版納古傣醫藥驗方注釋》（西雙版納傣族自治州民族醫藥調驗辦公
　　室，1983）等書，試行傣醫學資料的搜集和整理，以傣醫學的理論化與體系
　　化為目標。不過，幾乎沒有描寫出傣族如何實踐傣醫學。

11　「四塔」，是傣醫借用外界的四種物質，認為四塔維持著人的生命活動。四
　　塔由「塔龍」（風）、「塔菲」（火）、「塔難木」（水）、「塔鈴」（土）構成（林
　　艷芳等譯，1988:17）。

世（林艷芳等譯，1988：1-2）。

　　祝詞所解釋的懷孕機制，大體上與傣醫學的理解相同。反而在其後段所述的關於「用 32 個字母來做的」人體結構解釋，有一些與傣醫學理論書所記載的內容不同。例如，《傣族醫藥學》一書中沒有新老食物、痰、精液、羊水、以及腦漿的項目，大腸與小腸的區別也沒有，取代這些項目該書設有胃、舌頭、粘液、膿水、脂肪、血滲出物以及關節滑液（李朝斌、關祥祖編，1996：41-48）。儘管那樣，這種人體解釋本身，通過取名明儀式與祝詞，還是流傳於傣族民間。

2. 分娩方法與在產褥期應注意之點

　　接下來，祝詞說明在家分娩時候的具體措施，以及在產褥期產婦應注意之點。在家分娩的時候，[12]傣族一般採用坐產姿勢，助產的人（通常是產婦母親或親屬中的經產婦）在產婦腳下接生嬰兒，剪臍帶，確認胎盤脫下，嬰兒沐浴之後，把他（她）放在竹盤上。但據筆者調查，沒有聽到像祝詞中的「用手指掏出喉嚨裡痰」那樣的行為，這也許是在嬰兒沒有呼吸時候的處理方法。竹盤上的嬰兒，被在場的人抬到樓梯頭邊，在嬰兒旁邊腳跺地板幾次。家人說「這行為有抑制嬰兒夜裡哭泣的作用」，可是對於做這行為的人，沒有設定特別的條件和禁忌，在場的人有空都可以做。

　　關於祝詞「叫巫師來念趕撞鬼話」一文，沒有聽到這樣的事例。然而，難產的時候，傣族請會念咒的男人施行一種巫術治療，[13]這樣會念咒的男人並不念誦「趕撞鬼話」，可是祝詞

12　關於傣族的在家分娩，參見（拙搞，2007a）。

13　關於傣族分娩與巫術治療行為的論文，筆者正在準備中。

也許將他表現為「巫師」。

關於產婦在產褥期遵守的限制與禁忌，已經在上面論述了，祝詞描寫出的內容也基本上與此相同。祝詞所說的限制和禁忌，並不基於為隔離產婦那種單純的理由，祝詞明示產褥期和食物禁忌是為了痊癒產婦衰弱的身體而設定的。

3. 取名儀式的準備與過程

祝詞第三段落說明拴線儀式的方法。按祝詞內容，也許可以取名者不一定與誦讀祝詞的人相同，也就是說，如果滿足有出家經驗這一條件，也許可以個別託付取名與誦讀祝詞。但是，據筆者調查，沒有發現個別託付的例子，因此可以認為，在通常情況下，取名與誦讀祝詞由同一個人物來承擔。同時，祝詞會提到親戚、老人以及供桌等的在拴線之際所必要的東西。這個描述符合實際儀式情況，不過穀子和酒，事例 1 及 2，傣族家中都沒有準備，這可能是一種儀式簡化的表現。

4. 對母親的慰勞與對嬰兒的希望

祝詞最後部分，宣布母親坐月子結束，表明對孩子前途的希望。在坐月子期間內，產婦產後過 15 天，才可以洗頭髮，因為「產後身體衰弱，容易得病」。有一位剛生孩子的女性回答筆者採訪說，「產後 15 天就可以洗髮，但直到再過 15 天之日，產婦能洗澡，是為了避免得病」。[14] 祝詞也提到這個習慣。關於進餐限制，如上面所述，結束坐月子以後也留下部分限制，因此祝詞說「可以吃適應的新鮮食物」。

---

[14] 均據 2006 年 8 月筆者進行的採訪調查。

　　然後，祝詞將提示孩子前途的理想狀況。特別反映出希望孩子將來受高等教育，學會適應當代中國社會的知識和文化，以便在當代社會的嚴峻競爭中勝出等的父母的心願。

（三）祝詞的意義

　　通過對祝詞內容和背景的分析，現在我可以指出以下三點；

　　第一，傣族的生育觀根據於他們創世傳說和醫藥學的身體觀，而並不是根據於由國家和現代醫療技術創造出來的身體觀。這意味著對傣族來說，自民族的來源還是個讓社會繼續下來時候的重要支柱。雖然社會環境已經發生了巨大的變化，但在他們通過祝詞的內容重新確認其民族認同的時候，傣族社會也會獲得十分強力的繼續性。不管信不信創世傳說和根據民族醫藥學的身體觀，這些有關傣族起源的實踐具有強化他們民族意識的作用。

　　第二，因為隨著社會變遷，傣族的生育觀也發生了變化，所以與祝詞所說的內容相比，在實際的助產方法、產後處理以及取名儀式的准備過程當中，我們可以看到相當的簡化。而且，現在在醫院生孩子的婦女也越來越多。加上，父母對孩子懷有的希望也比以前發生了不少變化。不過儘管那樣，祝詞的內容還含有本來的、最基本的規範意義。例如，夫妻（的結婚）和孩子（的誕生）的關係，取名儀式的目的，為何母子要過產褥期，產褥期怎麼過，有關人品的規範（純潔，誠實，會勞動）等等。按照這些祝詞含有的規範，我們可以看出傣族社會厭忌婚前生孩子這一觀念，取名儀式具有的慰勞和歡迎意義，產褥期起的回復母子身體的作用等等。同時，這些實踐在

現代社會生活中也可以看到。因此，可以把祝詞視為傣族社會繼承下來時候的重要實踐之一。

第三，按照上述內容，祝詞起著既強化和確認傣族民族認同的作用，又傳下有關生育的規範或方法的作用。換言之，通過祝詞傣族重新體會到他們的生育觀，祝詞還起著學習他們民族習慣的作用。

五、結　語

本文關於幾乎從來沒有進行過實證研究的西雙版納傣族的取名儀式，提供了一些事例解釋，尤其是通過對取名儀式祝詞的解釋，論述了取名儀式的意義和傣族的生育觀。

在傣族社會，取名儀式具有承認母親回復和嬰兒誕生，給女人母親的地位以及祝賀產婦身體恢復的意義。然而，代表傣族社會授予承認以及祝賀的是有出家經驗的男性知識分子。另外，在實際儀式中，男女參加者的座次布置也表現出女性的邊緣化。在那裡，我們可以看到，將一種由宗教成立的權威與給生育或產褥期下文化定義的知識結合在一起，因而構成的「正統化的權威知識」（Jordan，2001:185）。

祝詞內容也表明，傣族的生育觀是根據傣族創世史與傣醫學而構成的。傣醫學提示的人體解釋方法，通過取名儀式這一有關生育的儀式，由傣族男性知識份子發聲口傳到其他社會成員。既然對傣泐文的學習設有機會限制，這種口傳的方法、講話的方法，也是可以提高普及效率和傳達效率的方法之一。

然而，從另一面看，這種傳統的「權威知識」是在與「現代」的互相作用下不斷形成的。舉些例子來說，作為傳統民族

醫療的一部分，傣醫學現在已經得到了國家承認，針對其醫療體系的研究也日益深化，但同時傣醫學反而沒有成為今日當地傣族的主要醫療體系。據筆者調查，在 B 村委會之內連一所傣醫診療設施也沒有，與此相反在嘎洒鎮內有嘎洒鎮衛生院、市醫院第二分院以及各所國營農場醫院，加上在各村委會內也設有簡便的衛生室，這些醫療設施都屬於現代醫學的醫療設施。除此之外，本文所舉的兩個事例，產婦都在醫院分娩，在家分娩有日益減少的趨勢。

如上面所述，傣醫學是否在日常生活中發揮實踐的作用，也是個還需要探討的問題。然而，在今日取名儀式當中，傣族還是以創世史與傣醫學的人體解釋提示其生育觀，也是他（她）們實踐的事實。傣族傳統醫療已經成為非主流的醫療，但在正統化的權威知識的語境下，他（她）們重新確認／生產依據傳統醫療的獨自生育觀，即，這種根據創世史與傣醫學發聲出來的傣族生育觀，並且成為其解釋對象的母子身體，是受到地區或時代的語境影響，常時就在再生產的過程當中的一種語言實踐。

參考書目

一、中文

曹成章（2006.4）《傣族村社文化研究》。中央民族大學出版社。

高發元主編（2001.4）《雲南民族村寨調查——傣族》。雲南大學出版社。

國家統計局人口和社會科技統計司，國家民族事務委員會經濟發展司編（2003.9）《2000 年人口普查　中國民族人口資料　上

冊》。民族出版社。

李朝斌，關祥祖編（1996.不明）《傣族醫藥學》。雲南民族出版社。

林艷芳等譯（1988.10）《嘎牙山哈雅》。雲南民族出版社。

《民族問題五種叢書》雲南省編輯委員會編（1983.5）《西雙版納傣族社會綜合調查（一）》。雲南民族出版社。

西雙版納傣族自治州民族醫藥調驗辦公室（1983.5）《西雙版納古傣醫藥驗方注釋》。州科學技術委員會，州衛生局出版。

西雙版納州民族藥調研辦公室編（1980.12）《西雙版納傣藥誌（第二集）》。州科辦，衛生局出版。

岩峰編（1999.9）《傣族文化大觀》。雲南民族出版社。

楊築慧（2006.5）《中國西南民族生育文化研究》。中央民族大學出版社。

《中國貝葉經全集》編輯委員會編（2006.7）《中國貝葉經全集　第10卷》。人民出版社。

二、日文

安娜（Anne marie）（1985）〈母親之力——產屋的民俗與禁忌〉，脇田晴子編：《問母性　歷史的變遷（上）》，人文書院。

成清弘和（Narikiyo）（2003）《女性與不潔的歷史》。塙書房。

磯部美里（Isobe）（2007）〈西雙版納傣族的產婆〉，《中國研究月報》雜誌，vol.61 No.7（No.713）。

Jordan，Brigitte. 著　宮崎清孝，瀧澤美津子譯（2001）《助產文化人類學》日本看護協會出版會（＝1993. *Birth in Four Cultures:A Crosscultural Investigation of Childbirth in Yucatan, Holland, Sweden, and the United States.* 4th ed. Waveland Press.）。

松岡悅子（Matsuoka）（1991）《生育文化人類學》。海鳴社。

記載越南民間風俗的相關漢喃文獻略考

阮蘇蘭

越南社會科學翰林院碩士

中文摘要

越南民間風俗被保留，並發展通過兩個途徑即民間的流傳和書籍的記載。

歷史上越南人很早就使用漢字作為著作的主要工作。到了十三，十四世紀才開始同時使用兩種文字即漢字和喃字，這種情況延續到 1945 年。這種書籍叫做漢喃書籍。這樣，在十個世紀內，漢字一直是記載越南民族文化知識包括越南民間風俗在內的主要工具。

可以說，在越南民間風俗研究中，漢喃書籍是主要參考資料甚至在許多情況下還是獨版資料。因此本文試圖進行考察，探究關於越南民間風俗記載的部分——漢喃書籍，來給讀者提供關於這類書籍的一個方位的面貌。通過考察，本文根據書籍的民間風俗記載的內容和範圍將書籍分為不同的種類並且進行分析，概括每一種的主要特點。從而初步總結出關於越南民間風俗記載的漢喃書籍的主要特點和內容。

本文借助統計，分類，版本分析等研究方法將越南漢喃書籍列成書目並分類為以下幾種：

一、關於民間風俗記載的書籍：包括兩小部分專門記載民間風俗的書籍和有一部分記載民間風俗的書籍（歷史書類，文學書類，地理書類等）

二、越南村社的傳統俗例文本，這是指記載民間集體規約的若干文件如鄉約，鄉村券例等。

通過深入考察探索，本文取得初步的研究結果包括以下幾方面的內

容：

第一、在十個世紀之內漢字是記載越南民間風俗知識主要工具。對越南民間風俗研究領域尤其是在古代風俗研究中，漢喃書籍是一個寶貴資料庫。

第二、書籍的記載時間將反映了越南在各個歷史階段人們對民間風俗保護問題的關注。

第三、記載者大部分都是儒士，他們對民間風俗不同活動項目的選擇並記載下來，將表現了舊時學者對民間風俗的不同看法。

第四、漢喃書籍是一個相當龐大且豐富的資料庫，但目前除了書籍翻譯介紹之外還沒有得到研究者們充分地發展並使用。

關鍵詞

民間風俗、漢喃文獻

On the Sino - Nom bibliographies recording Vietnam folk traditions

Nguyen To Lan

Researcher, MA.

Vietnamese Academy of Social Sciences

Abstract

Vietnamese folk traditions have been maintained and developed in two ways: by passing from generations to generations and inheriting in the common people; or recording in books.

The Vietnamese, since the very early history, had used Sino characters as official scripts to compile and create. It is until the 13th, 14th century when the Nom scripts were used simultaneously. These both scripts had been continuously used until 1945. The bibliographies of this kind are called Sino - Nom ones. In more than 10 centuries, Sino scripts were the major tool which was used to record the cultural knowledge of the Vietnamese people, including knowledge on folk traditions.

It is probable to say that Sino - Nom was the major materials, or the unique material in many cases, to study the Vietnamese folk traditions. Therefore, the author, with this work, desires to implement a preliminary study on the Sino-Nom bibliographies, which record the Vietnamese folk traditions in order to provide the readers with some aspects of this kind of bibliography. By surveying the materials, this work, basing on their contents, classifies them into many different types and analyses the outstanding features of each type.

By using the study methods such as statistics, classification, textologia, the author of this work has established a directory of Sino - Nom bibliographies in Vietnam and classified them into the following types:

1. The Sino-Nom bibliographies recording folk traditions which including 2

民間文學與漢學研究

types: The books specializing on folk traditions, and the books including some chapters on folk traditions (history books, literary works, etc).

2. Traditional folk traditions documents of Vietnamese villages (including community conventions, community contract agreements, etc).

From the study results, the author has had some remarks on their contents as following:

1. Sino scripts had been used to record the knowledge on Vietnamese folk traditions in over 10 centuries. Sino - Nom bibliographies are valuable source in studying Vietnamese folk traditions, especially the ancient traditions.

2. Sino - Nom bibliographies are huge, rich and diversified source, of which only a small part has been explored, mainly by introducing the translations.

3. The time when those types of bibliographies mentioned above presents the level of interest in recording folk traditions in Vietnam history.

4. The writers mostly were Confucian intellectuals, their way of choosing and assessing the traditions presented their point of view on Vietnamese folk traditions.

Keywords:

Folk traditions, Sino - Nom bibliographies.

一、正　文

　　在歷史上，越南人很早就將漢文字作為民族的正式文字進行創作。漢與越語言的接觸交流甚早，但直至西元 1 世紀起才逐漸清晰。[1]到了隋唐時期，漢文化及漢文字在今越南地區已經有了一定的影響，尤其是在北屬政權的統治中心。[2]在交州贏得獨立（西元 938 年）以前的漫長的封建社會裡，漢文字一直被作為正統文字用於編纂、著述。到了 13、14 世紀，喃字——一種由越南人創造的、通過結合漢字各部首來記錄越語發音的文字——開始與漢字並行使用，儘管這兩種文字各有其特殊性。這種雙文字並用的情況一直持續到 1945 年，[3]它們才被拉丁文字（即越南現行的國語字）正式取代。

　　使用漢字、喃字兩種文字的著述，我們稱為漢喃文獻，它具有很多特點。[4]在越南獨立自主、建立封建國家以及越南民間風俗定型、流傳的整整凡 10 個世紀的時間裡，漢、喃文字正

---

[1] 見阮才謹，《漢越讀法的起源與形成過程》（2004：頁 34-35）：我國北部居民與漢族聚居區居民之間的零星交流從上古時期，即越語、Mường 語、Chứt 語作為一種語言還未分化獨立之時，可能就已經或直接或間接地開始了。但要談到有規模、留下了深刻影響的接觸交流，則始於趙陀率軍南侵甌雒越（西元前 179 年），尤其是漢朝在交趾、九真設立督護府（西元前 111 年）以後。便開始了持續幾個世紀的接觸階段。直到 905 年曲氏起兵、尤其是 938 年吳權大敗南漢軍隊、使國家贏得獨立之後，這一接觸才真正停止。」

[2] 阮才謹，前揭書（2004：42）。

[3] 越南民主共和臨時政府關於從 1945 年起必須學習國語字的法令（1945 年 9 月 8 日法令）。見 http://vbqppl1.moj.gov.vn/law/vi/1945_to_1950/1945/194509/194509080004。

[4] 限於篇幅，本文尚不將其列入討論範圍。

是記錄這一民間知識的主要工具。

漢喃文獻是研究越南封建時代風俗的主要資料，且在許多情況下是獨本。因此，本文將對記載越南民間風俗的漢喃文獻做一大致的梳理，以期為讀者展現其基本面貌。根據文獻記載的內容，我們將其分為不同的類別，對各類的特點進行考察，並由此提出我們對記載越南民間風俗的漢喃文獻的幾點認識。

漢喃研究院圖書館

現在，我們尚很難正確統計出現有漢喃文獻的數量，因此也難以給出記載越南民間風俗的漢喃文獻的具體數字。但可以明確的是，現存於越南漢喃研究院（河內）[5] 的數量最多、其中已列入漢喃書目的越南漢喃文獻共有 5038 部（包括 16164 卷）[6]。

二、有關越南民間風俗的編考文獻

越南民間風俗的編考文獻即指以越南民間風俗為物件進行編纂和考論的文獻。風俗可以是越南的風俗或越南各地區的風俗。在這裡，風俗的編纂者將風俗看成是客觀物件，編纂者本身並不直接參加風俗的形成及條律化過程。這一類文獻包括兩小類，即有關越南民間風俗的專著以及包含越南風俗內容的文

5　除漢喃研究院外，其他一些國內外的資料中心也藏有少量的漢喃文獻，可是漢南研究院圖書館所藏的書籍的數量最多。

6　見陳義，《越南漢喃文獻》，http://www.hannom.org.vn/default.asp?CatID=462。

獻。

不得不讓人感到詫異的是，有著深厚歷史積澱和豐富個性
文化的越南民族居然沒有滋生出若干有關民間風俗的專著，更
不用說大部頭的考論著作。在漢喃文獻書庫中，雖有一些文本
從書名等看類似風俗專論，但經深入瞭解後不難發現，其內容
難副其名。比如目錄號為 A. 3185（凡 256 頁，高 26 公分，寬
16 公分）的《風俗史》一書，其內容卻不是介紹越南風俗的
歷史。從第 1 頁到第 31 頁的標題與書名《風俗史》相同，但
大多是各種法令、制度的彙編：如雄王時代以及越南歷代官名
的設置，李陳時期有關飲食、鑄錢、官制、品服等方面的法令
以及官制的制定、手工業等。在上述內容中偶爾也能發現對於
風俗的記載。但總的來看，《風俗史》一書只是一本記載有越
南風俗的雜記而已。

通過考察，我們僅發現了一部越南風俗的編考著作，值得
引起我們的重視。這本書即《安南風俗冊》，又名《小學本國

風俗冊》，由段展（1854-1919）編
纂。這部書現存有 3 個版本，漢喃研
究院藏有其中兩版，書名皆為《安南
風俗冊》，目錄號分別為 A. 153（凡
88 頁，32×23 公分），首頁記有「維
新二年（1808）」；VHv. 2665（凡
100 頁，17×16 公分），由武有抄錄
於 1954 年。法國遠東博古學院圖書
館有藏本《小學本國風俗冊》，目錄
號為 BN. A.45 vietnamien（凡 77

安南風俗冊

頁，28,5×16 公分）。

　　該書分為 72 個獨立的章節，我們暫且把它們分為兩大部分，從該書的論述次序中，我們可以看出作者也有意將這兩個部分區分開來。第一個部分包括 11 章，記錄了一年之中基本節日的風俗，如元旦節（7 小節）、中元節、中秋節、重十節等。第二部分從第 12 章至篇末，記錄了人們日常生活中的風俗習慣：廟亭、佛寺、文祠文址、公館、神號、事神、祈福、入籍、鄉飲、位次等。

　　每一章作者只記錄了該風俗的最基本特徵，但仍不失充分。篇幅根據章節的內容而長短不一，或詳盡或簡略。一章的內容又可分為兩部分，第一部分解釋題目，粗略介紹該章內容，即各風俗和相關概念；第二部分作者提出自己的看法，點評可取或應棄、應避之處。比如就元旦這一主題，作者依次通過 7 個小節來陳述其內容：「按元旦之禮，萬國皆有之，誠不可缺，惟我國祭祀之禮至四五日，過於煩瀆，且冥香錢紙聯紙砲均是北貨虛費甚多或有幹貨以修飾之不知已，甚賭博之弊尤為可戒，竊謂除夕元旦二日祀先行樂足矣，初二日以後可已停省，至如虛費節料徒使財源外洩，不妨 以漸革之」[頁 3b]。

　　通過 72 個章節，作者談及了幾乎所有最基本、最常見且與百姓的日常生活聯繫最緊密的風俗習慣。書中所描寫的風俗是 19 世紀末 20 世紀初的越南社會風俗的生動再現，這是一個新習俗尚未形成、而舊習俗正在逐漸被遺忘的歷史階段。該書的陳述方式也頗值一提，其文風簡易而不落入俗套，注重運用日常生活中的生動直觀的事例說明問題，而不是尋章摘句，文章脈絡清晰，層次分明，易於為讀者接受。

　　可以說，這是一部關於越南風俗的稀有論著。其可貴之處

在於其對於越南風俗之好壞、取捨的犀利評價，而這一點是很多同類書籍包括記錄現代越南風俗的著書尚未企及的。作者的意見告訴我們：在作者的年代，一些風俗已經失去了其先前的意義，或者很多基本概念已多少被人們遺忘或誤解。作者強調實質而不拘泥於形式，注重意義而不看表象。所有這一切都顯示出一位儒家不泥古的先進思想以及希望拋棄陳俗以保持國家純風美俗的美好願望。

　　值得注意的是，這樣一部罕有的越南風俗論考卻又以殖民的學校教科書的形式命名。法國該書藏本的扉頁上抄有書名《小學本國風俗冊》。這一叫法使我們聯想到《南國地輿幼學教科》A. 3168，《國史幼學教科書》VHv. 1589 等。然而實際上該書並未在學校講授，它本身並非在法國保護政權的指導下以教科書的形式寫成的，所以，我們認為，該書之所以具有教科書的特點，是由於其作者段展在 20 世紀初的法國殖民時期本是一位漢字教科書編纂、校定工作的參加者。[7]這也是我們很難找到一部真正意義上的風俗論考著作的原因[8]。

7　段展字尹誠，號梅園。其著述頗豐如《安南風俗冊》，《梅園主人歸田錄》，《段巡撫攻讀》，《兒孫必讀》以及多篇詩文（收藏於其他文獻中）；作者參與編寫的教科書有：《南國地輿幼學教科書》、《政治事略教科書》（屬《諸輿雜編》），《小學四書節略》，《幼學漢字新書》等，校閱的文獻有《越史新約全編》（屬《大越史約》）。

8　我們還考證了一些相關書籍如《參考編》A. 1662，現存抄本壹種（凡 66 頁，28×17 公分），作者未詳，編撰未詳。冊內分成 75 小題目，每個題目有下列的結構：「考證對象＋參考」。這是壹本學術劄記，考證對象包括：鹿麝香 [頁 1a - 1b]；桂花 [頁 2a - 2b]；堇殯棺椁 [頁 6a - 6b] 等等。考證對象也有一些關於風俗的題目如春節放鞭炮，掃墓等等，可這些並非越南的風俗。它只從學術方面來描寫這種東方風俗，還有《大南風化考略》A. 977，但其主要內容是關於朝廷會典得記，如國朝典禮、祠寺、軍政等等。所以我們沒有將上述文獻列入此類。

除了總的關於越南風俗的編考之外，還有一些記錄各地風俗的文獻，如《芳壇風俗》A. 744、《清化蠻民俗記》A. 2166、《咸陽豐俗考》A. 2375 等等。這些書只有對風俗的記錄，而沒有考論部分。《芳壇風俗》[9]是由鄉老委員會編纂的，該書分為敬祭先賢、事神奉佛、居民成俗等章節，每一節只抄錄了風俗的內容、實踐規格等等。如果說有評論的話，也只出現在序言中：「一國有一國之規模，一鄉有一鄉之風俗。鬼神祭祀之誠，歲時各異。人民宴饗之樂，貴賤不同。婚禮重人之倫，配匹必稱其宜。喪禮恤人之事，報答必有其節。尊卑有序則上下之分不可不嚴，貧富相資則封植之方不可不急……」[頁 3a]。又如《咸陽豐俗考》記錄的是風俗的改革以及地方職役組織居民開荒致富等內容[10]。

第二小類即含記錄越南民間風俗部分的文獻。經統計我們發現，此類中最多的屬地理類文獻、其次是雜誌和史學類圖書等。

越南封建時代地理類文獻的編纂應始於《南北藩界地圖》，該卷相傳為李英宗皇帝所著。該書現已失傳，後人只能通過黎貴惇[11]在《藝文志》[12] 中的記錄以及《大越史記前編》[13]《大越史記全書》[14] 中的記錄得知該書的相關資訊。

9　又名《金榜縣風俗政治》，編纂於成泰元年（1889）。

10　此外，還有一些對東洋各國或世界風俗的記錄如：《東洋寰名地輿志》A. 2868，《西行見聞紀略》AB. 243，《西洋志略》AB. 10 等。

11　黎貴惇（1726－1784）。

12　《藝文志》是《黎朝通史》（又名《大越通史》）中的一部分。目錄號為 A. 1389，A. 2759，VHv. 1555，A. 18，VHv. 1685，VHv. 1330/2，此外，史學院也有藏本，書號為 HV. 176/1-2。

13　《大越史記前編》A. 2/1-7，第 4 冊，頁 8。

14　《大越史記全書》內閣官版（藏於巴黎）第四冊（1998）。河內，漢字版由

《大越史記全書》（第 4 卷，第 15 頁）記載：「帝又巡幸海島南北藩界，圖記風物而還」。可以推測，該書除地圖外，還有對包括風俗習慣在內的風物的記載。現存的最早的地輿志是由阮薦（1380-1442）[15]編著的，該書經後人多次修改已經失去了最初的面貌；但這些修改和補充也十分具有參考價值。在該書中分散有關於風俗的記錄。

據我們的統計，繼阮薦之後，記載有越南民間風俗的黎朝地志有：楊文安（1514-？）的《烏州近錄》A. 263，成書年代約為 1548－1553 年；陳名琳的《驩州風土記》與《驩州風土話》VHv. 1718，A. 592，A. 2288，阮希思的《諒山團城圖》A. 1220 編纂於 1758 年，黃平政的《興化處風土》A. 90a，A. 90b，A. 974，編纂於 1778 年。在《烏州近錄》中，作者將烏州風俗單獨作為一章，[16]內容翔實、豐富。這可以稱得上是一部有價值的含越南地方風俗編考的文獻資料。其餘的地志以及阮薦的《輿地志》等中關於風俗的記載均分散在各章節的描述中，而沒有自成一章。儘管如此，我們也能從中找到關於越南風俗以及越南各地風俗的有價值的資訊。

1802 年，阮朝統一了越南，越南版圖首次呈現出從北至南的完整格局。嘉隆（阮朝第一位皇帝）5 年（1806 年），一

社會科學出版社出版。

15 該書由阮薦編纂，經後人多次增補和修改。現錄於《南越輿地誌》A. 2815，《黎朝貢法》A. 53 等書中。該書又名《安南禹貢》A. 2251，因為文章是按中國書經中的禹貢篇所作。

16 《烏州近錄》分為 6 卷。卷一：山川門；卷二：課稅門；卷三：地圖門；卷四：城市門；卷五：寺觀門；卷六：官制門。其中卷三雖以「地圖門」命名，但又增編了「風俗門」的內容。其中包括一篇關於風俗的總論以及對烏州各地風俗的記載。

民間文學與漢學研究

部全國地志即《皇越一統地輿志》面世，該部書包括 10 卷（A. 67/1-3，VHv. 176/1-3，VHv. 2555），[17]由黎光定（1759－1813）編纂。該書雖然偏重於對驛路、道路、公堂和驛站長度（卷二到卷四）的記載，但在陸路、水路、營鎮等部分（卷五到卷十）在介紹營鎮時則附帶介紹了各營鎮的疆界、風土、土產及特徵等。如在卷五的《京師直隸廣德營實錄》之《風俗》一節中寫道：「土廣人庶禮義聲名，樸茂淳良，王化之始」；《廣南營實錄》之《風俗》一節則說：「士少奔兢，民性安舒，地裕俗淳，盜稀訟簡」。雖然言語簡略，但我們也能從中看出作者是有意識地將地方風俗寫進地志中。這是阮朝第一部地輿志，它為後來地輿志的誕生開創了先河。

以下是記載有風俗內容的阮朝全國地輿志列表：

1.	方亭地誌類 （大越地輿全編）	A. 72/1 - 2; VHv. 1711/1 - 3; VHv. 1593/1 - 2; VHv. 849/2	方亭 （1796-1872）	1796-1872
2.	一統輿地誌	A. 67 /1 - 3: VHv. 176/1 - 3; VHv. 2555	黎光定 （1759-1813）	1806
3.	南國地輿	VHv. 2742	鄧希龍 （1828-?）	1828-1910
4.	南國地輿誌	VHv. 1946; VHv. 1552; VHv. 1474; VHv. 1722; VHv. 979	梁竹潭 （1879-1908）	1879-1908

---

[17]　現存的最完整的版本藏於史學院，目錄號為 HV. 528，但該版的書頁用的是學生練習本的紙張，而非蒭麻紙。

5.	南國地輿	VHv. 173；VHv. 1725；A. 75； VHv. 2102	梁竹潭 （1879-1908）	1879-1908
6.	大南一統志	A. 69/1-12; VHv. 129/1-8； VHv. 1448/1-4； VHv. 985/1-9； VHv. 1707/1-9； VHv. 1359; A. 2806; VHc. 624; A. 2033; VHv. 2684	阮朝史官 （嗣德）	1847-1883
7.	同慶地輿志略／ 同慶地輿志	A. 537/1-24；VHv. 2456/XI; VHv. 1357	阮朝廷臣 （1886-1888）	1886-1888
8.	南越輿地誌	A. 2667	未詳	1889-1916
9.	南輿要略	A. 1518	未詳	1903
10.	南國地輿誌略	VHv. 1723	文岩黎允升東 旭氏	1919
11.	皇越地輿志	A. 1074; VHv. 1653; VHv. 125; VHv. 1476; A. 2617; VHv. 1710; A. 71; VHv. 1910. VHv. 1475; VHv. 2423; VHv. 2424; VHv. 175; VHv. 1836/1; VHv. 1837/2; A. 1475	阮朝廷臣	阮朝
12.	南輿考略	A.689	未詳	阮朝
13.	南邦古蹟	A. 988	未詳	阮朝

民間文學與漢學研究

14.	南國地輿幼學教科	A. 3168	裴向誠 （XIX-XX）	阮朝
15.	南越地輿摘錄	A. 2139	未詳	阮朝

同慶地輿志略

在上述 15 部地輿志中，最值得注意的是在國家指導下編纂完成的《同慶地輿志略》和《大南壹統志》。這兩部地志是按清朝《壹統志》的方法編寫的，內容完整，結構清晰。全書記載了國內各省、鎮的地志，每一個省、鎮按分以下章節描述：位置、疆界、兵丁數目、土地、課稅、風俗、物產、氣候、山川、道路、崗壘、祠廟、古跡、工藝等（《同慶地輿志略》），或分為 24 節，包括：分野、建置沿革、形勢、氣候、風俗、城池、學校、戶口、田賦、山川、古跡、關汛、市集、津梁、堤堰、陵墓、祠廟、寺觀、人物、烈女、仙釋、土產、江道、津渡等（《大南壹統志》）。隨地點不同，陳述的章節也有所不同。上述其他地志也基本上照此思路記錄風俗，但大部分都較為簡短和粗略。僅在《大南壹統志》的其中一個版本中 VHc. 845（A. 69/11），第 53a - 54b 頁有專門一部分記錄有關風俗的內容，儘管也只有如下幾行：「俗尚氣節，輕財重義。士子讀書惟主訓詁而拙於文辭。其地肥饒，人

多遊惰。春秋無雨收穀後皆於田疇堆積，二三月乃椋蹂取穀載回。百工技藝粗拙，多用外來之器。地多江沱，人皆善水，生理便易，多移東就西不戀邑里。或有同父昆弟而籍各異縣，且至別省者，富者居屋皆陰陽瓦，貧者蓋以椰葉，沿江者架棧以居。人具五方，家自為俗。城市之民服食靡，村野之民，醇樸近厚。多重女神，好作佛事。三元家具齋饌以祀。送喪常以夜。其餘歲旦端陽祠祀。孟冬賽神。歲週掃墓。諸禮節大抵諸省略同」。

在越南歷代皇帝皆重視地輿志編纂的時代背景下，多部地方志得以編纂完成。它們或是全國各地的官吏們必須完成的「報告」，或是由關心國家地志的淵博的學者所作。正因為此，一系列地方誌得以在阮朝問世。儘管大部分方志都記錄有各地的風俗，但並非每部方志都包含該部分內容，有些方志對風俗就隻字未提。本文只談那些包含風俗內容的地方誌。

成書較早且最值一提的兩部阮朝地方誌是《北城地輿志》[18]及《嘉定城通志》。[19]如果說《北城地輿志》只是對北城的輿地志進行了描述而未編進風俗的內容、只記錄了相關的地方土產及行業的話，那麼《嘉定城通志》則是首部有關越南南部的專論，且從內容來看，該書是關於地方風俗的重要文獻資料。因為它不是按各地的山川、土產等逐一進行描寫，而是將整書分為 6 卷：卷一，星野志；卷二，山川志；卷三，疆域志；卷四，風俗志；卷五，物產志；卷六，城池志。僅卷四的

18　《北城地輿志》A.1565。該書是在阮朝嘉隆（1802－1919）年間由黎質提議編寫的，阮朝紹治 5 年（1845 年）阮文理修改作序。

19　《嘉定城通志》VHv. 1335/1-3，A. 1561/1-2，A. 708/1-2，A. 94，A. 1107，VHv. 1490 作者鄭懷德，1820 年該書被獻給明命皇帝（1820－1840）。現史學院藏有一部該書的完整版。

風俗志就長達 18 頁，分為兩部分：前一部分介紹嘉定[20]全境的情況、風俗、服裝、房屋、信仰、節日和禮會等，後一部分逐一介紹每一個鎮的特色，如番安鎮士夫重名節，風俗喜奢侈；河仙鎮則效仿華人風俗，專做買賣等等。現節選該部分中的一段為例：「惟我越之人，循習交趾故俗，官職者戴高山巾，服披風衣，穿皮拖鞋。士庶被髮躚足。男女皆直領短袖衣合縫，兩腋無裙袴，男用布一股，纏腰至尻，下裡勒至臍，名之曰褌。女有無摺圍裙，戴大笠吸煙餅矮，屋席地，坐無幾桌」。[21]通過這兩部分內容，該書一方面記錄了全境的整體風俗，並附有評論——這是方志編纂中的特點；另一方面，它延續了傳統方志的寫法即逐一記錄各地（各鎮）的風俗。《嘉定城通志》不僅是記錄古代南部風俗的寶貴材料，而且對於研究封建時代越南學者對風俗的記錄方法也具有重要價值。

　　除上述兩部方志外，還有許多其他地方誌記錄有風俗的內容。如裴存齋（1758－1828）編纂的《乂安記》VHv. 1713/1-2，A.2989，A.607 記錄的是義安省的風俗；陳輝樸（1754－1834）編纂的《海陽風物志》A. 882，A. 2878，A. 88，VHv. 168，VHv. 1367，成書於 1811 年[22]；此外還有楊伯恭於 1851 年編纂的《河內地輿》A. 1154，VHv. 2659 等等。上述部分方志已經開始為越南學者重視並研究，但大多是從文本學的角度。[23]

20　在此，可將嘉定看成是指古時整個越南南部。

21　嘉定城通志，卷四，第 3b - 4a 頁。

22　該書有專門章節講風俗，其中收集了很多地方名人的詩作。

23　請參考在阮翠俄的《關於太平風物志的版本》，漢喃雜誌 http://www.hannom.org.vn/web/tchn/data/0206v.htm#ntn55；阮氏林《關於海陽風物志的版本》，漢喃雜誌，http://www.hannom.org.vn/web/tchn/data/0403v.htm#lam64；阮維合

法國在越南正式實行殖民統治之後，越南民間風俗的編纂工作又有了一些新的特點。一方面，為了為其殖民統治服務，殖民政權進行了一系列的調查如：要求各地上交方方面面的呈報文，這其中就包括風俗；抄錄鄉約及敕封的工作也同時展開。另一方面，這些材料也在法國印支機構即博古遠東學院（駐河內）得以抄錄、收藏和研究。所以，這一時期

大南實錄前編

又出現了新的文本即呈報文，其中包含風俗的內容。這類文本如《興安省一統志》A. 963，呈報於 1887 年，內容涉及興安省歷代名稱的變化、疆界、古跡、祠廟、人物、風俗、地利、技藝、驛站、屯壘、江山、街市、防洪堤等等；或如關於風俗的呈報文《乂安省開冊》（41 個版本），該文本由乂安省各村、社職敕按照該省法國副統使 Ogeier 的調查問題編纂的，成書於維新 5 年（即 1911 年）。這些是反映 20 世紀初越南風俗的寶貴文獻資料。

除地志外，各部史書也記載有越南民間風俗其中最早是《安南志略》。該書由越南人黎崱（中國元朝降臣）編纂於元朝年間，1884 年在中國首次出版。該書包括 20 卷（現存 19 卷），卷一為地理圖，其中有記錄越南風俗的部分。該書之後

《閱讀北寧地輿志》，漢喃雜誌，http://www.hannom.org.vn/web/tchn/data/050 1v.htm#hop68 等。

的史書如《大越史記全書》[24]是一部集體編纂的越南史書，成書於黎朝（1428-1788），後又經各代多次補充；西山王朝時期（1778-1802）問世的史書是《大越史記前編》；[25]此外還有吳時仕（1725-1780）的《越史標案》，[26]由阮朝國史館編纂的《欽定越史通鑒綱目》，[27]《大南實錄》；[28]由阮朝學者編纂的「誌」[29]類史書如《歷朝憲章類誌》，[30]《南河捷錄》[31]等等。我們能從上述史書中發現很多有價值的記錄。但因其皆為史書體例，所以風俗不能自成一章，而只能根據歷史事件得以抄錄。

雜記也是記錄風俗的文獻之一，儘管其數量有限。黎朝有黎貴惇的《見聞小錄》[32]、《撫邊雜錄》[33]，《山居雜述》[34]，范廷琥[35]（1768－1839）的《雨中隨筆等。阮朝有譚義安[36]的

24　前揭書。

25　前揭書。

26　《越史標案》A.11，A. 2977/1－4，A. 1311 抄錄越南歷史，對舊史的錯誤之處有修正。

27　阮朝國史館《欽定越史通鑒綱目》12 版印本，7 版寫本。

28　阮朝國史館《大南實錄》A. 2772/1-67，A. 27/1-66。

29　中國古史常見的體例。

30　藩輝注（1782－1840）《歷朝憲章類誌》，20 版寫本，10 個專題 49 卷，其中卷一至卷五為地輿志。

31　黎崫（1742－?）《南河捷錄》A. 586，含 5 卷，其中卷四包括以下各章：選舉，文學，節義，風俗（附諸國風俗），朝聘。

32　《見聞小錄》A.32，VHv. 1322/1-2，VHv. 1156。

33　《撫邊雜錄》2 版印本，6 版寫本。

34　作者未詳《山居雜述》A. 822，成書於黎朝末年，共 3 卷。卷二第 6a 頁記載「蠻獠風俗」。

35　《雨中隨筆》A. 145，A. 1297。2 卷。卷一包括 18 章，其中第 14 章為「風俗」。

36　《千載閑談》有多種版本，但只有目錄號為 A. 2006 的版本記載有風俗的內容。

《千載閑談》等；法屬時期陳惟稟垣的《起頭事錄》A. 3093，是一部對古今姓氏、宗教等進行考證的專論，其中卷下有對於風俗的考論（頁 27a－頁 29b），包括以下各節：婚姻、再醮、娶妻、食肉之僧侶、文身、攔街、北使、北貢、會老、別號、鄉正改良、花粉錢、萬國會等。雜記中的風俗內容不多，且分散。這一方面是由於書的篇幅有限，另一方面也與該體例有關。但因雜記能鮮明地反映作者個人的觀點，因而我們可以據此研究作者本人對越南民間風俗的態度。

可以看到，很多體例的漢喃文獻都有關於越南民間風俗的記錄，如風俗專考以及地理類、史學類和雜記類的文獻等。這些文獻大部分使用漢字作為記錄工具，小部分則使用喃字。常見的情況是地名、人名等用喃字，有關風俗的歌謠、俗語、民歌則使用漢字。比如王維楨的《清化觀風》（AB.156）即是如此，該書編纂於 1903 年，記錄了反映清化人民風俗習慣（如婚禮、過年、慶祝豐收等）以及敍說農事、節氣、夫妻之間勸善、情歌等的民歌和歌謠。

三、越南村社的傳統俗例文本

除上述越南民間風俗編考外，還有一類漢喃文獻與該主題有關，即越南村社的傳統俗例文本。就本質而言，它們是成文的的集體規約。每一個集體，小到家庭、家族，大到村、社、縣、總等行政單位或如諮文會、咨武會等團體性質的單位，都有其自身的生活習慣，這些習慣隨時間逐漸得以規範化和文本化，經固定化和文本化的集體習慣即俗例。儘管其內容都是集體規約，但該類文本有許多不同的稱名。根據漢喃研究院圖書

館的現有文本，我們統計出的主要稱名如下。券：《喬池三番券》A. 734；券例：《名鄉券例》A. 742；券約：《延長社券約》VNv. 523；券約簿記：《富穀社券約簿記》A. 740；券稿：《文林範族券稿》A. 1344；鄉券：《嶒嵋鄉券》A. 823；鄉約：《名岩村鄉約》VHv. 1218；鄉俗：《黃梅總各社村鄉俗》VHv. 1824; 鄉編：《鄉編郎瓊》VNv. 103；鄉例：《河東宏福社祿餘村鄉例》A. 1111/1-2；甲例：《和壹甲例》A. 1360；巷例：《有光巷例》A. 2019；調例：《民風調例》A.876；古例：《慕澤祀典古例》A. 743；新例：《恬舍社新例》VHv. 2031; 體例：《陳族體例》A. 683；例簿：《東鄂社各甲例簿》A. 2578./1-2；事例：《河回總事例》A. 739；俗例：《楊柳桂楊茂和等社文俗例》A. 2855；俗事：《大同總俗事》VHv. 1210；族簿：《阮德族簿》VHv. 1838；文會簿：《羅溪文會簿》A. 776；交書：《東鄂社範族交書》A. 1772；交詞：《武烈總各社交詞》VHv. 2525；閭史：《永寧閭史》A. 1410 等等。

據丁克順博士、副教授在《越南鄉村古傳風俗》[37]一書中的論述，則傳統俗例文本的稱名方式可分為 2 個階段，以 20 世紀初的鄉政改良（1927 年）為界。在此之前俗例的稱名方式多樣，但之後此類文本幾乎都以「鄉約」為名。武維綿博士在《越南北部鄉村鄉約和日本 Kanto 村法（XVII－XIX）》[38]中也將越南村社傳統俗例文本統稱為鄉約。作者認為「鄉約源於民俗、誓禮，誓會，寄后[39]俗等村社生活的全面發展，以及君

---

[37] 據丁克（2006）《越南鄉村古傳風俗》。河內：人文社會出版社。

[38] 前揭書。

[39] 寄后：越南鄉村的風俗，分成兩個類型：寄后神（在亭所）和寄后佛（在佛寺）。即是在鄉村的亭所或者佛寺立石碑，碑文記下給亭所或佛寺捐錢的人名，終年跟神和佛受享香火。

主國家對村社日益嚴厲的干預使得簡單而質樸的口傳俗例，不

再能滿足實際需求，各村社不得不將原有的俗例文本化，並增添進新的規約內容。鄉約就這樣誕生了」。[40]

COCHINCHINE 18. - CHOLON - La Marchande de Thé

大南實錄前編

這類文本藏於漢喃研究院圖書館，有兩種類型。第一類是以 AF 為目錄號的各類文本，共 647 冊。[41]這是在 20 世紀初河內法國遠東博古學院收集並建立資料庫的階段各個地方寄呈的手抄本，它們大部分抄自於義安以北各村社（隸屬於 18 個省）的原版俗例文本。第二類庫存本的目錄號為 A，據我們的不完全統計共有 98 個文本。

上述兩類越南村社傳統俗例文本有著大體類似的結構：

－參與人。

－立鄉約的理由。

－內容（各條規約：舊規約、補充的新規約，需遵守的條款，違反規約後的刑罰，需重點強調的條目等）。

－立鄉約的時間（×年×月×日）。

－參與人的姓名、職務（如果有）。

－其他（印章，府、總、縣級官職的批閱語等等）。

---

40 前揭書，頁 275-276。

41 引自陳義《越南漢喃遺產書目提要補遺》（2002：4），2 卷，上卷。河內：社會科學出版社。

不同的文本對上述要素之一（或多）有不同的省略。內容部分是一個俗例文本的主體部分。在這一部分可以找到很多關於各地民間生活以及風俗習慣的資訊。規約的具體內容是各村社根據自身的條件和要求設立的，條款的內容因而豐富多樣且各有特點。丁克順認為「大部分俗例屬於純務農型村社，只有一小部分是科舉之鄉、手工業之鄉或城市街坊、天主教鄉的俗例」[42]，「後者相對於前者具有明顯的本村的特徵」[43]。

總的來看，各村社的俗例文本內容大都集中於對村社祭祀、供拜等事務的約定，通過此也反映出「鄉黨小朝廷」之尊卑秩序。此外還有若干關於保衛村社、保護農業及耕地（如果是務農型村社）、對於村社的捐助、鼓勵學習（在科舉之鄉尤為普遍）、尊老精神等條款以及與手工業相關的條款（手工業之鄉）。

各俗例文本，尤其是純務農型村社的俗例特別重視對年中祭禮的抄錄。通常任何村社每年都要舉行祭祀，如祈春祭、祈秋祭、求福祭、迎送神祭等等。例如：《上葛社鄉例》A. 721，《華鄂社送終例簿》AF. a2/60。對於祭祀村城隍的記載十分有趣。通常，每個村都有一位本土城隍，每位城隍神都有不同的神跡，定期的祭祀儀式往往與城隍神生前的事蹟有關。各地組織祭祀儀式的規模、程度、筵席大小也各有不同。與祭祀相關的條約是村社俗例的重要部分，其內容也最為豐富。

第二項經常遇到的內容是對村社社會組織如甲、巷、職救官員、各諮文會和咨武會等的規定。對老權、男權、父權、長權等的規約體現了村社內部的縱向關係，尤其是對於「官員」

---

42 丁克順，前揭書，第 22 頁。

43 丁克順，前揭書，第 22 頁。

羅內綺羅鄉例

與「庶民」、老幼、男女、本地居民與寄居居民之間的區分，[44] 它反映了村社內部的尊卑秩序及權力關係。比如《羅內綺羅鄉例》A.729，《興安省文林縣各社鄉約風土俗例》AF.A3/62 等。

第三項內容是關於保護鄉村及耕地、維持安寧秩序、保持純風美俗的約定比如《福里社券例》AF.a2/64，《寧平省安謨縣個社俗例》AF.A4/41 等。

除上述主要內容外，手工業及科舉之鄉的俗例文本還有其自身的特點。對於手工業之鄉而言，風俗往往與祖師以及生產活動相聯繫。比如《東鄂社俗例的龍藤坊俗例》A.732 等，而科舉之鄉俗例文本的突出特點則是歌頌學習，對勸學規定條例體現了鄉村的重學思想例如慕澤社的俗例。

各地的俗例文本雖有不同，但總的來看都帶有明顯的儒家思想的印記。從與勸導、獎勵道德行為相關的村社條例中，我們看到，村社在道德方面的評判完全是以儒教仁、義、禮、智、信的倫理以及重孝、重名節等思想為標準的。比如富溪總各社村社的俗例：《富壽省錦溪縣富溪總各社俗例》AF.a12/2。幾乎所有的村社俗例都有這樣的按儒家倫理對道德及

---

44 裴春訂《北部平原村社的若干鄉約》（1997：16-17）。河內：民族學院。

非道德行為的進行獎罰的規定。關於村社內部尊卑秩序的條例也體現了儒家思想的深厚影響，即「鄉黨小朝廷」的村社組織模式。在村社的集體生活中，鄉亭是最為重要的場所，人們在此舉行迎、祭神儀式、禮會、民間演唱及筵席，犒賞、懲罰的場合村民們也在此組織吃喝；同時，這裡也是村中職赦進行裁決的地方。正因為如此，鄉亭中的座次非常關鍵，大多數俗例文本都有較為詳細的該方面的內容（因為座次反映了村社內部的地位及其代表的權力關係）。

俗例文本中儒教文化的深刻印記不僅體現在規約的內容方面，同時而且還體現在對《周禮》、《禮記》、《詩經》、《論語》等儒家經典的援引上。引文往往被置於俗例文本的開頭或用於對俗例積極方面的評論以及立俗例文本的理由方面。

俗例文本之所以帶有儒家思想的印記，首先是因為它們是由儒士們編纂的，許多文本的作者即著名的登科之士；但大部分文本還是由那些無緣科榜而成為地方教書先生的儒士所作，他們大都受過長期的儒家經典及儒家思想的薰陶；作為「飽學之士」，他們的聲音在集體中是很有分量的。所以，儘管只是將村社固有的風俗習慣文本化，但因為編纂者的關係這些文本還是帶有濃厚的儒家氣息。這還不算那些除原有俗例外許多文本新增的律例，這些律例帶有鮮明的儒家思想的

儒士

社會政治模式特點。

這可能也是上述文本使用漢字作為記錄工具的原因，喃字只是在記載地名、人名等的場合上使用。另一個原因是俗例文本儘管以民間風俗為內容，但它是俗例的規約化，村社有俗例就如同國家有律法一樣。如果誰違犯了這些律例，就會受到相應的懲罰和制裁。俗例文本很少用喃字書寫，因為喃字幾乎不被認為是正統文字，只在那些不具權威性的文本如民間文學、俗語和民歌等文本中使用。

俗例文本是研究越南村社俗例的寶貴材料，說得更準確些是越南北部村社（乂安省以北）的俗例，這些村社形成較早且類型多樣。可惜的是，儘管現存的俗例文本較多（647 部目錄號為 AF 的文本以及 98 部目錄號為 A 的文本），但與越北地區村社的數量相比較而言仍然微不足道。[45]現在大部分俗例文本都非原版，主要是抄本，但較早年代的條款都得以完整地保留下來大部分規約立自黎朝，阮朝時得以補充。最早的文本要屬17 世紀的俗例文本，如《楊柳桂楊茂和等社文俗例》A. 2855，《瓊堆古今事蹟鄉編》A. 3154 較晚出現的文本中也有很早如黎初時期就立下的律例如《大馮總券約》A. 2875 所以，根據這些俗例文本，我們可以描繪出一幅多彩的越南傳統民間風俗圖景。

以上對漢喃研究院現存的記載越南民間風俗的文獻進行了大致梳理，我們可以據此獲得對該類文獻的初步認識，現總結其特點如下：

---

45 據武維綿博士《越南北部鄉村鄉約和日本 Kanto 村法（XVII－XIX）》
（2001）第 16 頁的統計，阮朝初期（19 世紀）僅四鎮平原區域村社的數量就達 5663 個之多。

這是一類用漢字和喃字（由越南人創造的文字）編纂的文獻。然而儘管其內容記錄的是越南傳統風俗及民間集體生活的規約，但其中只有極少部分使用了喃字。會不會有那麼一兩部文獻全部用喃字記錄，其餘的或只部分使用喃字，或只將其用於純越語人名、地名的抄錄？從社會分工方面看，喃字被看成是平民文學的表達工具，於是我們會想當然地認為有關民間風俗的文獻一定是用喃字編錄的，但事實卻正好相反。很明顯，文獻中的民間風俗被看成是官方和學術性的資料，而俗例文本又具有規約性，因而，民間風俗文獻的編纂者可能希望用漢字來體現文獻在村社生活中的法規性和權威性。

毫無疑問，越南人的民間風俗自越南民族存在之日起就已經開始了其形成、定型乃至變遷的過程，但是風俗的記戴和抄錄工作卻是晚近的事。如果不算李朝（1010-1225）時期編纂工作的早期萌芽，則現存的最早文本應是黎朝（1428-1778）時期輿地志及雜技中的相關記戴。到了阮朝（1802-1945），有關風俗的著作才從內容及體例上才逐漸豐富起來。只是，我們幾乎找不到有關風俗的專論。直到 19 世紀末 20 世紀初才出現了一部風俗專考即《安南風俗冊》，然而其編纂形式又類似於教科書。我們可以據此初步推論：在封建時代，儘管風俗在民間受到重視（從規約文本的數量及內容的豐富性上可以看出來），然而對於學者們而言，它還尚未成為一個值得關注的主題。

可以肯定的是，越南民間風俗的漢喃文獻由儒士階層編纂。這些儒士可能是學富五車、博古通今的名流大儒如阮薦，黎貴惇等等，也可能經科舉選撥而參與國家各級行政管理（如省、府、縣等）的官吏，還可能是受過系統的封建教育但科舉

落第的儒士──民間仍然視他們為「有學識的人」。正因為如此，民間風俗文獻的編纂從內容到方式都受到儒家思想的影響。從編考文獻裡對風俗的評論（與儒家道德背道而馳的風俗往往被視為淫俗、腐俗等）或俗例文本的規約（條例以及獎懲規定往往根據儒家的道德觀念制定的孝、悌、四德等要素備受重視，它們往往被視作集體規約文本的重心，是最重要的律例）中我們能明顯看出這一點。

　　儘管現存的記載民間風俗的漢喃文獻與其實際數量相比還相去較遠，但也可以說是數量豐富、種類繁多、內容多樣、評述生動。不過令人遺憾的是，我們對該類資料的挖掘還很不夠，這主要有三方面的原因。首先，如上所述，專論的數量十分有限，關於風俗的記載很分散、不集中，這就給資訊的收集和處理帶來困難。原因之二是漢喃文獻特點即文本學方面的問題。文本年代、記錄內容的確定性等因素將直接影響所記錄風俗的時間和確定性。第三個原因在於語言文字方面。該類類文獻都使用漢字或漢字與喃字結合進行記錄；自 1945 年起，拉丁文字正式成為國家文字，漢字與喃字不再在學校講授，所以到目前為止，只有漢喃專業的研究人員才能讀懂此類文獻，這也給文獻的開發利用帶來困難。現在已開始有一些風俗文本的譯本介紹讀者，但尚未出現利用漢喃資料對越南風俗所做的專題研究。希望今後該問題能引起學界的關心與重視。

參考資料

一、中文資料

劉春銀（主編），陳義 Trần Nghĩa，林慶彰《越南漢喃文獻目錄提
　　要》2 冊（2002）。臺北市，中央研究院中國文哲研究所。

二、越文資料

陳義 Trần Nghĩa《越南漢喃遺產書目提要補遺》（2002），2 卷。上
　　卷，第 4 頁。河內：社會科學出版社。

丁克順 Đinh Khắc Thuân（主編）《越南鄉村古傳風俗》（2006）。河
　　內：人文社會出版社。

陳文甲 Trần Văn Giáp《對漢喃書庫的考察》，第一冊（1970）。河
　　內：國家圖書館出版社；第二冊（1990）。河內：人文社會出
　　版社。

陳文甲 Trần Văn Giáp（主編）《越南作者略傳》，2 冊，第一冊
　　（1971）。河內：社會科學出版社；第二冊（1972）。河內：社
　　會科學出版社。

武維綿 Vũ Duy Mền（主編），黃明利 Hoàng Minh Lợi《越南北部
　　鄉村鄉約和日本 Kanto 村法（XVII－XIX）》（2001）。河內：
　　史學院出版。

陳文甲 Trần Văn Giáp（編譯，考釋），阮祥鳳 Nguyễn Tường
　　Phượng（介紹），黎洪洋 Lê Hồng Dương（前言）《黎朝河北風
　　土（京北風土記演國事）》（1971）。河北：河北文化局出版。

阮才謹 Nguyễn Tài Cẩn《漢越讀法的起源與形成過程》（2004）。河
　　內：國家大學出版社。

鄭克孟 Trịnh Khắc Mạnh《越南漢喃作者字號》（2007）。河內：文
　　化通信出版社。

阮蘇蘭 ẩ guyễn Tô Lan〈梅園段展和安南風俗冊〉,《漢喃學通報 2002》（2003）。河內：漢喃研究院出版。

阮蘇蘭 ẩ guyễn Tô Lan〈初步考察順化省所藏的漢喃書籍〉,《漢喃學通報 2003》（2004）。河內：漢喃研究院出版。

阮翠俄 ẩ guyễn Thúy ẩ ga《關於太平風物志的版本》,漢喃雜誌, http://www.hannom.org.vn/web/tchn/data/0206v.htm#ntn55。

阮氏林 ẩ guyễn Thị Lâm《關於海陽風物志的版本》,漢喃雜誌, http://www.hannom.org.vn/web/tchn/data/0403v.htm#lam64。

阮維合 ẩ guyễn Duy Hợp《閱讀北寧地輿志》,漢喃雜誌, http://www.hannom.org.vn/web/tchn/data/0501v.htm#hop68。

裴春訂 Bùi Xuân Đính《北部平原村社的若干鄉約》（1997）。河內：民族學院。

檔案原件（漢喃研究院所藏的漢喃文獻）

作者未詳《大南壹統志》,嘉定省,外本附錄（形勢,氣候,風俗,省城）VHc. 845（V. 69/11）,風俗題目（頁 53b - 54a）。

作者未詳《參考編》A. 1662。

作者未詳《大南風化考略》A. 977。

作者未詳《山居雜述》A. 822,第卷二,6a 頁記載「蠻獠風俗」。

黎貴惇《黎朝通史》（又名《大越通史》）,《藝文志》A.1389, A.2759,VHv. 1555,A. 18,VHv. 1685,VHv. 1330/2,HV. 176/1 - 2。

黎貴惇《見聞小錄》A. 32,VHv. 1322/1 - 2,VHv. 1156。

黎貴惇《撫邊雜錄》2 版印本,6 版寫本。

阮薦《南越輿地誌》A. 2815,《黎朝貢法》A. 53,《安南禹貢》A. 2251。

陽文安《烏州近錄》，A. 263。

陳名琳《驩州風土記》VHv. 1718，A. 592，A. 2288。

阮希思《諒山團城圖》A.1220。

黃平政《興化處風土》A. 90a，A. 90b，A. 974。

黎光定《皇越一統地輿志》10 卷，A. 67/1－3，VHv. 176/1－3，VHv. 2555）。

鄭懷德《嘉定城通志》，VHv. 1335/1－3，A. 1561/1－2，A. 708/1－2，A. 94，A. 1107，VHv. 1490。

黎質《北城地輿志》A. 1565。

吳時仕《越史標案》A. 11，A. 2977/1－4，A. 1311。

藩煇注《歷朝憲章類誌》20 版寫本，卷一至卷五。

黎亶《南河捷錄》A. 586。

范廷琥《雨中隨筆》A. 145，A. 1297，2 卷，第 14 章。

譚義安《千載閑談》A. 2006。

陳惟稟垣《起頭事錄》A. 3093。

阮朝國史館《欽定越史通鑒綱目》12 版印本。

阮朝國史館《大南實錄》A. 2772/1－67，A. 27/1－66。

《上葛社鄉例》A. 721。

《華鄂社送終例簿》AF. a2/60。

《羅內綺羅鄉例》A. 729。

《福里社券例》AF. a2/64。

《東鄂社俗例的龍藤坊俗例》A. 732。

《富壽省錦溪縣富溪總各社俗例》AF. A12/2。

《楊柳桂楊茂和等社文俗例》A. 2855。

《瓊堆古今事蹟鄉編》A. 3154。

《大馮總券約》A. 2875。

《大越史記全書》內閣官版（藏於巴黎），第四冊，（1998）。河內：
　　漢字版由社會科學出版社出版。

《大越史記前編》A. 2/1 - 7。

《興安省文林縣各社鄉約風土俗例》AF. A3/62。

《寧平省安謨縣個社俗例》AF. A4/41。

民間道教儀式的傳承與變革

台灣北部與福建詔安的「道法二門」傳統*

林振源

法國高等研究實驗學院宗教學博士候選人

中文摘要

民間道教儀式與傳統地方社會的民俗文化及民眾生活二個層面關係密切，特別突出的表現在地方宗教慶典的文化展演與私領域的民俗醫療二大範疇。民間道士依循古老嚴格的傳承方式，使豐富且具有歷史深度的道教儀式「活傳統」承續不斷，並伴隨時空的演變進行調整與變革。本文主要描述一個位於台灣北部與福建詔安的民間道教傳統：「道法二門」。「道」與「法」可以涵蓋該傳統的二大儀式範疇，前者以「道場」（醮）為主，後者包含「法場」與日常小法事。詔安為台灣北部醮儀傳統的發源地，該傳統於距今約二百年前傳入。藉由二地的儀式比較，可以嘗試探討民間道教儀式的傳承與變革問題，初步發現：儀式的歷史深度（蘊含完整的古典道教儀式結構）與傳承的穩定性（家傳、密傳體系）可以說明儀式傳統的堅持與「不變」；多元性（包含不同宗教傳統的儀式元素）與兼容性（適應民眾需求所做的調整）則表現出相對的妥協與「變」。

關鍵詞

民間道教儀式、道法二門、台灣北部、福建詔安、醮

* 伊維德教授（Wilt Lukas Idema）在會後座談時提出：道教傳統有深厚的經典、歷史與嚴格的傳承，是否適合稱為「民間」道教？首先筆者對於上述關於道教傳統的看法亦深表認同；而命題仍保留民間一詞的原因，主要是想表達流傳於地方社會（民間）的道教傳統相對於官修《道藏》的「主流」傳統之間仍有待研究的差異與互動關係。特此說明並謹致謝忱。也特別感謝鄭阿財教授與匿名審稿人的評論與寶貴的修改意見。

民間文學與漢學研究

Transmission and transformation of popular Taoist rituals

The tradition of "the two schools of the Tao and the Fa" in North Taiwan and Zhao'an, Fujian

LIN, CHEN-YUAN

Assistant Professor，College of General studies in Yuan Ze University

Abstract

Popular Taoist rituals are closely related to customary culture and the life of the people in traditional local society. Two outstanding expressions of this are in the two great domains of the cultural performances of local religious festivals and customary healing of individuals. Popular Taoists, by following age-old, restrictive modes of transmission, have enabled the rich and deeply rooted living tradition of Taoist rituals to be carried on without interruption. At the same time, they have continuously adapted and transformed the tradition in accord with changing times and places. The present essay primarily describes the popular Taoist tradition of North Taiwan and Zhao'an county in Fujian: "the two schools of the Tao and the Fa". These two words, Tao and Fa, symbolize the two great ritual domains of that tradition. The first involves primarily the *daochang* ritual: the Jiao, or Offering. The second includes the *fachang* and the "little rituals" of daily life. Zhao'an is the place of origin of the Offering ritual of North Taiwan, which came to Taiwan about 200 years ago. By comparing the rituals of the two places, we can discuss the question of transmission and change in popular Taoist rituals. Our first discovery is this: the historical depth of the rituals (including the complete structure of classical Taoist ritual) and the stability of transmission (the system of secret transmission, within the family) can explain the durability and "unchanging" character of the ritual tradition. The multiple origins (including ritual elements from different religious traditions) and the plasticity (adaptations to local customs) express the relationship between appropriateness and change.

Keywords:

popular Taoist rituals, the two schools of the Tao and the Fa, North Taiwan, Zhao'an (Fujian), Offering.

一、前　言

　　要了解一個民間文化（或地方社會），由於材料很多都來自口頭傳說與地方文獻，所以必須藉由深入的田野調查進行挖掘與記錄，才能更具體的探討這些地方知識所蘊含的廣泛意義。大量的田野調查成果使我們發現民間儀式傳統的多樣性：包含儒、釋、道與各種地方巫法傳統，以及更廣義的風水、占卜等儀式體系。[1]本文所關注的民間道教儀式與傳統地方社會的民俗文化及民眾生活關係密切，特別突出的表現在地方宗教慶典的文化展演與私領域的民俗醫療二大範疇。民間（火居）道士依循古老嚴格的傳承方式，使豐富且具有歷史深度的道教儀式「活傳統」承續不斷，並伴隨時空的演變進行調整與變革。

　　本文主題圍繞在一個位於台灣北部與福建詔安的地方道教傳統：「道法二門」。[2]福建詔安為台灣北部道教醮儀傳統的發源地，該傳統於距今約二百年前自詔安傳入台北。概括討論二個問題：第一是關於道法二門的詞彙概念與傳統源流；第二是藉由道法二門在台灣北部與其發源地福建詔安的儀式比較，概略說明民間道教儀式的傳承與變革。本文以實地調查為主、歷

1　王秋桂主編的《民俗曲藝叢書》（台北：施和鄭民俗文化基金會出版）與勞格文（John Lagerwey）主編的《客家傳統社會叢書》（香港：國際客家學會、海外華人研究中心、法國遠東學院聯合出版），都可以發現大量以地方儀式傳統為主題的研究成果。

2　本文改寫自筆者博士論文的主題之一（有關地方道教傳統與儀式研究的概論）。主要材料來自 2000 年起在福建詔安及鄰近（與台灣北部道教傳統源頭相關）的饒平、南靖與平和等縣的閩、客混居地區所進行的實地調查。

史文獻為輔的方法，結合口頭與文獻材料嘗試論述：（1）一個地方道教傳統可能的形成背景與發展脈絡。其中還包含不同中國宗教傳統（道、法、釋、儒）的互動關係，以及中國宗教的儀式範疇在地方社會的具體實踐情況。（2）一種道教儀式類型的傳承與變革。當代道教儀式的研究材料相當廣泛的來自文本、口傳與實際展演三個面向，提供更寬廣的比較視野。從中也具體反映出道法二門儀式傳統的歷史深度（科儀本所保有的古典儀式結構與延續力）、穩定性（口傳、家傳體系的保守與堅持）；以及相對的兼容性（兼顧民眾需求所做的適應與調整）與多元性（基於宗教競合需吸納不同宗教傳統的儀式元素）。藉由本文的討論將會發現：科儀本的文字力量與口傳的穩定性可以說明儀式傳統的堅持與「不變」；兼容性與多元性則表現出相對的妥協與「變」。

二、道法二門

台灣北部道教傳統最鮮明的標誌為「道法二門」與「專門吉事」，並且自我定位為「正一道教（道士）」，歸屬道教正一派的傳統。「道」與「法」的儀式分類正好可以涵蓋該傳統的二大儀式範疇，前者以道教醮儀（也稱為道場）為主，後者包含驅邪的「法場」與日常小法事。專門吉事則表示該派的儀式傳統只做吉祥的紅事（度生），不做與亡者有關的白事（度亡）。該傳統在台灣的分布範圍涵蓋台北、桃園、新竹、苗栗、基隆、宜蘭及花蓮的絕大多數地區，以及中部的台中、彰

化與雲林（還可以擴及南投與嘉義）的部份福佬客地區。[3] 道
士於地方上自立壇靖，以提供儀式服務為業。平時以小法事為
主要儀式業務，遇有節慶或非常情況方會舉辦大型的道場
（醮）或法場。

　　道場主要是針對群體所行之大型祈福消災儀式。依形式及
目的而言，有醮、「三獻」與「禮斗法會」等不同名稱，關鍵
差異在於其中所包含的科儀節目種類與結構。以結構較完整的
三朝醮為例：儀式包含第一天的「發表」、「啟請」、「請水」、
「安灶」、三本經（《三官經》、《北斗經》、《星辰懺》）、「獻
供」、三本懺（《上元懺》、《中元懺》、《下元懺》）、「解結」、
「祝燈延壽」，第二天的「早朝」（含《度人經》）、「午朝」（含
《玉樞經》）、「獻供」、「晚朝」（含《北斗經》）、「放水燈」、「開
啟」、「禁壇」，第三天的「重白」、「掛榜」、「拜天公」、「洪文
夾讚」、「獻供」、「宿朝入醮」、「普渡」、「謝壇」。[4] 法場主要
是針對個體或家庭舉行的大型醫療或補運法事，所以通常也稱
為「大補運」，或俗稱「做獅」、「獅場」。主要功能為治病、延
壽，通常都是處理較危急的情況。一般較常見的大型法場需做
一整天，儀式包含「請神」、「請水安灶」、「奏狀」、「拋法」、
「敕符召營」、「翻土」、「打天羅地網」、「轉竹收魂」、「祭五
猖」、「追陰送火」、「卜碗卦」、「拜天公」、「過限」、「謝壇」。
但是也可以視個別情況擇要舉行，例如只做「祭五猖」、「追陰
送火」、「卜碗卦」三個儀式，稱為「小送火仔」。[5] 小法事的
種類則包羅較廣，道士一般稱為「小事仔」，較常見的儀式名

3　關於中部的道法二門請參見李豐楙（1998：143-173）。

4　關於三朝醮的內容與討論請參見拙著（2007b：197-253）。

5　關於法場的研究請參見 J. Lagerwey（1987：101-116）；Xu Li-ling 2001.

稱將近二十多種。根據儀式的主要目的可以概分為五大類型：第一類是與解決個體危難相關的儀式，包含「祭送」、「收驚」、「補運」、「蓋魂」、「祭珠蒜關」、「祭七星灯（祭元辰）」、「祭空棺」、「安太歲」、「治陰症」；第二類是與繁衍後嗣相關的儀式，包含「祭流霞（蝦）」、「栽花換斗（換花叢）」、「安胎」、「祭生產關」；第三類是處裡空間（潔淨與安鎮）的儀式，包含「安龍」、「安神位」、「壓火災」、「掃路煞」；第四類是與不同的儀式傳統分工合作的儀式，包含「出煞」、「關神（童）」；第五類是許願與酬謝的儀式，包含「許願（平安）」、「謝願（平安）」。[6]

　　但是道法二門這個詞彙本身的意涵是否可以等同於上述的道、法二大儀式分類，或是有其他更為合理的解釋？首先我們發現關於道法二門這個詞彙明確的文字記載，可見於該派道士在大型醮儀（通常為「三朝醮」以上）時所設置的宗師神位以及《啟請》與《宿朝》的科儀本。宗師神位包含「宗師牌」與「歷代先賢（布）」。前者為一木製神牌，寫：「道法二門前傳口教歷代祖本宗師寶座」；後者為一塊藍布，寫：「道法二門先傳後教祖本歷代宗師」，上面還同時寫有歷代宗師的姓名（道號）。[7]《啟請》與《宿朝》在「請宗師」一段的結尾處也可以發現相同的詞句。[8]

---

[6] 儀式名目根據林厝派祖壇（威遠壇）目前所保存的傳統。關於小法事的內容與討論請參見拙著 Lin,Chen-yuan，[forthcoming] "Les petits rituels taoïstes quotidiens à Taiwan".

[7] 根據林厝派（威遠壇）在三朝醮所設置的宗師神位內容。

[8] 在法場的抄本《獅簿》中「請宗師」一段的結尾，有些道壇的抄本也有類似用法。但根據台北朱堃燦道長的說法：在較早期所抄寫的《獅簿》與法場儀式中都未見「道法二門」一詞。

　　劉枝萬很早就系統的討論過台灣北部的道法二門。[9] 除了
上述的文字記載外，作者還提供「疏牌」和「聯對」的內容，
其中也有類似的道、法對比詞句（但非道法二門一詞）。主要
觀點認為：道法二門指的就是道士兼修「法教」，「其法是紅頭
法（也不妨稱之為三奶法或閭山法）」，所以道法二門可以說是
道教（天師道）一門加上法教（三奶法或閭山法）一門。後續
研究與道法二門傳統相關的學者也多持類似的看法。[10] 劉枝
萬在同文的後續討論中還提到另一組有關道、法的對照指出：
張天師與玄天上帝在該派中代表「師」、「聖」的對應地位。玄
天上帝做為道場儀式中「法」的代表，「應稱之為北帝法或玄
天上帝法」，但仍是包含在天師道的「道」之中。而且強調北
帝法與「法教屬於不同的範疇，是不能混同的」。所以劉枝萬
的觀點可以總結為：道代表的就是天師道（也可說是「主流」
的正一道教傳統）；而法的部份雖然一貫都認為是三奶法或閭
山法，但也需注意還有醮儀中的北帝法或玄天上帝法的存在。
筆者認為雖然後者被限定在道場儀式（醮）的範疇，但根據上
述所有文字材料的出處，道法二門一詞似乎同樣也只出現在醮
儀之中。所以道法二門這個詞彙是否有可能指的其實就只是限
定在道場中的天師與北帝，而非我們原先認知的是涵蓋道、法
二大儀式範疇的天師道與三奶法（或閭山法）？要解決這個問
題，比較妥當的方法可能需要更全面的理解該儀式傳統的源
流，才能較具體的說明道法二門這個詞彙本身的意涵。所以後
文就將藉由道法二門的源流討論與發源地福建詔安的調查材

9　參見劉枝萬（1983：132-135）。

10　參見李豐楙（1998：188）；許麗玲（1997：2-3）；吳永猛、謝聰輝（2005：
　　10-11）。

料，嘗試提出另一個不同視角的觀察。

　　台灣北部的道法二門有二個主要派系：「林厝派」與「劉厝派」，分別以該派在台灣首位祖師的姓來命名。林家的祖先來自福建漳州的詔安，劉家來自廣東潮州的饒平。二派的儀式內容基本相同，一個普遍性的觀點認為林厝派擅於道場（醮），劉厝派長於法場（大補運）。[11] 有關道法二門的儀式源流，最有意思的材料為一則（擁有二套版本的）「香辦」傳說。二個版本的情節基本相同，關鍵差異則是由於林、劉二派基於各自立場所產生的不同記憶。傳說的基本內容：早年當林厝的祖先剛來到台灣的時候，已經有劉厝的道士在當地執業，這位林姓祖先只能在劉厝的領頭道士那裡擔任香辦的職務。有一次在一場由劉厝領頭道士主持的醮儀中，由於「找不到」《發表》（通常為醮儀的第一場儀式）的科儀本而無法開演。[12] 在場的劉厝派道士都一籌莫展；這時只見這位林厝的祖先不慌不忙的憑著記憶當場寫出完整的《發表》科儀本，並在醮主的要求下取代劉厝派道士主持儀式。從此之後，這位林姓祖先的名聲開始建立起來，並正式在台灣創建他自己的道壇（威遠壇）。傳說的關鍵差異在於：劉厝的說法認為這位林姓祖先在來到台灣時並非道士，而是因為擔任香辦的職務，有機會抄寫科儀本與疏文並且經常在道場幫忙，所以才無師自通的學會各種（劉厝派）科儀；林厝的說法則表示這位來台的開基祖在大陸原鄉本來就已經是道士，並且帶來自己祖傳（林厝派）的醮

11　劉枝萬首先提到關於台灣北部道士的二大派系，以及林厝擅於「建醮」、劉厝擅於「紅頭法」的觀點；但文中有關二派均源自漳州的說法則與事實不符。參見劉枝萬（1967：48-49）。

12　關於台灣北部道法二門醮儀傳統的基本定義請參見拙著（2007b：207）。

儀傳統。劉厝與林厝的說法到底哪一方才是正確的？這個問題
與台灣北部道士所承傳的醮儀傳統源流有密切的關聯。在經過
多年之後才找到這段歷史的真相，證實來自林厝派所傳的說法
才是正確的。

　　勞格文（John Lagerwey）於 1986-87 年間在台灣北部採用
實地調查的方法，系統的整理出林、劉二個道士家族在台灣的
傳承譜系。[13] 為了進一步釐清台灣北部道教儀式的源流問
題，他將調查工作延伸到林、劉二家的大陸原鄉（詔安、饒
平），結果成功的找到林厝位於詔安客家地區（霞葛南陂）的
祖壇，並對二地的儀式進行初步比較，發現幾乎絕大部分的資
訊都與台北林厝吻合：包含二地「三朝醮」的科儀名稱與流程
安排，以及部分科儀本的內容與祖師名字等，最具體的莫過於
林厝祖居地依然保有相同的壇號（威遠壇）。這個發現同時也
為前述傳說帶來一個初步的答案。[14] 隨後又透過閩南與粵東
一帶的道壇調查材料：包含道壇與道士的基本資料（壇號、道
號、教派、語群等），儀式的相關細節（儀式種類、科儀節目
名稱與程序、科儀手抄本、壇場佈置、法器、法服等），基本
分類概念（道／法、道士／師公、正教／邪教、吉事／喪事
等），以及道士的態度（最深刻的觀察是對於「師公」這個稱
呼的反應）等諸多面向進行廣泛比較，從而對於台灣北部道教
儀式的傳承問題提出二個主要結論：（1）台灣北部的醮儀傳統
很可能是 1820 年時由林厝的祖先從詔安南陂傳進台灣的；
（2）林厝的人可能以傳授醮儀做為條件，來和劉厝的人交換執

13　J. Lagerwey（1988：32-42）

14　J. Lagerwey（1988：42-44）

業的權利與學習劉厝的法場儀式。[15]

　　上述成果奠基於實地調查的第一手材料（包含口頭材料與地方文獻），以及作者本身對於道教歷史文獻與相關儀式經典的背景掌握，方能藉由田野材料與歷史文獻交織的研究方法，對當代的地方道教傳統與儀式等面向進行分析比較，進而取得開創性的成果。無論是研究方法或調查材料都是啟發本研究的主要基礎，二個主要結論與本文所提的基本問題也密切相關。第一個結論指出台灣北部的醮儀傳統是由林厝的祖先從詔安傳進台灣。這個部分相信可以藉由相同壇號的林厝祖壇，加上二地醮儀內容的高度吻合（包含儀式抄本、若干儀式細節與儀式曲調等），甚至「連對於師公這個稱呼的反感態度也都沒有改變」等具有說服力的材料令人信服。唯一的缺憾在於沒有機會參與觀察醮儀，因而欠缺較完整的儀式記錄，以供更深入的二地儀式比較。第二個結論認為林厝以傳授醮儀做為條件，進行二項交換：一是取得執業權利；一是學習劉厝的法場儀式。有關前者（取得執業權利）的推論，透過第一個結論的成果結合「香辦傳說」的共同內容，或許可以做出合理的聯結；但有關後者（學習劉厝的法場儀式）的推論，本文的立場則認為有必要重新考慮。因為根據其文章的內容可以發現：在劉厝的祖居地（坪溪）並沒有找到道士訪談，也沒有發現與台北法場有關的材料可資比較，所以應該還無法具體的說明台北的法場與饒平劉家的關係。換言之，也就無法論證「台北的法場是否來自劉厝」這個問題。所以所謂「劉厝的法場儀式」這個命題本身應該還是問號，因而筆者認為與此相關的推論也就須要重新考

15　J. Lagerwey（1990：88-94）

慮。[16]

本文認為與台灣北部傳統的源頭有關的地區除了詔安與饒平外，還可以考慮南靖與平和。為了更全面的討論道法二門的傳統源流，筆者自 2000 年起在上述地區針對當地的道教現況進行實地調查：包含詔安縣的官陂、霞葛、秀篆、太平、南詔與梅嶺，饒平縣的上饒、饒洋、三饒、東山與坪溪，平和縣的大溪、九峰、山格與南勝，南靖縣的書洋、梅林、船場、南坑、金山與龍山等二十一個鄉鎮的二十八間道壇。同時參與記錄了幾場當地的三朝醮個案，並對二地的醮儀內容進行深入比對。依據當地的儀式分類原則，可以將四個縣的道教情況概括為幾個傳統：詔安客（官陂、霞葛、秀篆）、平和西半縣（大溪、九峰）、饒平客（上饒、饒洋）與台灣北部擁有相同的醮儀傳統。[17] 詔安太平的客籍道士與饒平東山、浮山的福佬（含潮州話，下同）傳統相近。以上二大類型都屬於專做紅事的分類範疇。詔安與饒平的福佬傳統（南詔、梅嶺；三饒、東山、坪溪）的主流都是「紅烏搭」（兼做度生與度亡），主要特徵為自稱「三媽壇」。平和東半縣（山格、南勝）、南靖靈寶派（南坑、金山、龍山、船場）與台灣南部的醮儀基本相同，主要差異在於平和東半縣不做度亡（專做紅事），而南靖靈寶派則為紅烏搭。[18] 南靖五龍（靈）派（書洋、梅林、船場）的

---

16 勞格文雖然在文章中曾提及在饒平的浮山有發現與台北法場個別相同的驅邪儀式（走文書），但另外也提到附近其它地區（特別是龍巖）的驅邪儀式也十分類似（1990：88，89，93）。所以上述材料所能反映的應該是台北的法場來源似乎不僅限於一地，相關討論請參見拙著（2007b：202-203）。

17 但是饒平客的道壇目前保存的儀式較少，主要依據訪談材料與部份殘存抄本推斷，在醮儀部份與詔安客屬於相同的傳統。

18 平和東半縣的醮儀與台灣南部幾乎完全相同，南靖靈寶派則差異較明顯。

儀式相傳來自永定，在該區自成一格。[19]

　　而前文所關注的道法二門一詞也只有在詔安客家地區（官陂、霞葛、秀篆）的科儀本中可以見到，和台北一樣也只見用於醮儀的《啟請》與《宿朝》。[20] 而且由於詔安客不像台灣北部擁有豐富多樣的法場儀式，當然也沒有所謂的《獅簿》，所以在當地道法二門的詞彙概念本質上就沒有涵蓋道、法二大類儀式的基礎背景。[21] 加上筆者的一個新發現：在霞葛有一間道壇的科儀本，在請宗師的結尾雖然沒有使用道法二門，但卻在相同的位置上寫「道混二門」。[22] 根據當地道士的說法：混元指的就是驅邪的祖師玄天上帝。[23] 而且根據他們的認知：「道混二門其實就等同於道法二門」。所以綜合上述材料可以下一個初步的結論：道法二門這個詞彙在發源地詔安客家地區的原意其實並非道教（天師道）加法教（三奶法或閭山法），反而應該是專指醮儀中的師（天師）和聖（北帝）。更準確的說就是道法二門一詞並不包含所謂的法教概念，這個詞彙所反映的就是道教醮儀中的天師道與混元法。[24]

---

[19] 關於閩南客家地區的道教傳統，較完整的討論請參見拙著（2007b：201-206）。

[20] 關於宗師神位，如同若干儀式相關特徵，由於諸多複雜因素，目前在當地已不復見。

[21] 當地類似的驅邪儀式稱為「做西」，抄本一般稱為《西歌》，儀式由請神、「轉竹收魂」與送神組成。轉竹收魂的內容與台灣北部相同。

[22] 位於霞葛下樓的「英顯壇」，由江振典於 1838 年抄錄的《靈寶清夜正醮玄科》。內容等同台灣北部的《宿朝》。

[23] 勞格文的調查成果也有相同的說法（1990：84）。

[24] 所以台灣北部涵蓋道、法二大類儀式的說法，除了誤解之外，筆者也不排除是到了台灣之後才產生的轉借，就如同前述目前許多道壇的《獅簿》都可見用道法二門一詞。當然這個假設還有待進一步的研究。此外關於道法二門傳統的發源地詔安的道教情況與道、法儀式分類較完整的討論，請參見拙著，

三、儀式的傳承與變革

　　藉由上述討論以及二地的儀式比較，可以更加證實台灣北部的醮儀是由林厝的祖先從詔安南陂傳入台灣的說法無誤。但就如同勞格文已經提過的問題：二地在經過近二百年而且中間隔著一道台灣海峽的各自發展下，儀式是否相同？本文嘗試利用幾個簡單的例證來討論該儀式傳統的變與不變，也局部的反映民間道教儀式的傳承與變革問題。

（一）文字與歷史深度

　　關於唐以前道教儀式史的最新研究指出，早期的道教儀式主要包含三個傳統：天師道儀式、方士儀式和靈寶科儀。天師道儀式是教團集體儀式，主要包括朝禮、上章、授籙等儀式。在東漢（25-220）末天師道興起時就創立了部分儀式，這些儀式在教團日常活動中佔有重要的地位，例如較為人知的「三官手書」。[25] 六朝（220-589）天師道分裂時期先後傳入北方（漢末）和南方（西晉末），在新環境中儀式傳統既有傳承又有變革。方士儀式主要為方士個人修煉或師徒相授的秘傳儀式，與教團集體儀式存在形式上的基本差異。主要包括傳授、醮祭、養生、驅邪等儀式。晉代高道葛洪所撰《抱朴子內篇》中有較

〈福建詔安的道教傳統與儀式分類〉〔出版中〕。

25　陳壽，《三國志‧魏書‧張魯傳》注引《典略》：「請禱之法，書病人姓名，說服罪之意。作三通：其一上之天，著山上，其一埋之地，其一沉之水，謂之三官手書。」。三官手書出自張修的「五斗米道」教團在漢中為奉道的病人所做的儀式：祭酒將寫有病人姓名與懺悔罪過的三份文書，分別放置山上、埋到地下、沉入水中，象徵呈給天、地、水三官以祈求解罪。

多記載關於方士儀式的資料。靈寶科儀是由東晉（317-420）末直到劉宋（420-479）初，造構靈寶經的道士所創立，主要包括傳授儀、齋儀和度亡儀等，它們是以前述天師道和方士儀式為基礎並吸收佛教的理論概念，所建立的融合外來文化和本土傳統的新型教團道教儀式。[26] 靈寶科儀也奠定了日後道教儀式的基本結構。之後雖歷經中唐的張萬福與唐末五代的杜光庭等科儀宗師的增刪，然而主體結構依然沒有太大的變化。較顯著的改變在宋代，最主要的變化來自南方的「雷法」大量的進入傳統的道教儀式，其次還包含部分以治療為主的民間巫法傳統與密教儀式元素的使用。[27] 歷經明、清直到當代都延續著上述的道教儀式傳承。

道法二門的醮儀中有一個內容最豐富，保存古典儀式結構最完整的「朝科」系列儀式：包含早、午、晚三朝行道與宿朝入醮，道士慣稱為四朝科。[28] 其中的「入戶」、「發爐」、「進表」、「復爐」、「出戶」等儀節結構，以及相關的科儀文內容與呪、訣等有文字記載的部分與《道藏》中歷代的古典朝儀經典都有高度的相似性（甚至完全相同）。例如午、晚朝在發爐之前所宣的「衛靈呪」內容都能上溯至東晉（317－420）末的古靈寶經《太上洞玄靈寶赤書玉訣妙經》或劉宋陸修靜（406－477）所撰的《太上洞玄靈寶授度儀》中，其他諸如此類的情況不勝枚舉。[29] 此處主要想藉此強調朝科的儀式結構與儀節

---

26 參見呂鵬志，〈唐前道教儀式史綱〉〔出版中〕。

27 這些變化反映在宋代幾套大型儀式類書：如金允中與王契真的《上清靈寶大法》、蔣叔輿的《無上黃籙大齋立成儀》等；白玉蟾的《道法會元》更有大量的道教儀式與其他儀式傳統（特別是民間巫法）的互動關係。

28 朝科儀式概述請參見拙著（2007b：219-224）。

29 呂鍾寬對於道法二門的朝科與歷代的儀式經典已經做了科儀文字的比對，不

內容大都能藉由科儀本的文字傳承得到良好的延續與保存。而
詔安客與台灣北部的科儀本內容更是除了少數傳抄的訛誤與個
別段落的倒置外，幾乎可以說是沒有任何改變。[30]

(二)口傳（密傳）、家傳

除了相對較為公開的科儀本外，有許多的儀式內密作法是
歷史文獻不載，而另外抄錄於「玉訣」本中。道法二門的玉訣
一般稱為「秘唸」，如果只有科儀本、沒有秘唸，是無法進行
完整的儀式。此外還有一種更為密傳的口訣與做法，不僅科儀
本、甚至連密唸也沒有記載，唯有透過師父的口傳心授才是唯
一的傳承途徑。最具代表性的例子為朝科的「入戶」一段。科
儀本中通常只寫入戶二個字，或最多加寫幾個儀式段落的提
示，如「上五老香」、「三大拜」等。但實際的作法卻是相當的
豐富與繁瑣，主要即是藉由口傳配合玉訣來進行科演。[31] 其
中在入戶儀節中有一段入壇程序：康元帥（北斗）、地戶（南
斗）、老君（天門）的三個步驟，和六世紀及十三世紀間的儀
式經典（如金允中，《上清靈寶大法》）所記載的三大入壇程序
完全吻合。[32] 詔安客與台灣北部的作法除了個別壇門在部分
程序略有出入外，整體而言仍是沒有什麼變化的。所以即使是
如此繁複且幾乎沒有文字記載的儀式做法，光是依靠道士師徒
間的口傳方式，同樣能使儀式得到完善的保存。

儀式道曲的唱唸與腔調也無法依靠文字記載，依賴的還是

予贅述（1994：321-360）。

[30] 這裡的倒置主要是指午朝的「鳴金振玉科」與「啟師」的先後順序。

[31] 入戶概述請參見拙著（2007b：220-221）。

[32] J. Lagerwey（1990：87）。

口傳。根據呂錘寬對道教音樂的專門研究：台灣北部正一派的道曲「古老性也頗強，部分體裁具有相當古老的歷史淵源」。[33]勞格文有一個絕佳的例證可以說明詔安客與台灣北部的道士在唱腔方面的問題：在 1987 年時，二地的道士進行了第一次的面對面接觸。雖然中間隔了一百六十多年，二地的道士仍然能夠一起唱出相同的儀式曲調。[34]

「傳統不僅藉由抄本與儀式來承續，同時也表現在日常的態度上。」討論家傳的穩定性，最深刻的例子莫過於詔安客與台北林厝派的道士對「師公」這個稱謂的反感態度。[35] 根據筆者對詔安客家地區的道士進行訪談，十之八九就如同台灣北部林厝派道士的反應：認為這是一個不禮貌（甚至貶低他們身份）的稱呼。[36]

從儀式的作法與唱腔的保存，直到一個日常態度的反應，都清楚的展示出與文字的傳承力量相輔相乘的口傳（密傳）與家傳體系的保守與堅持。

（三）民眾需求

在以前的詔安客家地區，我們從法鈴的使用與否就可以判別道士或師公的身分問題。[37] 台灣北部的道士目前則毫無例外的在做小法事的時候使用法鈴。目前連詔安客家地區也有愈

---

[33] 請參見呂錘寬（1994：319）。

[34] J. Lagerwey（1990：83-88）。

[35] J. Lagerwey（1990：93）。

[36] 關於道士與師公的討論請參見拙著，〈福建詔安的道教傳統與儀式分類〉〔出版中〕；Lin Chen-yuan（2002：11-41）。

[37] 關於法鈴的問題請參見拙著，〈福建詔安的道教傳統與儀式分類〉〔出版中〕；Lin, Chen-yuan（2002：14）。

來愈多的道士有使用法鈴的趨勢，他們解釋說：因為師公都有用法鈴，信徒認為如果不用的話，會覺得儀式的功效可能會打折扣。所以現在有幾個道壇也都開始用法鈴。這個例證說明儀式的變革，有一方面就是反映民眾的需求。道法二門本來就是屬於火居道傳統，道士在民間發展。所以地方社會民眾的信仰與支持，是提供民間道教儀式持續發展與保存的現實基礎。前者的需求與變化，往往也對後者的變革造成相當程度的影響。

從詔安客家地區醮儀中壇場的安排，也可以發現民間道教儀式的兼容性：三界壇主要擺設地方信仰傳統的三界公（道教的三官大帝）與日常保護神，開放讓民眾自由進出參拜。三清壇則安置了繁複的道教諸神與空間結構，不能隨意進出，道士的儀式主要都在此進行。台灣北部的排壇法與該區最大的差異是天師與北帝的位置，台灣北部擺在三界壇，而此區則安置在三清壇。此外，台灣北部的作法是三清壇與三界壇都不對民眾開放，另外再搭設外壇或臨時壇供民眾自由參拜。雖然形式不同，但二地同樣都達到兼顧道教儀式禁忌與民眾需求而不衝突的目的。

根據以上二個例證，詔安客與台灣北部在這個部分的做法出現了比較明顯的差異，但差異的背後反映的其實還是相同目的：順應民眾需求。所以台灣北部的道士有句俗諺：「順主人意，就是好功夫」，對這個部分的討論提供了頗為貼切的註腳。

（四）宗教競合

道法二門的道士只做紅事，所以無論在詔安客家地區或台北，白事部份都採用當地屬於民間佛教的「香花僧」或「釋

教」的儀式傳統，佛、道彼此的關係是分工的。在詔安客家地區，做白事之前需要先做「出煞」，但香花僧本來沒有這個儀式。所以早期還要另外先請道士來做出煞，之後香花僧才接著做功德，相當麻煩，民眾也因此感到不便。特別是當地道士通常比較忌諱接觸白事，所以香花僧後來就向道士學做出煞。[38]台灣北部的情況則有所不同：通常只有遇到非正常亡故的情況，如車禍或自殺。處理的方式才會出現由道士出煞、釋教法師引魂的場景。[39]然而除了上述記憶可及或目前仍存在的現象，這種宗教競合的情況，無論在道法二門的道士或香花僧的儀式傳統中都留下許多深刻的痕跡。既有香花僧自我定位為「佛教中的道教」；[40]道士的「普渡」儀式也透露出相較於其他儀式更鮮明的佛教色彩。[41]

我們發現二地的道士在這個部分同樣有著不盡相同的呈現，但似乎也同樣是建立在地方民眾需求的基礎上，基於外部壓力導致必須吸收其他宗教傳統的儀式元素（甚至整齣儀式）來做回應。[42]

（五）變與不變

總結上述討論，我們發現儀式變革的原因主要來自外部的壓力，包含考量民眾需求所做的調整及與之相關的宗教競合所造成的儀式內容多元化。但其中的細微差異在於：配合民眾需

---

[38] 二者名稱雖不同，但基本上是同一種民間佛教傳統。參見拙著（2007a：129-165）。

[39] Lin,Chen-yuan，[forthcoming] "Les petits rituels taoïstes quotidiens à Taiwan"。

[40] 參見拙著（2007a：151）。

[41] 參見拙著（2007b：224-228）

[42] 由於這個問題牽涉的範圍較廣，本文暫不討論。

求部分所做的變革通常是較偏向於外飾性的，也就是不損及儀式主體的妥協與形式上的配合或安排；然而在因應宗教競合的問題時，需要調整的可能會是儀式的部分內容（甚至整齣儀式），有時候甚至會導致教派內部的自我辯證而牽涉到相當重要的儀式概念與思考模式。

相對的，儀式傳承的穩定性來自科儀本的文字延續力以及家傳與口傳（密傳）體系的保守與堅持。道教的三寶為道、經、師。除了相對較為抽象且高不可及的「至真無極大道」外，經與師的概念正好可以對應於科儀本的文字與師父的口傳。所以道士的傳統特別強調「寶經」與「尊師」的觀念，遵行上述觀念的同時也導致傳統的核心與絕大多數的儀式得以獲得最完善的保存。觀察儀式傳承的延續與不變，可以發現最基本的原因就是道士在寶經與尊師的教化概念下，實際表現轉化為文字與口傳的緊密結合，缺一不可。

引用書目

呂錘寬（1994）《臺灣的道教儀式與音樂》。台北：學藝出版社。

呂鵬志 [出版中]《唐前道教儀式史綱》〉，北京：中華書局。

李豐楙（1994）〈臺灣中部「客仔師」與客家移民社會〉，《台灣經驗（二）：社會文化篇》，宋光宇主編，台北：東大出版社，頁121-157。

——（1998）〈臺灣中部紅頭司與客屬聚落的醮儀行事〉，《民俗曲藝》，第116期，頁143-173。

林振源（2007a）〈福建詔安的香花僧〉，《民間佛教研究》，譚偉倫主編，北京：中華書局，頁129-165。

—（2007b）〈閩南客家地區的道教儀式：三朝醮個案〉，《民俗曲藝》，第 158 期，頁 197-253。

—［出版中］〈福建詔安的道教傳統與儀式分類〉，「中國地方社會儀式比較國際學術研討會」會議論文，香港中文大學。

吳永猛、謝聰輝（2005）《台灣民間信仰儀式》，台北：國立空中大學。

許麗玲（1997）〈台灣北部紅頭法師補運儀式〉，《民俗曲藝》，第 105 期，頁 1-146。

勞格文（1993）〈福建省南部現存道教初探〉，《東方宗教研究》，新 3 期，頁 150-151。

劉枝萬（1967）《臺北市松山祈安建醮祭典》，台北：中央研究院民族學研究所。

—（1983）《臺灣民間信仰論集》，台北：聯經出版社。

—（1992）〈臺灣的道教〉，《道教》，第三卷，上海：上海古籍出版社，頁 116-154。（根據日本平河出版社 1983 年初版翻譯）

Hsu, Li-ling　許麗玲（2001）" Le Fangchang, ritual exorciste du Nord de Taiwan ", Doctoral dissertation, EPHE, Paris.

Lagerwey, Jhon（1987）"Les Têtes des démons tombent par milliers: Le *Fachang*, rituel exorciste du nord de Taiwan", *L'Homme* 27, no.101：101-116.

—（1988）"Les lignées taoïstes du Nord de Taiwan". *Cahiers d'Extrême-Asie* 4:127-143.（中譯本：許麗玲譯，〈台灣北部正一派道士譜系〉，《民俗曲藝》，第 103 期，頁 31-48。）

—（1990）"Les lignées taoïstes du Nord de Taiwan (suite et fin)".

Cahiers d'Extrême-Asie 5：355-68.（中譯本：許麗玲譯，〈台灣北部正一派道士譜系（續篇）〉,《民俗曲藝》，第 114 期，頁 83-98。）

—（1999）"Question of vocabulary or how shall we talk about Chinese religion? ".《道教與民間宗教研究論集》，黎志添主編，香港：學峰文化事業，頁 165-181。

Lin, Chen-yuan 林振源（2002）"Le taoïsme du sud-est du Fujian". unpublished M.A.thesis. Paris: Ecole Pratique des Hautes Etudes.

— [forthcoming] "Les petits rituels taoïstes quotidiens à Taiwan", *Le Sacré en Chine*,ed. by Michel Masson, Paris: Institut Ricci.

從宗教文書到文學殿堂

中、日願文的發展與轉變

李映瑾

國立中正大學中文系博士候選人，現任國立中正大學中文系兼任講師

中文摘要

「願文」是六朝以來中國民間信仰中廣泛流行的一種宗教應用文體，內容涉及宗教儀式與民間習俗。正因為它的特殊屬性，以致使它成為一種三不管的文學作品，中國文學典籍裡未能有完善的收錄，在宗教文獻中，也零散而不凸顯。1900 年敦煌藏經洞偶然的發現中，保存不少這類作品，才引發起禮失而求諸野的關懷，更從漢字文化圈的日本、韓國等，找到與這塵封已久的中古願文在歷史發展的繫連。

日本奈良時期，願文廣受重視，不僅保留了宗教層面的原始意義與用途，平安朝時期文人的心中，願文更變成一種美文體裁的代表。因此，如果說《本朝文粹》的收錄是奠定願文的存在基礎，那麼像《萬葉集》裡山上憶良的漢詩這樣吸取願文精華而嶄露頭角的文學作品，就是願文的隔海新生了。

願文的本質是一種應用文學，不論在其體制、結構、用語方面，都可以看出其儀式化的痕跡。傳到日本後，經過了創作層級的改變與應用層面的窄化，加上中唐《白氏文集》傳入的影響，最後成為日本哀傷文學的代表，進一步影響日本和歌，其中的轉變過程與關鍵點是值得深究的問題。本文擬從唐代願文原型（願文體制、願文用語等）、願文傳入日本後的轉變方向，嘗試詮釋願文從中國到日本、從宗教到藝術、從俗文學到雅文學的發展歷程。

關鍵詞

敦煌、願文、發願文、日本願文

民間文學與漢學研究

Religion to Literature

Chinese Yuannwen and Japan Ganmom

Li-Ying-Ching

National Chung Cheng University Graduate Institute of Chinese Literature Phd Program.

Abstract

Yuannwen (Ganmom) is a kind of application writing, popular in Chinese folk religions since the Six Dynasties. Its content involves religious rites and customs. Due to this special attribute, it was not regarded as a standard form of literature, and therefore not well compiled in traditional Chinese literary works. Even in religious literature, it is scattered and far from distinct. In 1900, a lot of such works were found to be preserved in the Dunhuang Buddhist Caves, which accordingly aroused a concern that this type of literature had not been well preserved in its origin country and therefore researchers had to go to foreign countries to retrieve it. In addition , a long-hidden connection between ancient Yuannwen and historic development was found from other Asian countries which used Chinese characters, such as Japan and Korea.

During the Nara period in Japan, Yuannwen was widely valued. It not only preserved its original meaning and function in religion, but also transformed into a form of belle-letters for the literati in the Heian Period. Therefore, if its inclusion in 《本朝文粹》 is said to be the foundation of the existence of Yuannwen, then the conspicuous Han poem recited by 山上憶良 in 《萬葉集》 (Man'yōshū) can be regarded as a renaissance of Yuannwen on the other side of the sea, because the poem is a work that fully absorbs the essence of Yuannwen .

Yuannwen is basically an application literature. The trace of ritualization can be seen from its style, structure and phraseology. After Yuannwen was brought to Japan, it became the chief form of Japanese elegy, on account of the change of the social stratum of Yuannwen writers and the narrowing of its application, coupled with the influence resulted from the introduction of 《白氏文集》 (Bai Juyi`s corpus), written in the central Tang Dynasty. It even went further to affect waka. This transformation process and its key point are worth researching. This paper aims to explain the development of Yuannwen from China to Japan, from religion to art, and from folk literature to belle-letters by looking at the prototype of Yuannwen in Tang Dynasty (its structure and phraseology,etc.), and the change it underwent after introduced into Japan.

Keywords:

Dunhuang, Yuannwen, Ganmom

一、前　言

　　敦煌願文是敦煌當地的宗教應用文，應用層面廣泛，留下的文獻數量雖多但零散。從敦煌這個單一地點觀看願文此一體裁，會將之視為一種典型的民間宗教文書，因為它的性質與特色，都伴隨著大眾的生活而發展。但在東亞漢文圈中，其他國家也出現有願文此種體裁──其中，尤以日本的願文資料最為鮮明而豐富。

　　在日本，願文與和歌，幾乎可以並列古典文學代表，之後的隨筆與物語頗多受其影響，而和歌又有一大部分受到願文文風的影響。無怪乎渡邊秀夫（1991：536）在〈願文的世界〉引言說：

> 願文在平安朝被視為最為風光的文學，並留下了許多作品。而且，多為當代第一流文人竭盡心力以華麗的駢儷文句堆砌出來，這些作品大多收錄在當時佳句選集及文章範例之中，同時其名言美句也被中世軍談小說一類作品所襲用。不過這些被視為文學作品的願文，在今天的文學史中，可以說幾乎都不存在。[1]

正因為願文在日本文壇是這樣的重要，才讓「願文源流」這樣的研究議題開始被關注。[2] 願文與日本願文，時代相近，本是

---

[1] 渡邊秀夫：《平安朝文學と漢文世界》第四篇〈願文の世界〉前言，頁536。

[2] 池田溫〈吐魯番敦煌功德錄和有關文書──日本古代願文的源流〉討論了功

同根而生的同質文體，但因在傳衍過程中，許多結構因素的改變而造成不同樣貌的文學。

本文擬以敦煌寫本所保存的願文為研究開端，順著願文東傳的途徑，探索願文在東亞的中古時期多變的文章姿態與改變原因。

二、願文的原型
──中國願文的宗教意涵與實用性

宗教文書中的「願文」，原是佛教徒的立誓之文。[3]「願」字與佛教的「信、願、行」三者連續關係，是佛教徒對於己身所承擔或肩負的宗教責任的認知情緒，《華嚴經》稱之為「不可思議解脫境界，永無退轉」，故從許多願文中，可見佛教徒堅定的信仰精神。願文的早期代表作應屬梁武帝的〈東都發願文〉與隋智顗的〈發願文〉；前者不見於《全梁文》，後來在敦煌出土的文獻中被發現，而後者的佚文也在敦煌被發現。過去中國古典文獻與宗教文獻，都沒有把願文加以選錄在典籍中，

德疏、功德願文讀經寫書的例子，最後搭配了日本古代願文，得出日本願文源流研究應參照吐魯番、敦煌文獻的結論。池田溫〈敦煌願文與日本古代願文〉，討論了現存奈良時代與平安時代願文，也將中國南朝至隋唐的願文文獻做了整理。饒宗頤〈談佛教的發願文〉則從宗教層面，討論了「願」的原始意義與分流。王曉平〈東亞願文考〉除了中日願文資料外，還提及韓國《東文選》中的願文，對於東亞各國的願文傳衍關係有一定啟發。

3 饒宗頤〈談佛教的發願文〉提到：「願文比較早期作品而特富文學價值的，應算明梅鼎祚在《釋文紀》卷五所收題名為劉遺民所作〈西方誓文〉，原載《出三藏記集》之〈慧遠傳〉，這是慧遠在廬山時蓮社十八賢建齋立誓的文字。在此時期，佛家發願的手續及其意義，已為大家所熟悉。」《敦煌吐魯番研究》第四卷，頁 477-487。

所以，近世所見的願文，大多是 1900 年從敦煌藏經洞發現的，有不少資料被收錄在黃征、吳偉所編校的《敦煌願文集》中。[4]

中國願文的樣式，與齋文有相混之處。「設齋」最原始的意義是佛教為了堅定僧徒修持功夫所設的齋會，[5]後來演變成為世俗性的齋會，齋文就是在齋會上誦讀的文章。通常齋文中會有一段用來祈願或發願的文字，這種情形讓「齋文」與「願文」在定義的區別上，一直備受爭論。所以，在論述「願文」之前，必須先討論「齋文」與「願文」的關係與分別。

（一）願文與齋文的分別與關係

齋文的定義，郝春文（1996：64-71）在〈關於敦煌寫本齋文的幾個問題〉曾提出：

> 齋文是佛教徒組織的摘會上宣讀的開場白，內容一般是

---

[4] 黃征、吳偉編校的《敦煌願文集》，採取了廣義的願文定義，因此蒐羅的願文範圍極廣，如範本類就有願文範本、發願文範本、亡文範本、迴向發願文範本、二月八日文等範本多種。在內容方面，從宗教修持的願文到世俗目的性的願文都有收錄，也包括了一些題記願文，連像「兒郎偉」這類祝詞也被收進集中。因此，從《敦煌願文集》裡，可以掌握到不少中國願文資料。不過，也因為這樣廣泛的收錄原則，以致混淆了願文、齋願文、發願文、祝詞等文類的界線，甚至在分類方面，也沒有統一。不過若從收錄篇數的角度來看，《敦煌願文集》可視為目前整理中國願文最數量最多的集子。

[5] 王三慶〈敦煌文獻中齋願文的內容分析研究〉：「部派佛教時代過午斷食的修持功夫，為了表明甚守身口意三業，清靜身心，由敬生信，而入歸於佛，每半月舉行一次的布薩齋會；後來也包括了對於世俗大眾居家學佛者的一種預先養成訓練。最後才一變成為入世的大乘佛教齋會，逐漸融入祝賀、報恩、追善、祈福、冥報等各種名目的齋會，使佛齋與非純佛齋混和為一，成為普世的常行工作。」《新世紀敦煌學論集》，頁 598-620。

> 先頌揚佛的功德、法力，次述齋會的事由，再述齋主的
> 高貴出身、美好品德及對佛教的虔誠，最後是對佛的祈
> 求。[6]

故齋文是在齋會上所誦讀的文章，是一種內容多樣化，但形式
卻相當固定的應用文。[7] 由於齋會名目繁多，所以齋文種類也
較多采多姿，例如：《諸雜齋文》中〈啟請文〉、〈結壇文〉均
是。

　　至於願文，丁福保解釋為：「為法事時述施主願意之表白
文章也。」郝春文（1996：64-71）據此進一步說：

> 在敦煌文獻中保存的齋文合集中，願文往往是齋文的一
> 個子目。願文的事由和目的也不一樣，有還願者，有報
> 願平安者，有希求勝願者。這表明願文似乎不僅僅是齋
> 文的一個子目，可能和患文、亡齋文一樣，是一種類型
> 的齋文。[8]

6　郝春文：〈關於敦煌寫本齋文的幾個問題〉，《首都師範大學學報》，1996 年
　　第二期，頁 64-71。

7　郝春文〈關於敦煌寫本齋文的幾個問題〉：「第一部分是齋文樣式的第一段。
　　這段引言不涉及齋會的事由、事主的身份、品德等具體狀況，所以同一小類
　　齋文的引言往往可以通用。……齋文的第二部分稱「嘆德」，嘆德包括兩項
　　內容。一項是說明齋會的事由，另一項是這一部分的主要內容，讚嘆被追
　　福、祈福者或齋主的美德。第三部分稱「齋意」，敘述設齋的原由與目的。
　　第四部分稱「道場」，描繪齋會的盛況。第五部分也就是最後一部分稱「莊
　　嚴」，表達對佛的種種祈求，又稱為「尾」或「號尾」。」同注 6。

8　郝春文：〈關於敦煌寫本齋文的幾個問題〉，《首都師範大學學報》，1996 年
　　第二期，頁 64-71。

這個說法，在中國齋會流行的熾熱年代或許適用，但卻沒有辦法包含像梁武帝〈東都發願文〉與智顗〈發願文〉這種單純表達個人對宗教虔誠決心的發願文。

　　所以，要瞭解願文到底是什麼，必須回到願文出現的原點來看。載於《出三藏記集》中〈慧遠傳〉的〈西方誓文〉，是慧遠在廬山建齋立誓的文字，誓文中記載了寫作時間、地點、作者與緣由──「共期西方」，雖然行文中沒有出現「祈願」或「發願」的關鍵詞，不過，從文中「誓」字所包含的「誓願」之意，代表為自己的心意與言行立下誓約規範，展現信仰的堅決意念，我們可以將之視為願文的初胎。之後，梁武帝〈東都發願文〉就是這種類型的願文。另一種願文就是唐代流行的齋會願文（齋文），這類型也可以稱做儀式願文，因它搭配了當時的齋會與慶典。故此類「願」文的意義是「祈願」、「祝願」，也就是希望某事可成、希望某事順利。[9]除了這兩類之外，還有敦煌流行的寫經題記願文，多半錄在佛經之首或經末，用以修福田、迴向功德。雖有這麼多名目，但願文大致可分為「祈願文」與「發願文」兩類，「祈願」帶有希望、期望之意；「發願」則是發心去做某件事、或誓願做何事。雖然都稱為願文，但實是兩種不同的思考模式。從這樣的分析可以推論，齋文是願文這一脈文體，到了唐代時期為了搭配齋會、佛事、民俗活動，所轉型而成的一種「用在儀式上」的願文，所以，齋文與願文在形式與內容上必然有一定的複沓性。

9　劉勰《文心雕龍》中有〈祝盟〉一篇，「祝」指的是祝文，是祝禱神靈或祖先的文字，寫作原則是「凡群言發華，而降神務實，修辭立誠，在於無愧。祈禱之式，必誠以敬。」因此在敦煌願文中的祈福禳災一類，就是將中國祝文的傳統結合了佛教儀式而形成的文類。至於文采的鋪陳，則到了日本願文中，才被重視而發揚。

回到願文本身,我們發現願文不僅只是扮演佛事應用文一種角色,在某種程度上,它也是一種宗教類抒情文。發願文的作者在文章中堅定心意,祈願文的作者在文章中祈求願望;情感有時洋溢幸福、有時苦恨深痛,非常多樣。所以,我們才能在願文這類特殊的宗教文書裡,發現許多斑斕的文采與動人的背景故事。因此,無論定義如何分歧,願文無疑是一種在形式化的應用文外表下,卻帶著濃厚抒情感的特殊宗教文體。

(二) 願文內容、應用層面與作者

陳曉紅(2004:92-102)〈試論敦煌佛教願文的類型〉一文中將願文分為:佛教禮儀願文、佛教修持願文、佛教祈福禳災願文、佛教喪葬願文、綜合類願文。[10] 為何要冠上佛教二字呢?原因是敦煌願文中也包含道教的願文,因此要稍做區分。[11] 這些項目,是隨著不同的內容而分類的,祈願或發願者有個人、也有群眾。這樣的分類能把不同內容的願文區分開來,卻難以將之收攝在一個脈絡之下來理解。

以願文的內容,可以簡單區分為:僧侶修行發願文、造像願文、儀式性的齋會願文、題記願文四類。造像願文、儀式性的齋會願文與題記願文,是隨著佛教果報思想而興盛起來的產物。「願」的意義又可以細分為「發願」與「祈願」兩種。以

10　陳曉紅〈試論敦煌佛教願文的類型〉:「佛教禮儀願文,主要有佛教紀念日法會、受戒與「布薩說戒」儀式發願、佛寺建設法事發願。……佛教修持願文是佛教徒平時的修持活動,諸如早晚課的誦經、坐禪、講經、開示等事物中,都要有發願的內容。主要有讚佛菩薩發願文、經卷題記發願文、開經發願文、回向法界發願文、施捨願文。……佛教祈福禳災願文又分為宗教祈願文、世俗祈願文兩大類。」《敦煌學輯刊》2004 年第 1 期,頁 92-102。

11　例如:斯 3071〈道家為皇帝祈福文〉。

此分類與陳氏觀點相較，可以發現陳氏分析的願文樣本，大都屬於唐代敦煌地區的齋會願文。也就是原始願文經過進化之後，用於民間，因應世俗需求而產生的願文。因此，其應用層面之廣，舉凡生老病死、婚喪喜慶、宗教慶典等都在其涵蓋的範疇之內，這個現象說明了民間宗教文書的確能夠在某種程度上反映當時社會實況。

作者方面，願文作者可分為兩類，一類是法師述施主之願；一類是事主自述。所以作者群包括了僧人與俗眾。僧人所做的願文大多以「範本」的形式留存在敦煌文獻中，原因在於當時僧人為了在主持不同法事之間節省時間，所以作出一種範文集子，可以套用在各種不同事主、但相同事由的齋會之上，在《敦煌願文集》中有許多「發願文範本」、「願文範本」，就是這種產物。而事主自作的願文，有些有留下作者，有些則亡佚，留下作者的願文類型則以題記願文為最多。

（三）體制與用語

願文的文字特色，在於它有著身為佛事活動應用文的制式化痕跡，固定語詞[12]會用在固定的段落，所以形成一種套式。比如：「願」、「伏願」、「惟願」、「又願」多接發願、祈願內容，[13]但也會接吉祥的祈福文字。「伏維」接事主，或作忌之人名。文末多以「齊登佛果」、「咸登覺道」、「一切普誦」做結，有時會續接「摩訶」、「摩訶般若」，或者只出現「摩訶」、「摩訶般若」做結。雖然格式是這樣固定，但回到實際的願文

---

12 本文姑且稱之為「套語」。

13 在《敦煌願文集》中的「願文段落集抄」更可以明顯看見這種願文結構形式。

來看便是另一回事。以文字分析願文，必須先把齋會願文與題記願文分開。

1. 齋會願文

齋會願文為了配合佛事場合的誦讀需求，故文句多為四言、五言、六言的排比句或是四六駢儷的句子，間夾散文。排比句部分多為讚嘆佛理，散文部分則陳述施主之意。例如：北圖 8454〈社齋文〉：

> 頂禮佛足衰（哀）世尊，於無量劫賀（荷）眾苦，煩惱已盡習亦除，梵釋龍神咸恭敬。是知諸佛功德，無量無邊；恒沙劫中，讚揚難盡。然今即席坐前齋主、合邑人等妙因宿殖，善牙發於今生；業果先淳，道心監於此日。及知四大無主（住），識五蘊之皆空。遂乃共結良緣，同崇邑義。故能年三不關，月六無虧；建豎壇（檀）那，常修法會。……以此功德、廣大善緣，奉用莊嚴合邑人等：惟願災殃殄滅，是福咸[臻]；天先降靈，神祇校耻（效社）。菩提種[子]，配佛日已（以）開芽；煩惱稠林，惠（慧）風飄而葉落。此（次）持 [勝福]，亦用莊嚴齋主合門居眷、遠近親因（姻），大小休宜，咸蒙吉慶。然後上通三界，傍伽十方，並出邪途，成（咸）登覺道。[14]

這是篇典型的齋會願文，僧人在社邑所舉辦的法會上誦讀，開

---

14 黃征、吳偉編校：《敦煌願文集》，頁 268-269。湖南：岳麓書社，1995 年 11 月。

始先頌揚佛陀，後點明齋主心意與設齋之物，最後接祈願內容與套語。與題記願文相較起來，齋會願文的文字顯得規律得多，排比句部分比例提高。這是因為排比句或韻文可以讓僧人在誦讀時，鋪排出隆重的氣氛或產生抑揚頓挫的韻律感，進而昇華齋會的莊嚴氛圍。而這也是願文流傳到日本後，發展為美文的一個潛藏基因。

另一種齋會願文大宗——佛教節慶願文，在用字遣詞上會比一般齋會願文來得講究些，例如：斯 1441〈二月八日文〉：

> 法王誕迹，託質深宮；是（示）滅雙林，廣利郡（群）品。王宮育靈，寔有生於千界；逾城半夜，求無上之三身。今以三春中律，四序初分……總斯多善、莫限良緣，先用莊嚴梵釋四王、龍天八部：伏願威光盛運，救國護人；濟惠慈悲，年豐歲稔。伏持勝善，次用莊嚴我河西節度使尚書貴位：伏願五岳比壽，以（與）日月而齊明；祿極蒼（滄）瀛，延麻姑之萬歲。然後休兵罷甲，鑄戟銷戈；萬里澄清，三邊晏靜。[15]

這篇用在紀念佛陀逾城出家的齋會願文，前半部分將佛陀成道因緣，用華美的文字來寫作，與前述的一般齋會願文大異其趣。不但大量運用字數整齊的排比句式、四六句，連對偶都非常工整，絕非恣意行筆。另一方面，這與事主的身分也有關係，此篇願文事主是「河西節度使尚書」，屬當地行政官員，受託僧人做起文章來自然也就比較認真仔細。不過一般來說，

---

15 同注 14，頁 31。

像〈二月八日文〉、〈行城文〉、〈轉經文〉、〈佛堂文〉這幾類齋會願文的文彩都較為出色，這應該是佛、法、僧三寶在佛教教義層面上極受重視，進而反映在文字創作上所產生的現象。

至於一般百姓最常使用的「亡文」、「患文」等這類追福、祈福迴向願文，也大量地被留存在敦煌文獻中，除了僧人使用的範文之外，亦有多篇實際運用的願文被保存下來。例如：伯2237〈亡女文〉：

> 芳年豔質，綺歲妖妍；驗（臉）奪紅蓮，眉分翠柳。纖容窈窕，若誓（巫）嶺之浮云；淑泰（態）逶迤，比落（洛）川之流雪。……。豈謂天无悔禍，殲我良賢；譬迴樹之光彫（先凋），類高花之早墮。琴臺風散，廣凌（陵）之韻莫傳；畫恨（帳）螢非（飛），大雄之音斯感。[16]

亡文名目繁多，俗人包括亡考、亡妣、亡妻、亡夫、亡女、亡兄弟等，出家人則有亡僧、亡尼，還有〈臨壙文〉、〈脫服文〉。上述引文為亡文範文，文中用盡典故，將已逝女性生前秀外慧中之貌，深刻地描繪出來。亡文的特色在於：雖然它是一般百姓使用的亡齋文，但事關生死大事，所以文辭多情意深摯、淒美動人，且屢見用典、對偶，無怪乎這種文體傳到日本之後，能夠影響日本漢文發展出哀傷美文一系的文學。

〈患文〉是一種祈求病痛早日痊癒的祈願文，多半在文中會伴隨削減今生與前世業障的祈願，例如：斯343〈患文〉：

16　同注16，頁740。

（前殘）□範生知。落采（髤）從真，偏伽（亘加）誦□（習）。□□□□，□□修持。辰（晨）昏不假（斷）[於] 諮承，旦暮無虧于□□。□（遂）使火風不適，寒暑乖違；五情不安，四大無順；伏枕累夕，未能起居。雖藥食（石）屢施，竟無瘳感（減）；……謹捨珍財，乞求加護。是以經開《般若》，爐焚天香；福事既圓，咸（盛）眾斯集。以斯轉經功力、唸誦之因，總用資薰此律師：惟願承斯福力，業障雲消；累世愆尤，從茲湯（蕩）滌。或威儀微細，難護難持；或戒品甚深，不知不俁（悟）；或經行殿塔，涕唾伽藍；或進止之間，觸貝（背）尊長。如斯等障，亦願消除。即是心花早茂，意樹常榮；患若（苦）及日而湯（蕩）除，福善應時而圓備。色力堅固，同白日如（而）漸圓；身心獲安，等紅蓮而轉盛云云。[17]

文中除了希望藉由誦《般若》經修福，讓水土不服的病痛早日解除之外，還一併將先前無意間做出的壞事業障，一起彌補，此文所展現的果報觀念與唐代流行的靈應故事極為接近。文中「或經行殿塔，涕唾伽藍；或進止之間，觸貝（背）尊長。」這種不敬三寶與目無尊長的行為，可與敦煌〈目蓮緣起〉之情節做一比較。〈目蓮緣起〉提到：目蓮之母親青提夫人從羅卜出家之後，日日殺生，「逢師僧時，遣家僮打棒。見孤老者，放狗咬之。」[18] 所以死後入阿鼻地獄，墮餓鬼道。而死後進入刀山地獄的人，是生前喜歡侵損伽藍，砍伐水果柴薪，因此

17　同注 16，頁 1。
18　潘重規：〈目連緣起〉，《敦煌變文集新書》，頁 669。台北：文津出版社。

受到刀山劍樹截斷四肢之苦。佛教徒深信不敬三寶的業障極深，所以患文事主恐懼其病久治不癒是因現世的因果報應，因此決定誦《般若》經祈福。《般若》應指《金剛般若波羅蜜經》，《金剛經》力量強大、持誦信徒廣，一些記錄顯示此經有起死回生的作用，也可以免除死後進入地獄之苦。[19]在隋唐五代時盛行，唐玄宗也曾為之作注，是大乘佛經中最重要的一部。而從敦煌本《持誦金剛經靈驗功德記》可見信徒以為持誦、抄造《金剛經》具延年益壽、消災解厄的功能。[20]

2. 題記願文

題記願文少了儀式上的需求，所以雖不乏四言、六言的排比句，但以散文句為多。如：日本書道博物館藏《佛說決罪福經》「建輝題記願文」：

> 元二年歲次癸酉三月四日丙寅，僧尼道建輝，自惟福淺，無所施造。竊聞經云：『修福田莫 [若] 立塔寫經。』今怖崇三寶，寫《決罪福經》二卷，以用將來之因。又願師長父母、先死後亡、所生、知識，盡蒙度招，遠離三途八難之處，恒直佛聞法。發菩提心，愚（遇）善知識。又願含華眾，普同斯願。[21]

這是一篇典型修福祈願的題記祈願文，文中將題記時間、發願

19　參照冉雲華：〈諷誦的力量〉，《中國佛教文化研究論集》，頁 1-10，台北：東初出版社。

20　鄭阿財：〈敦煌佛教靈應故事〉，《佛學與文學——佛教文學與藝術學術研討會論文集、文學部分》，法鼓文化，頁 121~152。

21　同注 16，頁 836。

人、發願緣由、祈願迴向都清楚地記載，這也是題記願文最大的特色。此外，題記願文的「迴向對象」是一個比較特殊的地方，除了主要祈福對象（自己、親人、亡者、特定皇室貴族等）外，大部分還接續七世父母、一切眾生等次要對象，如：斯2791《大般涅槃經》「氾仲妃題記願文」：

> 大隋開皇十八年四月八日，清信女氾仲妃，自知形同泡沫，命等風光；識解四非，存心三寶。遂減身口之分，為亡夫寫《涅槃經》一部。以此善因，願亡夫遊神淨土；七世父母、見在家眷，所生之處，值佛聞法。天窮（穹）有頂，地極無邊，法界有形，同登正覺。[22]

在主要祈福對象「亡夫」後便接續迴向其他的對象，範圍之廣，幾乎包含了天地間有情與無情之萬物，反映了佛家普渡眾生的概念。又如：三井八郎右衛門所藏的《華嚴經》「宋紹演題記願文」：

> 大隋開皇三年歲在癸卯五月十五日，武侯帥都督前治會稽縣令宋紹演，因遭母喪，亭私治服。發願寫《華嚴經》一部……。願國主興盛，八表歸一，兵甲休息。又願亡父母託生西方無[量]壽國，常聞正法。己身福慶從心，遇善知識；家眷大小康休。一切眾生，普蒙斯願。[23]

---

22 同注16，頁858。
23 同注16，頁847。

此篇迴向的對象更具層次感，可說是將修身、齊家、治國、平天下的人倫關係，再往下擴及一層到法界眾生。這顯現出當時佛教大乘普渡的觀念，已經結合了儒家人倫關係，與中國文化漸趨融合。不過，從家國居首位的情況來看，不管佛教如何熾盛，儒家人倫關係仍深植在士大夫心中。

願文並不像傳統雅文學一般，得到知識份子的垂青而挹注文彩，願文的創作族群普遍平民化，多為一般百姓與僧尼，但是這並不代表願文的文辭風格就平凡無奇，相反地，大多數願文的內容生活化，所展現出的情意是百姓生活的願望，希望身體安康、祈求家園平安、寄望往生淨土、祝福新居新婚。這些都是正史不易見到的內容，所以願文文獻實是最貼近唐五代時期人民生活的第一手資料。雖然願文應用基因濃厚，但也不能忽視其歷史與文學上的價值。

三、願文的蛻變──傳衍到日本的願文

佛教傳入日本的過程，日本當代漢學大師池田溫（1994：134-145）曾說：

> 日本古代經由朝鮮半島百濟王受佛教，7 世紀初飛鳥時代聖德太子派遣使節和留學生積極學習攝取大陸佛教。7 世紀後半開始書寫一切經，佛教文化漸漸滲透全國。8 世紀奈良時代受武周盛唐官寺政策之影響，聖武天皇敕各國建國分寺和國分尼寺，在平成京築東大寺，國家佛教之隆盛可比唐。8 世紀末遷都平安京，入唐歸國僧最澄、空海相繼建立天台、真言兩宗，奠定了日本化佛

教教團。[24]

　　由此看來，願文傳入日本的時間點，應該在 7 世紀初期，也就是日本派遣「遣隋使」入隋後返國攜回日本的。日本奈良時期，為元明女帝和銅元年（708）到延曆 13 年（794）。這個時期的關鍵人物與事件，即是聖德太子與大化革新。此時日本的政治體制，經濟制度，思想文化，宗教信仰等，都以唐朝為模式，進行一波大規模的唐化運動。接續的平安朝時代，為桓武天皇定都平安京的延曆 13 年（794）到安德天皇文治元年（1185）間約 400 年的時間，而願文在日本的發展主要就是在這近 500 年的時間。

　　日本願文大致可分為三期：日本古代時期、奈良時期、平安朝時期。古代時期願文，包括日本最古願文「百濟王造佛像願文」──保存在《日本書紀》中，還有《三代實錄》所載四條。奈良時期願文，主要是接受初唐或唐以前願文的影響，主要作者為空海。到了平安朝，《白氏文集》等中唐文學傳入日本後，願文多了抒情色彩，進一步文學化，發展為具有特色的哀傷文學。所以，日本願文不只是中國願文的傳襲，更是深受中國佛教文化影響的一種文類。不過，日本願文與中國願文還是發展出不同樣貌，從以下幾點就可看出端倪：

（一）種類與應用層面

　　池田溫（1997：1-12）在〈敦煌願文與日本古代願文〉中，提到了願文的定義與接受層面：

---

[24] 池田溫：〈吐魯番敦煌功德錄和有關文書──日本古代願文的源流〉，《1994年敦煌學國際研討會論文集》宗教文史卷（上），頁 134-145。

廣義的願文包含諷誦文和表白文，日本平安時代以來編纂幾種諷誦、表白文集。諷誦意味著為故人追善請僧述志供養施物誦經，佛教喪儀之要項。而表白即於法會向三寶及聽眾告白趣旨的文章，僧徒大聲朗讀者。這樣從日本從古代到近代，願文廣泛地被受容上下階層，其中傑作收錄《詞花集》而歷世傳來。[25]

事實上，正因願文在日本受到了重視，所以不同於中國願文散佚各方的情形，反而出現了收錄願文的集子，包括《本朝文粹》、《菅家文草》、《性靈集》等，而願文在分類方面也比較清晰。比如在《本朝文粹》中，「願文」一類就分為：神祠修繕、供養寺塔、雜修繕、追修四種名目，並將呪願與發願文分開條列。法會願文，則有專屬的「表白」文體。平安時代中期的文人源為憲，為冷泉天皇的皇女尊子內親王寫了一部簡明的佛教解說書《三寶繪詞》，書中就把正月到十二月的各種佛事法會條列出來，從月月不斷的法事活動，就可見皇室對於佛教齋會的熱衷。收錄在《本朝續文粹》卷十二由江大府卿作的〈尊勝寺灌頂表白〉，是平安時代末期與天台三會並立的：尊勝寺・最勝寺結緣灌頂的表白文。[26]這種法會願文與追善願文涇渭分明的現象，是中、日願文最大的不同。

---

25 池田溫：〈敦煌願文與日本古代願文〉，《1997 年中國敦煌學國際研討會論文集》，頁 1-12。

26 天台三會是指三条天皇御願寺 宗寺的法華會與最勝會，白河天皇御願寺法勝寺的大乘會而言。在日本文獻中也有描寫佛教法會的漢詩，如《本朝麗藻》卷下「佛事部」源有國與高階積善各有一首〈暮秋勸學會於法興院聽講法華經同賦世尊大恩詩〉，內容便是寫參加「勸學會」這種法會後的抒懷作品。

川口久雄（1981：206-207）在《平安朝の漢文學》中，曾將《本朝文粹》與《本朝續文粹》中的願文種類與數量做過統計。[27]表格中的數據，以「願文」數量佔各類之冠，而願文中又以「追修」最多。所以，依附在日本願文的佛事活動，主要是類似中國亡齋或追福儀式，故「卌九願文」、「追善願文」資料最豐富。至於諷誦文的主體以陳述追福的供養物為主、篇幅較短，內容就不如前述兩者來得厚實。

	呪願文	表白文	發願文、知識文、迴文	願文	諷誦文
本朝文粹	2	1	3	27	6
本朝續文粹	2	2	0	22	13

與中國願文相較起來，日本願文的分類較細，並沒有因為應用場合與文體內容的重疊交錯，而出現齋文與願文混淆不清的情形。不過在應用層面方面，仍舊沒有脫離佛事活動的範圍。

(二) 作者、用語與體制

不同於中國願文的流散與殘缺，日本願文經過有意地整理與保存，大多留下完整的題名、作者。池田溫（1994：134-145）在〈吐魯番敦煌功德錄和有關文書──日本古代願文的源流〉提出：

> 古代日本 8-12 世紀佛教屬隆盛期，佛事法會頗受重
> 視，因此一流文人競作願文，比唐宋現存者多。奈良、

---

27 本表經過節錄，原表請參照川口久雄《平安朝の漢文學》頁 206-207。東京都：吉川弘文館。

> 平安時代之願文大體系皇帝、貴族階級所為，與吐魯
> 番、敦煌一般居民製作的功德疏迥異。此等日本願文一
> 般模仿南朝、隋、初唐諸例。日本願文之文章風格基本
> 踏襲唐初期體勢，其後時有混入中唐、元白文風。[28]

這種新興文類的文學化與貴族化，應該也是願文被視為「文學」而留存的最大原因。如《本朝文粹》中願文的大宗作者：僧人慶滋保胤與大江家族的文人群，都是當代著名的作家。[29]

　　日本願文在文字方面，制式化的應用風格沒有改變，但套語與格式略有不同。發願文開頭是「伏願」，作為發願文之首。一般願文開頭是先說明事主身分，其公式是：「職稱加人名（某人）前白（某）佛言」，或是「某人敬白」。行文當中以「伏維」接事主、或作忌之人名。「仰願」、「伏願」之後則接發願內容。最後以「伏以發願」或「敬白」結束一篇願文。與中國願文相較，日本願文除了寫作格式更加固定之外，連套語與套語位置都是幾乎篇篇相同，相較之下，中國願文的寫作就隨性多了。如：前中書王〈供養自筆法華經願文〉：

> 弟子某敬白。夫来而不留，薤蘽有払晨之露；去而不
> 返，槿籬無投暮之花。論此浮生，如彼花露乎。況雪鬢
> 齡邁，黃壤期催。若不心起一念、手成微功、徒為東岱
> 之暗魂、北芒之朽骨。因尋奇肱，而奉造白檀觀世音菩
> 薩一炷、釋提桓因、毘沙門、亦穿拙掌、而奉寫墨字法

28　池田温：〈吐魯番敦煌功德錄和有關文書——日本古代願文的源流〉，《1994
　　年敦煌學國際研討會論文集》宗教文史卷（上），頁134-145。

29　包括大江朝綱（亦稱後江相公）、大江維時，與維時之孫大江匡衡。

華經一部、開結經、般若心經。貞元之歲、無畏道場、
嘔竟雁門之師、講演鷲峰之偈。伏願、諸仏如說隨喜。
播於一善之蔕芥、那於百億之須彌。豈敢習人間之息
災、唯是充身後之追福而已。昔朱邑之焄邑里也、有懷
桐鄉之民。今弟子之誠子孫也、不如桑門之侶。故以此
仏經、属我法侶。雪盡氷解之日、付谿鳥而傳妙音、月
殘露結之朝、折籬花以供仏界。迴可香煙之不絕者、無
恨石火之早敲矣。有為之鄉、無邊之界、同慶方赤、共
期円明。兼明稽首、敬白。

　　貞元元年九月十九日。

　　　　　　　　　　　　弟子大臣　二位兼行皇太
　　　　　　　　　　　　子傅源朝臣兼明敬白[30]

　　此篇願文近似中國的題記願文，是作者在抄造了《法華
經》之後，決定發心供養的文字。作者兼明親王，是醍醐天皇
的第十六皇子，母親是參議藤原菅根之女藤原淑姬。兼明身為
皇室貴族，文字風格受中唐白居易影響甚深，文字豪放中具有
格調，使用的文辭典雅精緻，不論是對偶、用典均毫不遜於中
國文士之作，幾乎將願文當成文學作品在寫。再比較一篇大江
匡衡〈為仁康上人修五時講願文〉，就可以發現日本願文整齊
的格式：

　　　佛子仁康敬白

　　　奉造立金色丈六釋迦牟尼佛像一軀

30　《本朝文粹》卷第十四，頁 358-359。《新日本古典文學大系》27，東京：岩
　　波書店，1992 年。

奉書寫華嚴經等云云

右、佛經奉造如件。夫佛日之出世也，先照高山、次及幽谷，影臨万水、光滿三空。円融亭午、寂滅平西，眾生破暗、此焉明矣。不然者，十方佛土所摒棄，是婆娑世界眾生、徒累火血刀之業因。……經曰：「若聞釋迦牟尼如來名號，雖未發心，已是菩薩矣。」是以感淚暗催，心作此念。願我善知識共奉造釋迦尊之形像，演暢所說之經典，令眾生得見佛聞法之便。一二年來、能事畢矣。席忉利天安居九十日，刻赤檀而模尊容，今跋提河之滅度二千年，瑩紫磨金而礼兩足，彼大王之力也；五尺猶仮天工，此貧道之功也，丈六適叶人望。……抑佛昔於過去釋迦牟尼佛所發心願曰：願我成佛時，名曰釋迦牟尼佛。徒眾及教法，如今日世尊。佛子今願亦復如是。凡厥發因起緣，或順或逆，皆以今日之善根，將為來世之張本。願共諸生，往生安樂國。釋迦牟尼佛。敬白。

正曆二年三月二十八日

佛子敬白[31]

與前篇比較，兩篇願文的套語、日期格式排列整齊；發願人、祈願事亦清楚陳述。這種照規矩來行文書寫，是日本願文的一大特色。作者大江匡衡，是著名的大江家族成員，即是大江納言——大江維時之孫。七歲開始讀書，九歲就可以作詩的匡衡，受到祖父深深的寄望。極富才學的他，曾為一条天皇講

31　同注30，卷第十四，頁360。

讀《書經》、《老子》、《文選》、《白氏文集》。他的作品，不同貴族筆下的華麗婉約，多了些士人才氣縱橫的味道。上篇為造像願文，這類造像、造塔願文日本也保存很多，這與參與佛事活動多為富裕的皇親貴族有關，唯有經濟上許可，在佛事中才能有豐厚的供養出現。

除了格式之外，日本願文在文字上的精雕細琢，也是篇篇皆然，就如劉勰為祝文下的定義：「立誠在肅，修辭必甘」一般。後江相公（大江朝綱）〈村上天皇母后冊九日御願文〉：「翡翠簾前，花枝添戀古之色，珊瑚床下，鏡匣遺染淚之塵。坐憂臥憂，空思瑤裙之去日，何朝何夕，再逢翠輦之歸時。」[32]此段文采與初唐許多喪葬類的應制詩相近。其中「鏡匣」之語，應來自「鸞鏡」一典，「鸞鏡」是〈鸞鳥詩序〉中的鸞鳥故事，原做為婦女失偶自傷的典故，在唐代的輓歌詞中常被詩人引用為追念皇后或公主之詞，如權德輿〈昭德皇后輓歌詞〉：「鸞鏡金波澀，羽衣玉彩凝。」[33]與〈贈梁國惠康公主輓歌〉：「鳳樓人已去，鸞鏡月空懸。」都是運用此典的例子。而「玉輦」或「翠輦」也是唐代詩人寫作后妃詩歌的常用典，如李百藥〈文德皇后輓歌詞〉：「玉輦終辭宴，瑤筐遂不開。」[34]後江相公另一篇〈為左大臣息女女御修冊九日願文〉：「漢宮入內之夜，傍華輦而成歡，荒原送終之時，混松風而添哭。綿綿此恨，生生何忘。」[35]則類似於中唐白居易〈長恨歌〉中，描寫戀人死別的苦恨情傷。由此可見，日本願文傳承於中國的血

---

32 同注 30，卷第十四，頁 368。

33 《全唐詩》第 5 冊，第 327 卷，頁 3665。

34 《全唐詩》第 1 冊，第 43 卷，頁 541。

35 同注 32，卷第十四，頁 370。

脈，從使用的文字與風格一處就可以得到印證。

　　日本願文的體制，多與中國願文相似。不過呪願一類與中國呪願文則有差異，因為兩者的主題不同、形式也相異。呪願原是「願」的一種名目，饒宗頤〈談佛教的發願文〉說明：

> 僧祐所編《法苑雜緣原始集目錄》中《佛寶集》下卷第三，從諸經摘出形形色色，自受食、施粥、布施、作舍、遠行以至生子、娶婦、亡人都可以呪願⋯⋯。敦煌所出文書如 S.343，其雜文中標題除 6 題願文，又有亡文，十二呪願小兒子意。S.5546 有呪願新郎、呪願新婦諸標題，此類正同於僧祐所收之呪願文。[36]

中國的呪願文是一種用在喜慶場合的祈福文字，內容多是吉祥與祝福之語，偏向應用在世俗事由之上，字數也參差不齊。而在《本朝文粹》中的日本的呪願文〈臨時仁王會呪願文〉、〈淨妙寺塔供養呪願文〉就不同了，此二篇呪願文通篇四言、句式整齊；前者是為了祈求神力幫助防禦「山東凶徒」所舉行的法會中的祈願文，後者是起塔供養的呪願文。不論何者，與中國的呪願文在形式上與內容上都大相逕庭。

（三）文學化與貴族化

　　中、日願文最大的不同處，就是作者身份的轉移。日本願文作者不僅具備知識份子身分，甚至是貴族、朝官，如著名願文作家群大江家族，就有多人擔任過「納言」或「學士」的官

36　饒宗頤：〈談佛教的發願文〉，《敦煌吐魯番研究》第四卷，頁 477-487。甘肅人民出版社出版，1999。

職。因此，他們為宮廷創作了許多七七忌的願文，文采都相當富麗斑斕。而中國願文作者大多是僧人，創作願文多半純粹是為了舉行齋會所需，因此在文辭方面顯得較為通俗實用。

正因創作族群的不同，日本願文內容偏向文學化，除了前文已經提過的優美段落之外，日本文人對於中國文學典故的運用，除了應制詩之外的典故也很積極地運用。如：善道統〈為空也上人供養金字大般若經願文〉中就有「秋水」、「椒房」等詞彙出現。慶保胤〈為二品長公主冊九日願文〉：「一咲再顧，既是羅山之舊容，玄鬢翠蛾，莫不洛川之麗質。」[37]不但以「洛川」為形容美女之詞，更將「玄鬢翠蛾」這種唐代時流行於仕女之間的裝扮與妝容，直接引用讚美日本貴族婦女美好姿態。這段文字與前文第二節中所引述的〈亡文〉段落，不論在用字、文意方面都相當近似，承襲之姿顯然。

因此，整體來說，日本願文在體制上大致接收唐時慣例，不過由於作者階層改變，在用字遣詞方面，展現了不同的風貌。而作者貴族化、文士化，也導致了日本願文在內容上呈現出與中國願文不同的情調。在日本願文中，鮮少見到平民百姓的日常生活，多半都是王宮貴族供養寺塔、作忌修福之事，可見寫作願文並非日本當時一般百姓可以接觸與負擔的。相形之下，中國願文的作者，上至高官節度使、下至僧尼老百姓，可以說是一種另類的全民運動，所以文本所反映的社會百態也就更貼近真實面，例如：祈禱征戰遠行後還能平安歸鄉、或是寄望來生修成男兒身，都真實地呈現在願文中。所以，如果說中國願文是百姓心願的呢喃，那麼日本願文就是貴族生活的雅樂

---

[37] 同注32，卷第十四，頁369。

了。

四、中、日願文「接受、影響、轉變」的三大過程

　　中國願文與日本願文的關係，起先是一種複製。日本願文把中國願文的應用體制、慣用套式完全學習過去。如：斯1924〈迴向發願〉是敦煌願文中少見的四言願文，本篇被斷為曹氏歸義軍時期所做，形式與《本朝文粹》中兩篇「呪願文」相當類似。文章開頭以「仰白」諸佛為首，全文以四言夾雜六言，堆疊出四海承平的繁榮景象，並希望將自己所承的福份分施給他人。而《本朝文粹》中兩篇「呪願文」〈臨時仁王會呪願文一首〉、〈左大臣供養淨妙寺塔呪願文〉，是整齊的四言願文。若視曹氏歸義軍從大中二年（西元 848 年）計算起的話，日本僧人圓珍在西元 853 年 7 月入唐，858 年 6 月歸日，有可能正好攜回了提供這兩篇呪願文的作者大江朝綱（886-958）寫作資料，造就了流通兩地願文的橋樑。

　　至於「亡文」是中國願文的大宗，因為作忌是佛事活動中最廣為接受的部分，人們希望往生時，能夠仰仗佛力、登極樂淨土。因此，在敦煌願文中，有不少的亡文範本，就是僧人在不同場合、不同事主，便於使用的範例集。亡文的基調，不是哀傷便是嘆挽，與輓歌雷同，只不過亡文帶有宗教實用性。因此，在亡文出現的字詞用語，情緒都較為低沈。日本願文在亡文這類，情調上幾乎是完全吸收中國亡文的，這可以從為數不少的卌九日願文、卌九日御願文一窺究竟。這類七七忌願文，在作家的文字催化情緒之下，讀來無一不令人動容。其中常用

的詞彙後來被日本文人廣泛吸收，小峯和明（2002：187-195）在〈《敦煌願文集》與日本中世紀唱導資料〉一文就提到：

> 語彙方面較特別的是「二鼠」一語，「二鼠」象徵的是時間。佛典中有關無常的比喻，經常是用代表地水火風四大的「四蛇」，以對比句的方式出現。日本從奈良時代起已有許多用例出現。……這些原本幾乎都是運用在追悼至親的供養會上的，後來廣被運用成了表現無常的最佳修辭材料。[38]

從文體的相似、情調的模仿到文字的引用，這個一脈相承的現象，正可以視為亡文這類願文是日本哀傷文學前導的證據。

不過願文的「美文」基因，可不是願文進入日本之後憑空增添出來的。不管是祈願文或發願文，都是向心中信仰的宗教神祇表白，因此在用詞上本就莊嚴、美善，除此之外，在前文討論中國願文的文字特色中，有一個因素也值得注意──「四六駢儷句」。駢文在中國是形式文學代表，半詩半文的特殊形式讓駢文在馳騁華麗語詞之末，還能曲終奏雅一番。這種兼具辭藻、議論、抒情的文體，冶煉了願文的形式，這也是願文能從宗教文書進展到文學藝術的重要關鍵。

願文傳到日本之後，由於創作族群的改變，脫去中國願文的通俗化與便利性，將文學基因投注進去，讓日本願文在文字

38　小峯和明著　陳靜慧譯〈《敦煌願文集》與日本中世紀唱導資料〉。《日本漢學研究初探》，頁 187-195。喜瑪拉雅研究發展基金會，民國 91 年 3 月。

上有了更優美的裝飾。所以日本願文在詞彙上的表現如同文學作品一般。正因這種「美文」的特質，日本願文也就有了雙重身分，它一方面是單純的佛事應用文，一方面卻又是展現文人抒情功力的嘆誦文。兩者激盪在願文中所產生的化學反應，便是日本哀傷文學的誕生。所謂哀傷文學是指：日本輓歌與日本漢詩、和歌中感慨事物無常、人生多變、歲月易逝的主題作品。例如：日本早期詩歌集《萬葉集》中山上憶良的〈哀世間難住歌〉、〈老身重病經年辛苦及思兒等歌七首〉等。藤原冬嗣奉嵯峨天皇敕《文華秀麗集》（日皇紀 1478 年，唐憲宗元和 13 年）「哀傷」類收漢詩 15 首，直接將輓歌與感傷主題的漢詩統攝為「哀傷」文學。醍醐天皇勅撰和歌集《古今集》（日皇紀 1565 年，唐哀宗昭宣二年）卷十六，收「哀傷」類和歌 22 首等，這些都是日本哀傷文學一系的傳承。

五、結　語

　　許多研究文獻都指出，中國願文之所以不載於中國選集，是因為願文在中國不受重視、被忽略所致。讓我們重新思索這個問題：願文的不被收錄，算不算一種忽視？以《全隋文》做為例子，《全隋文》共三十六卷，釋氏作品被安排在第三十二到三十五卷，其中包括智顗、彥琮、僧燦等人的作品，不過以「願文」為題而收錄的僅有智顗的〈發願文〉，而〈將赴晉王召求四願〉勉強以願為名而被收錄，除此之外的釋氏作品大部分都是研究佛理之論、疏或書信。由此可知，願文在中國士大夫的心中根本談不上文學，它只不過是一種佛教的文字產物，就像現代許多法師開示大眾的講稿，法事做完，大家聽聽就過

了。所以當時敦煌僧人才會做出所謂的願文範本，好方便一再誦讀、不需重寫，因為就算字句重複，事主也不會在意，只要功德有做到、福有祈到就好了。這種性質的文本，在以雅文學為主導的中國古代來說，幾乎是小道末流。所以，願文的不載於古籍，是一個必然的現象，而非刻意被忽略。

飄洋過海的日本願文就不同了，中、日願文雖然在體制上雷同，創作情懷有時也頗相似，不過中國願文偏向民間宗教作品，有濃厚的世俗化傾向；相較起來，日本願文已有文學化的因子，雖未脫佛事應用的範疇，不過已不是一般民眾都可以提筆創作的民間文學。日本願文的創作者、使用者都是貴族，一般民眾無法接觸，加上當時日本對於中國文化的認知，就是一種「進步」、「已開化」的象徵，所以必不會直接引用中國文人的定義來評斷願文。因此，願文在日本重生了。轉進東瀛的願文，從中國普羅大眾使用的民俗化文體，進化到日本貴族的廟堂文學，徹底地改頭換面。值得慶幸的是，不同於有些中國願文因不良的保存條件所以出現斷章，或是僧人使用的範本過於掐頭去尾，導致難以推論全文面貌，日本願文因為偏向文學性作品，所以有意地被整理與收錄，因此，可以清楚比對出中日願文形式上的不同特色，甚至回溯日本願文的演變。

除了願文本身的文體意義之外，願文也提供了我們許多宗教的參考資料。中國願文有民俗化的痕跡，所以許多敦煌民眾深信的神祇，都在願文裡大展神威，如：「啟請文」中可以看見當時敦煌居民所信仰的眾多神祇，而「天王文」可以看見當時居民對於天王保衛家國的深切期待，這些都是有助於瞭解敦煌佛教發展的重要資要。而日本願文的〈呪願文〉一類，也有記錄當時祈求所信仰的神祇赫展威力、護佑百姓的文句，這些

資料都可以做為我們研究佛教神祇在中、日發展時，開展出哪些不同信仰偶像的參考文獻。

文末謹用〈星流發願文〉：「歸向者，福逐願生；輕毀者，禍從心起。」一語做結，這句話不但道盡佛教的信仰觀，也涵攝所有宗教。接受宗教之初，的確需要一種信仰的跳躍，才能在起心動念間為福田播下種子，這也是「發願」在信仰宗教過程中關鍵而必要的原因。

參考文獻

大曾根章介、金原理、後藤昭雄校注（1992）《本朝文粹》,《新日本古典文學大系》27。東京：岩波書店。

小峯和明著、陳靜慧譯（2002）〈《敦煌願文集》與日本中世紀唱導資料〉,《日本漢學研究初探》,頁 187-195，喜瑪拉雅研究發展基金會。

王三慶（2003）〈敦煌文獻中齋願文的內容分析研究〉,《新世紀敦煌學論集》,頁 598-620。成都：巴蜀書社。

王曉平（2003）〈晉唐願文與日本奈良時代的佛教文學〉,《東北亞論壇》第二期，頁 88-92。

冉雲華（1990）〈諷誦的力量〉,《中國佛教文化研究論集》,頁 1-10，台北：東初出版社。

池田溫（1994）〈吐魯番敦煌功德錄和有關文書──日本古代願文的源流〉,《1994 年敦煌學國際研討會論文集》宗教文史卷（上），頁 134-145。

池田溫（1997）〈敦煌願文與日本古代願文〉,《1997 年中國敦煌學國際研討會論文集》,頁 1-12。

郝春文（1996）〈關於敦煌寫本齋文的幾個問題〉，《首都師範大學學報》1996 年第二期，頁 64-71。

陳曉紅（2004）〈試論敦煌佛教願文的類型〉，《敦煌學輯刊》2004 年第 1 期，頁 92-102。

渡邊秀夫（1991）《平安朝文學と漢文世界》。東京都：勉誠社。

黃征（1997）〈敦煌願文雜考〉，《97 中國敦煌學研討會論文》，頁 1-9。

黃征、吳偉編校（1995）《敦煌願文集》。湖南：岳麓書社。

潘重規（1994）《敦煌變文集新書》。台北：文津出版社。

鄭師阿財（1998）〈敦煌佛教靈應故事〉，《佛學與文學——佛教文學與藝術學術研討會論文集、文學部分》，法鼓文化，頁 121~152。

饒宗頤（1999）〈談佛教的發願文〉，《敦煌吐魯番研究》第四卷，頁 477-487，甘肅人民出版社出版。

歷史傳說在中國通俗說唱文學中的演變

黃巢起義的傳說在《五代史平話》與《目蓮寶卷》中的流傳[1]

白若思

賓夕法尼亞大學 University of Pennsylvania 博士生

中文摘要

《新編五代史平話》（約 14 世紀）與《目蓮三世救母寶卷》（約 19 世紀）都跟中國民間說唱表演有關係。這兩本作品都提到黃巢起義（875-884）事件。

平話與寶卷都採用了歷史記載的情節，但不可否認兩者也受到了民間傳說的影響。平話大部分因襲正史，如《資治通鑑》的說法，但是也穿插了正史之外奇異的傳說。與平話相比，寶卷裡歷史事件縮小更大，而臆想的成分增加更多。一般來說小說來源於說唱腳本，可是寶卷作為一種民間說唱的腳本，卻因襲《殘唐五代演義》（約 17 世紀）這個小說的情節。由此可見中國說唱表演與出版物之間的互相影響。

平話與寶卷裡有關黃巢的傳說與正史中記載的有關歷代帝王的故事很接近，可是有一些情節（黃巢醜陋的外貌、科舉的失敗與天賜的寶劍）更接近民間流傳的鍾馗的故事。這些情節雖然最初在史書上有簡單記載，但是後來是在平話與小說中被充分擴展的。寶卷裡黃巢是目蓮僧的轉世。黃巢跟鍾馗、目蓮等老百姓崇拜的神一樣起驅除鬼魂的作用。寶卷裡黃巢的形象受到了佛教與民間信仰的影響。

---

1 作者感謝 Victor H. Mair（梅維恒）教授的指導，也感謝司佳博士對拙文漢語錯誤的糾正。剩下的錯誤作者負責任。

　　從俗文中可以看到有關黃巢起義的歷史資料逐漸地形成了民間神話傳說。民間黃巢傳說有多種演變。

關鍵詞

　　黃巢起義、平話、寶卷

Transformation of the Historical Material in the Texts of Chinese Popular Prosimetric Literature

Story of Huang Chao Rebellion in *Pinghua of the Five Dynasties* and *Baojuan of Mulian*

Rostislav Berezkin

Department of East Asian Languages and Civilizations

Abstract

This paper examines accounts of Huang Chao's rebellion (875-884) in Chinese popular fiction: *Newly Compiled Pinghua of the Five Dynasties* (ca. 14th century) and *Baojuan of Mulian Rescuing His Mother in Three Rebirths* (ca. 19th century). The analysis shows the transformation that historical material underwent in popular literature. Apocryphal elements gradually gain dominance over historical material in popular accounts. Due to the added details Huang Chao's image in *Pinghua* and *Baojuan* is connected with the well-known rulers and heroes (Hou Ji, Liu Bang, Xiang Yu, Zhu Wen). In both *Pinghua* and *Baojuan* the events of Huang Chao's rebellion are explained with the use of popular religious conceptions. Furthermore Huang Chao in *Baojuan* is assigned the role of demon-queller. The author of *Baojuan* projects the images of Buddhist saint Mulian (Mahāmaudgalyāyana) and the popular exorcistic deity Zhong Kui on Huang Chao. In popular literature Huang Chao appears as a complex figure, and his characteristics come from numerous sources of both elite and popular culture.

Keywords:

Huang Chao rebellion, *pinghua, baojuan*

　　《新編五代史平話》（簡稱《五代平話》，約 14 世紀）與
《目蓮三世救母寶卷》（簡稱《目蓮寶卷》，約 19 世紀）都跟中
國民間說唱表演有關係。這兩本作品都提到有關黃巢起義
（875-884）的事件。《五代平話》和《目蓮寶卷》都提供了對
這一事件的通俗解釋，也給我們機會探究歷史傳說如何在中國
俗文學中演變。

　　平話是敘述歷史傳說的通俗小說。平話起源於宋代的說書
口頭文學，盛行於元代（Idema 1974, 80）。《新編五代史平
話》的文本年代不詳。[2] 根據 James I. Crump 教授關於《五代
平話》語法特點的分析，這本平話應該是南宋末期或者元代初
期的作品（Crump 1949, vol. 1, 78）。Idema 教授認為《五代平
話》的原文於 14 世紀後期被校訂再版（Idema 1974, 74）。在
《五代平話》中，黃巢起義這一事件被認為是唐朝滅亡及五代
時內戰的原因。

　　寶卷是興盛於明清兩代的說唱文學的腳本。大部分初期的
寶卷（14－18 世紀）宣傳通俗佛教或者各派民間秘密宗教的
教義。晚期的寶卷（19－20 世紀）內容主要是民間傳說故
事，也有對當時流行的戲曲、小說的改寫（車錫倫 2002，1-
3）。《目蓮三世救母寶卷》是晚期的作品。《目蓮三世救母寶
卷》（車錫倫《中國寶卷綜目》編號 694）最早的版本是 1876
年的木刻本，但是這本寶卷於 19 世紀末 20 世紀初屢次被校訂
再版（車錫倫 2000，167-168）。我使用了《寶卷初集》內收
藏的 1898 年石印本的影印（目蓮寶卷，1994，240-394）。在

---

[2] 《新編五代史平話》古代的殘本 1901 年才被發現。我使用了現代校訂的版
本（五代平話，1959）。

《目蓮寶卷》中，黃巢的傳說成了目蓮救母的故事中的一段。[3]
佛弟子目蓮（或目連，梵文 Mahāmaudgalyāyana）把自己的母
親從地獄中救出來的故事起源於佛經，後來成了許多中國俗文
學作品的主題。唐、五代時期有關目蓮故事的一些變文和緣
起、一篇講經文的一部分在敦煌被發現了。宋元時代已經有
《目蓮救母》戲曲，其文本失傳。後來安徽省的文人鄭之珍
（1518-1583）用民間目蓮戲的劇本編寫了《新編目蓮救母勸善
戲文》（有 1582 年的木刻本）。《目蓮救母》還有很多民間的文
本，內容情節、唱詞與鄭之珍本多有不同。它們之間有的涉及
到目蓮又轉世成黃巢。[4] 在目蓮寶卷和目蓮戲裡面的黃巢故事
應該是這兩種俗文學互相影響的結果。

　　黃巢（？-884）是唐代末年歷史的重要人物。歷史學家同
意王仙芝（？-878）和黃巢起義及其起義引起的內戰帶來了唐
朝的滅亡這一說法。起義導致了全國政治體系的大變化
（Somers 1978, 721）。平息叛亂的大將朱溫（852-912，本來是
黃巢的助手，後來投降於唐）和沙陀民族的領袖李克用（856-
908）是五代時期後樑和後唐王朝的奠基人。後來平話和寶卷
中所流傳的有關黃巢的故事彰顯出民間大眾關於這一歷史事件
的文學記憶。

3　晚期的目蓮寶卷的文本很多。本文只論及《目蓮三世救母寶卷》。黃巢成爲
　　目蓮轉世這一傳說也出現在《目蓮救母幽冥寶傳》（幽冥寶傳 2002，194），
　　《目蓮救母寶卷》（又名《黃巢寶卷》）和《目蓮救母三世得道全本》（車錫
　　倫編號 690、689、1356）。這些寶卷都是 19 世紀末 20 世紀初的作品（車錫
　　倫，2000，166-168）。早期的目蓮寶卷，例如《目蓮救母出離地獄升天寶
　　卷》（北京圖書館藏北元 1372 年抄本），沒有目蓮轉世為黃巢的故事。這一
　　情節應該較晚才出現。

4　例如豫劇《目蓮救母》、山東梆子《大佛山》、紹興劇《救母記》、福建的一
　　種莆仙戲、川劇等（劉禎 1997，204-205，239）。

　　平話與寶卷在傳說情節上多遵從歷史記載，然需要指出的是兩者的作者使用了不同的文獻：平話起源於正式的歷史記載，而寶卷極可能是改寫自一段當時流行的歷史小說。平話因襲司馬光（1019-1086）所撰的《資治通鑑》的情節與結構。《資治通鑑》肯定對平話的底本，即宋代的民間口頭文學有所影響。吳自牧證明瞭 13 世紀末臨安（杭州）就有一些說書的人講唱 《資治通鑑》的故事（吳自牧 1987，12/17a）。俄國漢學家 L.K.Pavlovskaia 分析《五代平話》文本以後，認為《資治通鑑》是《五代史平話》資料的主要來源，可是有一些情節受到別的正史，如薛居正（912-981）所撰《舊五代史》、歐陽修（1007-1072）所撰《新五代史》、劉昫（887-946）所撰《舊唐書》和歐陽修所撰《新唐書》的影響（Pavlovskaia 1984, 25）。在平話中也有不少有關黃巢的很奇異的故事，例如黃巢出生和起義中的一些異相。這些故事可能代表了口頭民間文學對平話文本的影響。下面我就要詳細分析它們的內容。

　　在《目蓮寶卷》中，黃巢的故事因襲《殘唐五代演義》的情節。《殘唐五代演義》是明末長篇小說。過去的文人認為《殘唐五代演義》是 14 世紀由羅貫中（約 1330 - 約 1400）編寫的，可是現代文學學家認為它是 16 世紀末的作品。雖然《殘唐五代演義》明代的版本年代不詳，《隋唐兩朝志傳》（原版 1619 年）提到了《殘唐五代演義》是該小說的續篇（曾良 1995，36）。由此可見《殘唐五代演義》17 世紀初已經存在。在《目蓮寶卷》中，黃巢故事的很多情節與《殘唐五代演義》相同，但是我們在正史與平話裡面找不到它們。例如《目蓮寶卷》和《殘唐五代演義》都有黃巢殺佛僧了空（在《殘唐五代演義》作法明）以後叛唐的故事，也有黃巢的助手朱溫秘密地

跟唐皇家的公主結婚以後背叛黃巢，並投降於唐的故事。上面提到的第一段情節裡描寫佛寺的一首詩「壯哉山寺石巖邊，渺渺遙瞻斗柄連。」在寶卷中和《殘唐五代演義》中一模一樣，就證明寶卷有關黃巢的說法跟《殘唐五代演義》有關聯（殘唐五代演義 1990，13；目蓮寶卷 1994，348）。中國說唱文學的腳本寶卷借用小說讀物的情節——由此可見中國民間說唱與出版物的相互影響。

《五代平話》和《殘唐五代演義》都利用了大量歷史資料。[5] 如果拿寶卷和平話及《殘唐五代演義》比較，在寶卷裡真實的歷史事件被縮小，而臆想的成分有所增加。在寶卷裡黃巢的來歷和他開始起義的傳說佔很大篇幅，而起義的過程在作者筆下只用了幾句話帶過。

平話和寶卷都把黃巢起義視為神奇力量所造成的而不可避免的災難，但是兩部作品的具體的思想背景不同。平話用「數」（劫數）的觀念來解釋黃巢的出現。在平話有唐太宗（626-649 在位）讓宮廷占星術家袁天綱為唐王朝算命的故事。袁天綱預言了黃巢的起義。他說：「天地萬物，莫能逃乎數。〈中略〉國祚之所以長短，盜賊之所以生發，皆有一個定的。數在其間，終是躲避不過。」（五代平話 1959，5）劫數是佛道教結合的末世觀念。佛教認為世界要經歷過去，現在，未來三個大劫（劫波，梵文 kalpa）。每經過一大劫，世界被大水，大火，大風徹底毀滅，人畜都死盡，然後一個新的世界又將慢慢出現。這種概念大概在六朝時期與有關道教的讖緯結合

5　《殘唐五代演義》序言指出羅貫中改寫了《自治通鑑》。《殘唐五代演義》的第一回提到孫甫的《唐史記》（約 1040-1056）。這本已失的書基於《舊唐書》。

起來了（李豐楙 1999，51）。後來這種末世教義進入了民間意識與通俗文學，由《五代平話》以證明。

《目蓮寶卷》也用「劫災」的詞語評價黃巢起義（目蓮寶卷 1994, 351）。同時在寶卷中黃巢起義的故事被加入到目蓮救母的故事框架中。目蓮為了救出自己的母親劉青提下了地獄。目蓮的老師釋迦牟尼佛給他神奇的禪杖，以便目蓮能打開阿鼻地獄的大門，把劉青提放出去。因為目蓮不小心，他在打開大門的時候，八百萬個孤魂逃走了，到陽間託生去了，做了人和豬羊。地獄的主管閻王和地藏菩薩讓目蓮把這些鬼魂收起來，因為他們還沒有贖罪。目蓮先轉世為黃巢，殺了不少人，後作為屠戶賀因，殺了剩下的豬羊。這樣在寶卷中歷史傳說和佛教地獄冥罰、六道輪迴的思想結合起來了。

此種結合並不是以寶卷為先，比它早的通俗文學中也不乏把佛教輪迴與歷史事件產生相關聯的例子。《五代平話》提到了三國的三位統治者曹操（155-220）、孫權（？-251）和劉備（？-223）是漢高祖劉邦（前 256-195）的將軍王信、彭越和陳豨（都死於前 196 年）的轉生。因為王信、彭越和陳豨都被漢高祖冤罪處決，他們的孤魂後來到陽間託生報仇，破壞漢室江山（五代平話 1959, 4）。[6] 由此可見通俗文學經常利用輪迴概念。可是在寶卷裡這種宗教的概念和黃巢承擔特殊的降伏鬼魂的任務之間有某種關係，這是寶卷的一個重要的特色。

平話和寶卷都提到黃巢出生時的異相。這一點在正史裡並不能找到有關的記錄，所以這種故事應該是民間的傳說。平話說黃巢的母親 「生下一物，似肉毬相似，中間卻是一個紫羅

6　這個故事是另一本平話——《三國平話》的主旨。

複裏得一個孩兒，忽見屋中霞光燦爛」（五代平話 1959, 7）。寶卷說黃巢的父母——黃宗旦和田氏都是虔誠的俗人。雖然他們年紀很大，卻未及生子。為祈子進香以後回家的時候，黃宗旦和田氏在路上蹓到奇怪的鬼神。後來田氏懷孕了，二十五個月以後才分娩。通俗文學強調黃巢與別人不同，他出生也不正常。

平話和寶卷都告訴我們黃宗旦覺得小孩子生得不祥，他想拋棄黃巢。平話說黃宗旦命令把孩子放在鳥鳶（老鷹）的巢穴中。寶卷說黃宗旦把孩子丟棄，但是黃巢被土地神救活。土地神把黃巢放在鳥巢裡面，過了幾天黃巢被宗旦發現了。黃宗旦自此認為這個孩子有神力，把他帶回去並撫養大。平話和寶卷都強調鳥巢是黃巢這個名字的來源。

雖然有關鳥巢的故事可能是民間傳說，但是我們可以在正史和十三經裡找到類似的故事。《詩經》（大雅・生民）和司馬遷（約前 145 或前 135-前 86）所撰《史紀》都說后稷，即周王朝的祖先，出生得不正常。后稷剛出生的時候被他母親姜原拋棄，但是由神力救活。因此后稷的名字叫「棄」（二十四史 1997, 1/4.111; Legge 1970, 468）。由此可見在通俗文學裡黃巢的傳說可能模仿了古代偉大人物的傳說。

平話和寶卷都說黃巢的外貌很不正常。平話說黃巢「身長七尺，眼有三角，鬢毛盡赤，頷牙無縫；左臂上天生肉騰蛇一條，右臂上天生肉隨毯一個，背上分明排著八卦文，胸前依稀生著七星黶」（五代平話 1959, 8）。在寶卷的記錄中黃巢的「皮如黃紙。面帶金錢。一字橫眉。排牙兩個。鼻生三竅。背上有八卦。胸前有七星。」（目蓮寶卷，1994, 341）。研究通俗文學的 B.L.Riftin（李福清）教授和 L.K.Pavlovskaia 已經注意

到《五代平話》如此描述的黃巢的面貌有吉祥和不祥兩種徵兆（Riftin, 1979, 216; Pavlovskaia, 1984, 361）。

　　一些徵兆表明長大以後黃巢能達到皇帝的地位。因為在平話中黃巢嬰兒是在羅衣裡包起來的，而在寶卷裡描寫他有黃色的皮膚，由此可見黃巢跟皇家的顏色有緣。在古代中國黃色和紫紅色都是皇帝的顏色。黃門、紫禁城、黃旗紫蓋都是跟皇帝有關的東西。黃巢左臂上的騰蛇也明顯的預示他想當皇帝，而滾下去的球可能暗示黃巢叛亂的失敗。平話和寶卷都說到的黃巢背上的八卦胎記，以及寶卷裡面提到的他臉上的金錢應該都是吉祥的徵兆。不吉祥之兆有紅的頭髮、三竅的鼻子和兩個外排的牙齒。這種面貌顯示了黃巢有兇猛性格，也跟魔鬼有關係。

　　黃巢的一些外貌的特徵跟中國幾位帝王的故事有關。例如黃巢胸部上有像北斗七星的胎記，而據《史記》記載漢高祖「左股有七十二黑子」（二十四史 1997，1/8. 342）。蛇也經常在二十四史有關皇帝的故事裡出現。雖然龍是皇帝的象徵，而蛇也具有類似的象徵意義。《舊五代史》中記有後梁太祖朱溫有一天變成一條紅蛇，《史記》中記有漢高祖在沼澤地裡斬斷一條大蛇——白帝的兒子的化身（二十四史 1997，13/1.1; 1/8. 347）。寶卷中黃巢在起義失敗想自殺的時候，提到楚霸王項羽（前 232-202）。黃巢說：「當初霸王自刎烏江。〈中略〉 想我黃巢，也該在此而亡。」（目蓮寶卷 1994, 353）。霸王在烏江自殺的故事出現於《史記》（二十四史 1997，1/7/336）。寶卷把黃巢和古代的英雄相提並論。由此可見通俗文學裡對黃巢的描寫在某些方面因襲了古代歷史傳說的傳統。這些傳說雖然在正史文獻裡出現，但是它們的起源可能跟民間傳說有密切的關

係。並且這些傳說大概通過民間說書藝術或者戲曲流傳到平話和寶卷。

在平話，尤其在寶卷中，有關黃巢的傳說也觸及民間崇拜神靈的傳說。研究《目蓮寶卷》的俄國學者 E.S.Stulova 已經注意到了黃巢的臉上金錢、背上的八卦胎記、寶劍應該與門神、鍾馗、真武、關帝、呂洞賓等民間形象有關（Stulova 1985, 199）。我認為寶卷裡的黃巢故事模仿鍾馗的傳說最明顯。黃巢傳說的一些情節——黃巢醜陋的面貌、科舉考試的失敗以及天賜的寶劍——跟明清時期流行的鍾馗故事極其相似。

寶卷說因為黃巢面貌很醜陋，遂在殿試裡遭到失敗。黃巢原本學得很認真，成了文武雙全的人：「攻書上學，滿腹文章」（目蓮寶卷 1994, 342）。黃巢去長安，殿試中了狀元。僖宗皇帝（873-888 在位）看見黃巢的時候，很害怕，讓他離開宮殿，沒有賜封他狀元。黃巢大怒，就恨皇帝。後來天女給黃巢贈了奇異的寶劍，囑咐他開始起義。[7] 這就成了黃巢判亂的原因。

黃巢面貌的特點和他參加進士考試的故事有歷史文獻為根據。雖然正史沒有提到黃巢的面貌，比較早的文人筆記中暗示黃巢長相的醜陋。例如計有功（12 世紀）撰寫的《唐詩記事》說詩人皮日休（834?－883?）叫黃巢「果上三屈」。這種比喻很聰明，因為黃巢的外貌不好看，「巢頭醜掠鬢不盡」（計有功，1987, 64/9b-10a）。《資治通鑑》說黃巢學了一點經史，幾次參加進士考試，可是都沒成功。黃巢「粗涉書傳，屢舉進士不第，遂為盜」（司馬光 1956，9/252. 8180）。平話卻說黃巢「自小學習文章，博覽經史，性好舞劍，〈中略〉又會走馬放

---

7 有關寶劍的細節在平話裡也有。在平話裡一位神秘的道士贈給黃巢帶「混唐」二字的一把劍（五代平話 1959, 8）。

箭。」可是他在進士考試中遭到失敗（五代平話 1959, 8）。由此可見黃巢的知識和才能在通俗文學裡被逐漸提高了。可是上面提到的黃巢的面貌與考試失敗的因果關係在明代的作品裡面才出現。[8]

這種結合不是偶然的，因為小說和寶卷的說法跟鍾馗的故事很相似。宋初已經有鍾馗為了唐玄宗皇帝（712-756 在位）驅除鬼神的故事。沈括（1030-1094）在《正夢溪筆談》說鍾馗本來武舉失敗，但是發誓為皇帝服務，驅除天下的妖孽（沈括，1963, 320）。到明代末期這個故事演變為通俗小說。在東京的內閣文庫藏有 16 世紀的《鼎鍥全像按鑑唐鍾馗全傳》（簡稱《唐鍾馗全傳》）。在這本小說中鍾馗的故事被擴展。依照這本小說的情節鍾馗跟寶卷裡面的黃巢一樣是一對老夫妻的孩子。鍾馗很有才能，參加了科舉考試，但是因面貌醜陋，未獲狀元。鍾馗遂自盡，可是他死之後，玉帝派給他驅除魔鬼的任務，也與他一把寶劍（唐鍾馗全傳 1990）。[9] 這本小說很可能影響到同時出現的《殘唐五代演義》和後代的《目蓮寶卷》裡的相關故事情節。

大部分目蓮戲裡雖然沒有黃巢，但鍾馗出現了，並且他降伏鬼魂。在鄭之珍的《新編目蓮救母勸善戲文》一出〈八殿尋

8　黃巢也是雜劇《雁門關存孝打虎》的人物。其中也說黃巢在考場落選是因為他的外貌很醜陋。裡面黃巢說：「因大唐開其選場，某乃上朝應舉，唐天子嫌某貌丑，退出不用。某在太行山落草為寇。」這本雜劇算是由元代人陳以仁編寫，但現在只存明代萬曆年間的脈望館的抄本（全元雜劇，1962, 15 冊）。這種情節很可能是明代人的增添。《殘唐五代演義》小說裡也有這種情節。雜劇和小說中這一情節應該都是在明代才出現的。

9　清代劉璋編寫的《斬鬼傳》（《鍾馗全傳》）因襲明代的小說（鍾馗全傳，1995）。

母）裡鍾馗收盡了從地獄逃出的鬼犯（鄭之珍 2005，454-455）。皖南本《目蓮》和徽劇《串會後本》都以鍾馗出場，收緝自地獄夜魔城逃出之眾鬼犯為結尾（劉禎 1997，169）。這樣鍾馗在目蓮戲裡和黃巢在寶卷裡有相同的作用。鍾馗和黃巢兩個都能降伏鬼魂。他們在目蓮戲互相替代，因為在一些目蓮戲臺本裡，跟《目蓮寶卷》一樣，鬼魂也被黃巢收起來（參閱上文）。寶卷這種民間文學也有祛病去災、驅除鬼神的作用（車錫倫 2002，134）。因為這個原因在寶卷裡黃巢和民間流行有這種任務的神目蓮、鍾馗很自然地融合為一體。

總的來說《五代平話》與《目蓮寶卷》同時將黃巢的形象給英雄化、奇幻化（尤其是寶卷）。綜觀兩本作品裡面的傳說有別於歷史、大做文章之處可以推論在中國通俗文學中黃巢逐漸地演變成了神話英雄。我同意司徒洛娃的看法：在寶卷裡黃巢當一種「民間英雄」(Stulova 1985，199)。在平話與寶卷裡面黃巢傳說的一些特色──非凡的出生、其有關的祥兆、奇大的力量和神奇的武器──都跟亞洲、歐洲各個民族古代史詩傳說裡面的主人公（勇士英雄）相似。每個民族都有類似的傳說（Zhirmunskiy 2004, 125）。並且在兩本作品中黃巢參加考試、開始起義及死亡之部分恰恰符合研究世界神話的學家 Joseph Campbell（坎伯）的「英雄神話」模式。這種模式由三個部分組成：啟程、啟蒙及回歸（即英雄出發、完成任務及回到原來的社會）（Campbell 1973, 30）。在黃巢傳說中回歸之部分相當於他的死亡。在寶卷黃巢自殺之前瞭解到他完成了收集鬼魂的任務。[10] 上面提到的有關中國古代帝王英雄與鍾馗傳說也符

---

10 《五代平話》沒提到黃巢的死亡。

合這種模式。在神話裡面，英雄經常有典型的幫助者（Campbell 1973, 69）。在平話和寶卷裡面給黃巢贈予寶劍的道士和天女都是這種幫助者。因為這個原因他們出現在黃巢開始起義的部分。同時在平話與寶卷裡黃巢這個英雄很特別，因為他跟惡魔有關係。黃巢鬼神的性質以他醜陋的面貌和殘暴性為證明。

在中國通俗文學裡黃巢起義的歷史傳說吸收了一些真實的歷史資料。同時在《五代平話》與《目蓮寶卷》裡黃巢形象漸趨被英雄化、崇高化。黃巢傳說受到了著名歷史人物傳說（可能本來是民間文學的作品）和神話的影響。黃巢傳說的一方面模仿後稷、漢太祖、項羽等帝王英雄傳說。並且在平話和寶卷裡，黃巢傳說也出現於末世災難、地獄冥罰、六道輪廻等相關的概念中。平話受到了世俗宗教末世概念的影響。寶卷中黃巢即作為目蓮的轉世，又接近鍾馗的形象和作用。如此，在寶卷裡很明顯黃巢傳說跟佛教地獄冥罰的思想與民間降魔神靈的信仰也有一定的關係。民間黃巢傳說故事有多種來源與形式。在黃巢傳說發展的歷史中，我們也可以看到民間口頭文學和出版物之間的互相影響。

參考書目

一、專書

殘唐五代演義（1990）《殘唐五代史演義傳》，羅貫中著。《古本小說集成》，第四批。上海：古籍出版社。201 冊。

車錫倫（2000）《中國寶卷總目》。北京：燕山書局。

車錫倫（2002）《信仰、教化、娛樂。中國寶卷研究及其他》。臺北：學生書局。

二十四史（1997）《二十四史》。北京。中華書局。

計有功（1987）《唐詩記事》。《四庫全書》，史部，11，上海：古籍
　　出版社，1479 冊。

李豐楙（1999）〈救劫與度劫：道教與明末民間宗教的末世性格〉，
　　黎志添主編，《道教與民間宗教研究論集》，台北：樂學書局，
　　40-72 頁。

劉禎（1997）《中國民間目蓮文化》（中國傳統文化研究叢書）。成
　　都。巴蜀書社。

目蓮寶卷（1994）《目蓮三世救母寶卷》（1898 年石印本的影印），
　　張希舜等主編：《寶卷初集》，太原：山西人民出版社，27
　　冊，240-394 頁。

沈括（1963）宋・沈括撰，胡道靜校註：《新校　正夢溪筆談》。北
　　京。中華書局。

司馬光（1956）《資治通鑑》。北京。中華書局。

全元雜劇（1962）楊家駱 主編：《全元雜劇》，二編，臺北。世界
　　書局。

唐鍾馗全傳（1990）明・安正堂　補正。《鼎鍥全像按鑑唐鍾馗全
　　傳》。《古本小說集成》。上海：古籍出版社。1990，118 冊。

幽冥寶傳（2002）《目蓮救母幽冥寶傳》（1893 直隸大名府大名縣
　　積善堂重刊本的影印），黃寬重等主編：《俗文學叢刊》，戲劇
　　類、說唱類。臺北：新文豐出版公司，352 冊，5-196 頁。

五代平話（1959）《新編五代史平話》。上海。中華書局。

吳自牧（1987）《夢梁錄》，《四庫全書》，史部，11，上海：古籍出
　　版社，590 冊。

曾良（1995）〈殘唐五代史演義傳三題〉，《內江師專學報》第 1
　　期，33-50 頁。

鄭之珍（2005）《新編目蓮救母勸善戲文》，《皖人戲曲選刊：鄭之珍卷》。合肥。黃山書社。

鍾馗全傳（1995）劉璋、楊爾曾撰，《鍾馗全傳、韓湘子全傳》。北京。華夏出版社。

二、論文

Campbell (1973): Campbell, Joseph. *The Hero with a Thousand Faces.* Princeton: Princeton University Press. 1973 (first edition 1949).

Crump (1949): Crump, James I. Jr. "Some problems in the language of the Shin-bian Wuu-day shyy Pyng-huah", vlms. 1-2, PhD dissertation (microform), Yale University, 1949.

Idema (1974): Idema, Wilt L., "Some remarks and speculations concerning p'ing-hua", in Chinese Vernacular Fiction. The Formative Period. Leiden: E.J. Brill, 1974, pp. 69-120.

Legge (1970): Legge, James, transl. *The Chinese Classics with a Translation, Critical and Exegetical Notes, Proligomena, and Copious Indexes*, vlms. 1-5, "The She king", vol. 4, Taibei: Jinxue shuju, 1970.

Pavlovskaia (1984): Pavlovskaia, Liubov' K., Russian transl., annot., intro. *Zanovo sostavlennoe pinkhua po istorii Piati dinastii* (新編五代史平話，俄文翻譯及研究). 莫斯科：Nauka, 1984.

Riftin (1979): Riftin, Boris L. (李福清) *Ot mifa k romanu. Evoliutsiia izobrazheniia personazha v kitaiskoi literature* (從神話到小說。人物的形象在中國文學的衍變). 莫斯科: Nauka, 1979.

Somers (1978): Somers, Robert M. "The end of T'ang", in Twitchett, Denis; Fairbank, John K., ed., *Cambridge History of China*, vol. 3, part 1. Cambridge, New York: Cambridge University Press, 1978, pp. 715-789.

Stulova (1985): Stulova, El'vira S. (司徒洛娃) "Narodnye verovaniia v "Baotsziuan'o Muliane" (民間信仰在《目蓮寶卷》) *Obschestvo i gosudarstvo v Kitae* (中國的社會與國家), 16 (1985), 196-200 頁.

Zhirmunskiy (2004): Zhirmunskiy V.M. "Literaturnye otnosheniia Vostoka i Zapada i razvitie eposa"（東方與西方的文學聯係與史詩的演變）*Folklor Vostoka i Zapada: sravnitel'no-istoricheskie ocherki*（東方與西方的民間文學比較論文集）莫斯科：2004.

國家圖書館出版品預行編目資料

國際青年學者漢學會議論文集. 第六屆 ／臺東大學
人文學院等編著, -- 初版 -- 臺北市：萬卷樓,
2008.07
　　面；　　公分
　　部份內容為英文
　　ISBN 978－957－739－632－7 (平裝)
　　1. 漢學研究　2.文集
　　038.07　　　　　　　　　　　97012618

第六屆國際青年學者漢學會議論文集
—民間文學與漢學研究
Proceedings of The Sixth International Junior Scholars'
Conference on Sinology "Folk literature and Sinology"

編　　著：臺東大學人文學院
　　　　　College of Humanities, National Taitung University
　　　　　美國哈佛大學東亞語言與文明學系
　　　　　Department of East Asian Languages and Civilizations,
　　　　　Harvard University
　　　　　國立台灣史前文化博物館
　　　　　National Museum of Prehistory
發　行　者：萬卷樓圖書股份有限公司
　　　　　臺北市羅斯福路二段 41 號 6 樓之 3
　　　　　電話(02)23216565．23952992
　　　　　傳真(02)23944113
　　　　　劃撥帳號 15624015
出版登記證：新聞局局版臺業字第 5655 號
網　　址：http://www.wanjuan.com.tw
E－mail　：wanjuan@tpts5.seed.net.tw
承印廠商：中茂分色製版印刷事業股份有限公司
定　　價：400 元
出版日期：2008 年 7 月初版

ISBN：978－957－739－632－7